Wereldgeschiedenis

Een inleiding

Eric Vanhaute

ACADEMIA
PRESS

© Academia Press
Eekhout 2
9000 Gent
Tel. 09/233 80 88   Fax 09/233 14 09
info@academiapress.be   www.academiapress.be

De uitgaven van Academia Press worden verdeeld door:

J. Story-Scientia NV Wetenschappelijke Boekhandel
Sint-Kwintensberg 87
9000 Gent
Tel. 09/225 57 57   Fax 09/233 14 09
Info@story.be   www.story.be

Ef & Ef Media
Postbus 404
3500 AK Utrecht
info@efenefmedia.nl   www.efenefmedia.nl

Vanhaute, Eric
Wereldgeschiedenis
Een inleiding
Tweede, volledig herziene editie, 2012

Gent, Academia Press, 2012, X + 230

ISBN 978 90 382 1898 4
D/2012/4804/40
NUR1 680
U 1720

Inhoudsopgave

Voorwoord

The one duty we owe to history is to rewrite it – Oscar Wilde

Het verleden is een vreemd land. We zijn er nooit geweest, we kennen het alleen van anderen. Het is dan ook aan al die anderen aan wie ik dit leerboek opdraag. Zij die door de generaties heen de kennis hebben vergaard, geanalyseerd, doorgegeven. Zij die met vernieuwend diepteonderzoek en meesterlijke syntheses de geschiedenis keer op keer hebben herschreven. Het is hun wijsheid die ik hier verzamel, op hun schouders dat ik sta. Het is niet mogelijk recht te doen aan alle inzichten die ik hier samenbreng. De selectieve literatuurlijst achteraan is daarom mijn bescheiden ode aan de historici en wetenschappers die de basis hebben gelegd van de fascinerende discipline die wereldgeschiedenis de voorbije jaren is geworden. Mijn dank gaat ook uit naar de vele honderden studenten die de voorbije jaren deze kennis soms enthousiast, soms tegen wil en dank hebben moeten verwerken. Meer dan ze kunnen vermoeden, hebben ze bijgedragen tot het kritisch herdenken van dit leerboek. In het bijzonder wil ik Jan-Frederik Abbeloos, Frank Caestecker en Peer Vries, maar ook drie referenten en de leden van mijn Gentse Onderzoeksgroep *Communities/Comparisons/Connections* danken voor het kritisch lezen van teksten. Verder ook mijn dank aan Peter Laroy en Academia Press voor de immer enthousiaste ondersteuning bij het klaarstomen van deze tweede, volledig herziene editie.

De kracht van wereldgeschiedenis ligt in haar 'inclusiviteit', in de betrokkenheid, in de uitdaging de diversiteit van de menselijke geschiedenis te vertellen in een geïntegreerd, globaal, maar uiteindelijk ook eigen verhaal. Die kracht is ook haar grootste moeilijkheid, hoe maak je van dat inclusieve en eigen verhaal een condense en ook coherente geschiedenis, hoe geef je hier betekenis aan? De keuzes die ik maak, worden duidelijk in de opbouw van het boek in tien hoofdstukken. De indeling is thematisch georganiseerd en gaat uit van de grote vragen uit de menselijke geschiedenis. Zo gaan we op zoek naar tien historische verhalen, parallel en geïntegreerd. Ze spelen zich af in een wereld vormgegeven door myriaden menselijke acties en interacties. Het zijn de sporen hiervan die het mogelijk maken terug te kijken naar waar we als menselijke groep van gekomen zijn.

Eric Vanhaute
Antwerpen, 2012

Prelude

Kosmische geschiedenis en menselijke geschiedenis

In de geschiedenis van het universum is de reisweg van de mens maar een klein verhaal. Het is wel ons verhaal, en het is een boeiend verhaal. Die geschiedenis van de mensheid vertellen is niettemin een zo goed als onmogelijke opdracht. Tenminste, indien we het hele verhaal willen optekenen. Toch behoren de geschiedenissen die verhalen over het lot van de mens en zijn wereld tot de oudste vormen van collectieve vertellingen. Die behoefte tot zin- en betekenisgeving is al even menselijk als het stellen van de vraag naar het hoe en waarom hiervan. Verder in dit boek wordt ingegaan op het wat, hoe en waarom van wereldgeschiedenis. In dit voorspel plaatsen we de menselijke geschiedenis in perspectief en schetsen we een korte historische achtergrond op basis van de meest recente inzichten. Die inzichten komen verder in het boek omstandig aan bod.

Tegen de historische achtergrond van het 13,7 miljard jaar oude universum is de menselijke geschiedenis maar een oogwenk. Symboliseert de Parijse Eiffeltoren de geschiedenis van het universum sinds de *Big Bang*, dan stelt het verhaal van de mens niet meer voor dan de dikte van de verflaag bovenop de toren. Hieronder stellen we de geschiedenis van de kosmos voor op de schaal van een kalenderjaar.

Big Bang	1 januari	13,7 miljard jaar terug
De vorming van sterren en sterrenstelsels	Begin februari	12 miljard jaar terug
Geboorte van ons zonnestelsel	9 september	4,7 miljard jaar terug
Ontstaan van de aarde	15 september	4,5 miljard jaar terug
Vroegste leven op aarde	Begin oktober	4 miljard jaar terug
Eerste wormen	16 december	650 miljoen jaar terug
Eerste reptielen en bomen	23 december	370 miljoen jaar terug
Heerschappij van de dinosauriërs	24/28 december	330-65 miljoen jaar terug
Verschijning van de eerste mensen	Avond 31 december	2,7 miljoen jaar terug
Eerste landbouwsamenlevingen	31 december 11: 59:35	12.000 jaar terug
Begin onze jaartelling	31 december 11: 59:56	2000 jaar geleden

De geschiedenis van de aarde begint pas wanneer het universum al 9 miljard jaar oud is. Het vroegste leven verschijnt al vrij vroeg hierna, ongeveer 4 miljard jaar terug, maar blijft voor de overgrote tijd beperkt tot microscopisch kleine, eencellige levensvormen. Meer complexe organismen verschijnen vanaf 600/700 miljoen jaar terug, in de kosmische kalender is het dan al half december. Het is valavond van 31 december wanneer de eerste mensen (*homo habilis*) op de aarde rondlopen.

Evolutie en progressie

Evolutie is een verhaal te groot en te groots voor woorden. Dat 13,7 miljard jaar terug het universum uit het niets ontsprong en dat 9 miljard jaar later uit vrijwel niets op een kleine planeet leven ontstond, is zonder meer duizelingwekkend. Het feit dat dit het begin was van een proces van evolutie dat onder meer leidde tot een soort die in staat is dit proces te doorgronden, is niet minder verbluffend.

Het wonder van de evolutie maakt het echter geen voorbestemd verhaal. De Britse evolutiebioloog Richard Dawkins verwoordt het als volgt: 'De evolutie heeft vele miljoenen voorlopige eindbestemmingen bereikt (het aantal levende soorten op het moment van de observatie) en er is geen andere reden dan ijdelheid – menselijke ijdelheid, om precies te zijn, aangezien wij degenen zijn die hier het woord voeren – om er één als meerwaardig of als dichter bij het einddoel te bestempelen dan alle andere. (…) De historicus moet vermijden een geschiedenis te construeren die ook maar in het minst naar een menselijk hoogtepunt als eindbestemming lijkt toe te werken' (blz. 17 uit *Het verhaal van onze voorouders*).

Paleontoloog en evolutiebioloog Stephen J. Gould stelde het nog scherper: de homo sapiens is niet representatief voor, noch de uiteindelijke uitkomst van de evolutie. De evolutie is geen vooraf uitgetekende fasentheorie, die, mocht ze als een film opnieuw worden afgedraaid, telkens dezelfde uitkomst zou hebben. Daarvoor zit er te veel toeval in het spel, of noem het vanuit ons standpunt geluk. De kans dat bij een nieuw evolutionair spel er opnieuw zoiets als een menselijk wezen zou uitgroeien, is verwaarloosbaar klein.

Dit toeval of geluk wordt bepaald door extinctie. In de evolutie van het leven is extinctie het uiteindelijke lot van vrijwel alle soorten. Ongeveer 99 procent van alle soorten die ooit op aarde hebben geleefd, zijn intussen uitgestorven. Dit gebeurt echter niet gelijkmatig, de geschiedenis kent verschillende periodes van massa-extinctie. Zo stierf op het einde van het Krijttijdperk 65 miljoen jaar terug samen met de dinosaurussen ongeveer de helft van alle bestaande soorten uit. Het is dit 'toeval' dat de opmars van de zoogdieren, in die tijd nog onbeduidende nachtelijke insectivoren, en later dus van de mens mogelijk heeft gemaakt. De massale extincties op het einde van het Trias (200 miljoen jaar terug) en tijdens de overgang van Perm naar Trias (250 miljoen jaar terug) troffen naar schatting respectievelijk 75% en 90% van alle soorten. Volgens sommigen staan we nu, onder het regime van de Homo Sapiens, voor een nieuw fase van massa-extinctie.

Recente wetenschappelijke inzichten wijzen dus de idee van een gerichte, gestuurde evolutie af. Er is geen vooraf uitgetekend patroon of ritme in de evolutie, laat staan zoiets als een 'intelligent ontwerp'. Dat betekent niet dat er in evolutie geen 'progressie' mogelijk is. Niet een onvermijdelijke progressie in de richting van de mensheid, maar een vooruitgang in de richting van een grotere complexiteit. We mogen daarbij niet vergeten dat de meest langdurige en eenvoudige levensvormen, de bacteriën, nog altijd de meest voorkomende zijn. Het feit dat er, onafhankelijk van elkaar, vaak vele malen dezelfde evolutionaire ontdekkingen zijn gedaan (zoals de ontwikkeling van ogen in allerlei levensvormen) wijst op een beperkte mate van voorspelbaarheid. Dit komt omdat vergelijkbare problemen om vergelijkbare oplossingen vragen en dat tegelijkertijd het aantal oplossingen niet onbeperkt is. Die steeds nieuwe oplossingen zijn een gevolg van wat Richard Dawkins de voortdurende wapenwedlopen noemt in de evolutie. De overlevingsstrijd tussen soorten, tussen predatoren en prooien, stimuleert via de natuurlijke selectie progressieve evolutionaire stappen, een geleidelijke, stapsgewijze, progressieve verbetering. 'Progressie in de evolutie bestaat niet uit één enkele klim omhoog, maar vertoont een rijmend verloop, ongeveer zoals de tanden van een zaag. Aan het einde van het krijt bereikte een zaagtand een diep dal op het moment dat de dinosaurussen abrupt plaats maken voor een nieuwe, en spectaculaire klim, de progressieve evolutie van de zoogdieren (…) Sinds hun opkomst hebben ook de zoogdieren wapenwedlopen doorgemaakt, gevolgd door perioden van uitsterven, en hernieuwde wapenwedlopen' (blz. 693 uit *Het verhaal van onze voorouders*).

In het aangeven van periodes wordt zoveel mogelijk vermeden de oude, eurocentrische benamingen over te nemen, zoals Oudheid, Middeleeuwen, Nieuwe Tijd, Renaissance. De tijdsaanduiding volgt nog wel de christelijke kalender, maar wordt aangegeven in de meer neutrale aanduiding v.t./n.t. (voor/na (het begin van) onze tijdsrekening). In het Engels vinden we steeds vaker het eveneens meer neutrale BCE/CE terug (Before the Common Era / Common Era).

De geschiedenis van de mens in een notendop

Ongeveer vijf tot zes miljoen jaar terug splitst de groep van gezamenlijke voorouders van de chimpansee, de bonobo's en de hominiden zich op. Oostelijk en Zuidelijk Afrika blijft nog gedurende miljoenen jaren hun biotoop. Uit de afstammingslijn van de *hominiden*, onze directe voorouders, ontstaan naar alle waarschijnlijkheid enkele tientallen soorten of species. Allemaal kenmerken ze zich door het rechtop lopen en door het toenemende gebruik en later de graduele verbetering van (stenen) werktuigen. Vele van deze soorten sterven uit, andere zijn de aanzet voor een verdere evolutie. Het belangrijkste kenmerk is de graduele groei van de herseninhoud. De *homo habilis* (de 'handige mens', soms beschouwd als de eerste echte mens, het geslacht *homo*) die ongeveer 2,3 tot 1,5 miljoen jaar terug leefde, leerde meer complexe vormen van steenbewerking. De *homo erectus* was de soort die, ongeveer 1 miljoen jaar terug, aan de basis lag van de eerste grote trektocht uit Afrika, tot in de verre uithoeken van Eurazië. Deze mensen leerden ook het vuur controleren. In de loop der tijden zijn alle menselijke soorten uitgestorven, op één soort na: de *homo sapiens*.

Algemeen wordt aangenomen dat de geschiedenis van de moderne mens begint tussen 200.000 en 300.000 jaar terug, met het verschijnen van deze homo sapiens. Recente genetische informatie wijst uit dat alle mensen van vandaag afstammen van een kleine groep Afrikaanse voorouders, die duizenden generaties terug op de savannes rondzwierf. Deze moderne mens onderscheidt zich van zijn voorouders door meer ontwikkelde vormen van (symbolische) communicatie, door het doorgeven van geaccumuleerde kennis en door processen van collectief aanleren, alles samengevat als cultuur. De mens kan zich hierdoor sneller aanpassen aan veranderende omstandigheden, zonder dat het menselijke genetische patroon zich eerst moet wijzigen. Met behulp van een meer gesofisticeerde steentechnologie kan de homo sapiens zich verspreiden over grote delen van oostelijk Afrika. Omstreeks 100.000 jaar terug, volgens sommigen zijn ze op dat moment met niet meer dan 10.000, begint de moderne mens zijn trek uit Afrika, eerst naar Azië, vanaf 50.000 jaar terug naar Australië, vanaf 40.000 jaar terug naar Europa en vanaf 20.000-15.000 jaar terug naar Amerika. Intussen kan de mens zijn technologische kennis aanpassen en verbeteren. Dit gebeurt naar hedendaagse normen erg traag, onder meer door de lage bevolkingsdichtheid en de kleine schaal van de samenlevingen. Gedurende meer dan 200.000 jaar, 95% van zijn geschiedenis, overleeft de moderne mens als jager-verzamelaar (**periode van de jager-verzamelaars, 250.000-10.000/8000 v.t.**). In die periode ontwikkelt hij door de veelvuldige migraties een opmerkelijke diversiteit in levenswijze en technische kennis. Dit gaat gepaard met een zekere, maar opnieuw bijzonder trage bevolkingsgroei. 30.000 jaar terug is de mens nog met enkele honderdduizenden, in de periode juist vóór de landbouwrevoluties is dat opgelopen tot zes miljoen. Deze groeiende groep past nieuwe, meer succesvolle jachttechnieken toe en gebruikt overal ter wereld het vuur om bossen te ruimen voor nieuwe planten. Wapens, kleding en allerlei artistieke expressies verbeteren in de laatste periode vóór de landbouwrevoluties.

De eerste landbouwsamenlevingen ontstaan ongeveer 12.000-10.000 jaar terug (**periode van de landbouwsamenlevingen, 10.000/8000 v.t. – 1750/1800 n.t.**). De overgang is heel gradueel, met eerst kleine vormen van meer permanente nederzettingen en cultivering. Hoewel de periode van de jager-verzamelaars 250.000 jaar duurde, is naar bevolkingsaantal gemeten het landbouwtijdperk de belangrijkste periode in de menselijke geschiedenis. 70% van alle mensen die tot nu toe ooit hebben geleefd, deden dat immers in deze periode (tegenover 12% in de periode ervoor). De landbouwsamenlevingen ontstaan in een divergerende wereld. De regionale verschillen zijn groter dan in de periodes ervoor en erna. Vier grote zones ontwikkelen zich min of meer onafhankelijk van elkaar, ten minste tot 1500 n.t.: Afro-Eurazië, Amerika, Australië en de eilanden in de Stille Zuidzee. Opvallend is dat in diverse regio's en ongeveer in dezelfde periode landbouwsamenlevingen ontstaan, later gevolgd door meer grootschalige staatsvormen, steden, monumentale architectuur, staatsreligies en bureaucratische beheersinstrumenten, waaronder het schrift. Het ontstaan van de kennis van landbouwtechnieken, onafhankelijk van elkaar, wijst op het voorkomen van soortgelijke factoren, zoals klimaatswijzigingen (opwarming na de laatste ijstijden), ecologische grenzen (droogten, uitroeiing van zoogdieren) en een grotere demografische druk. De meer permanente nederzettingen kunnen meer mensen voeden en herbergen. Technologische veranderingen gaan sneller dan in de periode ervoor. De productie en ook de bevolking kunnen stijgen met een vroeger ongekende snelheid. Afgeleide producten van de landbouw, zoals vezels, huiden, mest en melk, worden handelswaar tussen gemeenschappen. De groei van de landbouwmaatschappijen wordt vaak afgeremd door de uitbraak van nieuwe ziektes, een gevolg van de overdracht van nieuwe pathogene bacteriën tussen dier en mens, en door oorlogsvoering. Op langere termijn nemen deze gemeenschappen in grote delen van de wereld de overhand. De organisatie van de landbouw over de seizoenen heen en het beheer van de voorraden noodzaken nieuwe vormen van controle. Die controle wordt uitgeoefend door nieuwe groepen van niet-landbouwers, die in hun levensonderhoud voorzien door het onttrekken van een deel van de oogst via tribuut (of belasting). De sociale verschillen groeien.

Van 8000 tot 3000 v.t. ontwikkelen deze vroege landbouwsamenlevingen zich als een conglomeraat van dorpen, die vaak nog in nauw contact leven met de jacht en de visvangst. Verdere groei leidt tot meer specialisatie, nieuwe types van leiderschap die de oude familieverwantschappen overstijgen en tot nieuwe genderrelaties, die de vrouw meestal weghouden van de machtsposities in de dorpen. Binnen die netwerken van dorpen groeit soms ook een hiërarchie, vaak gelegitimeerd vanuit de noodzaak tot bescherming. Deze vroegste vormen van staatsvorming geven ook de aanzet tot de eerste steden (3000 tot 500 v.t.). De oudste steden in Afro-Eurazië zijn 5000 jaar oud, in Midden- en Zuid-Amerika zijn ze 2000 jaar jonger. Steden kenmerken zich door een meer complexe interne arbeidsverdeling, met aan de top de specialisten in bestuur, religie en oorlogsvoering. Steden kunnen alleen maar overleven wanneer ze kunnen teren op vooruitstrevende, productieve landbouwsamenlevingen met een aanzienlijk surplus. Vaak gaat het over vormen van landbouw die een centrale organisatie nodig hebben, zoals complexe irrigatienetwerken.

Groeien steden uit tot centra van een groter bestuurlijk geheel, dan spreken we van de eerste (landbouw)rijken of beschavingen. Allemaal worden ze gekenmerkt door vormen van formeel bestuur, door het permanent afromen van een deel van de opbrengsten (taxatie), door de uitbouw van een centrale administratie en van legers en door een religieus staatssysteem. De eerste grote rijken of beschavingen in Mesopotamië (Tigris en Eufraat), Egypte (Nijl), India (Indus) en Noord-China (Gele Rivier) kenmerken zich daarnaast door uitgebouwde netwerken van transport, handel en culturele uitwisseling.

Tussen deze centra van beschaving groeien tevens handels- en communicatienetwerken, zoals de zogenaamde 'zijderoutes' tussen West- en Oost-Azië.

In de periode tussen 500 v.t. en 1000 n.t. groeit het aantal beschavingen of rijken aan en neemt de interactie hiertussen ook toe: Japan, Korea, China, India, Perzië, Rome, Ghana en Teotihuacan. Historici noemen deze periode (en dan vooral 500 v.t. tot 100 n.t.) vanwege de sterk gelijkende bewegingen in alle werelddelen ook de 'axiale periode' (*axial age*). Tegelijk verschijnen steden en meer uitgebreide staten in de meer perifere regio's, zoals in Noordwest-Europa, sub-Sahara Afrika, Zuid-India en zuidelijk China. De toenemende contacten tussen grote rijken zoals de dynastie van de Achaemeniden in Perzië, de Han-dynastie in China, het Romeinse Rijk in het gebied van de Middellandse Zee, de rijken van Magadha en Maurya in India en, later, het Islamitische Rijk van de Abbasiden, bevorderen de culturele uitwisseling. Dit is het meest duidelijk in de groei en verspreiding van de wereldreligies. Wereldreligies zwermen uit van het oude centrum, zijn niet meer gebonden aan één staatkundige eenheid en claimen allemaal universele waarheden: het boeddhisme vanuit Noord-India, het christendom vanuit het Romeinse Rijk, de islam vanuit het Arabische schiereiland. Eenzelfde expansie van rijken in economische, militaire en culturele zin doet zich voor op het Amerikaanse continent, met de beschavingen van Teotihuacan en de Maya's in Centraal-Amerika en de Moche-beschaving in het huidige Peru. Bevolkingen groeien niet alleen in de landbouwzones, maar ook in meer perifere gebieden, zoals in de steppes van Eurazië, op de vlakten van Noord-Amerika en op de eilanden van de Pacific. Ook hier vestigen zich vaak imposante rijken, zoals dat van de Mongolen, dat zich in de 13de eeuw uitstrekt van China tot Europa. In Afrika verspreidt vanuit het westelijke kerngebied een migratiebeweging naar het oosten en het zuiden de talen en culturen van de Bantoe.

Tussen 1000 en 1750 n.t. zetten deze trends zich verder, maar met op de achtergrond belangrijke veranderingen. De belangrijkste is die van de koppeling van de grote wereldzones. Door hun veroveringstochten, maar vooral door de uitbouw van handelsnetwerken, spelen Vikingen en Mongolen binnen Eurazië hierin een belangrijke rol. In Amerika brengt de militaire expansie van de Azteken (Midden-Amerika) en van de Inca's (Zuid-Amerika) een groot aantal volkeren samen in grote rijken. De belangrijkste impuls komt echter van een tot dan meer perifere regio in het Afro-Euraziatische complex, Europa. Na het uiteenvallen van de laatste grote rijken ontwikkelt zich hier een uiterst competitief systeem van kleine, sterk gecommercialiseerde en gemilitariseerde staten. In de zoektocht naar nieuwe commerciële mogelijkheden buiten de gevestigde Aziatische netwerken legt Europa de basis voor een nieuw, echt mondiaal systeem. De controle over de handelsnetwerken naar het westen (Amerika) en het oosten (Azië via Afrika) brengt grote rijkdommen, materieel en intellectueel, maar laat ook een spoor van vernieling na (massale sterfte, plundering, slavenhandel). Dit nieuwe netwerk, dat zich eerst ent op de bestaande (Aziatische) netwerken, groeit uit tot een door Europa gecontroleerd globaal systeem. Vanaf de 16de eeuw groeit een geïntegreerd wereldsysteem, dat Europa op de kaart zet en de hele wereld transformeert.

De periode na 1750-1800 markeert de meest turbulente periode in de wereldgeschiedenis tot nu toe (**de moderne samenleving, 1750/1800 n.t. – vandaag**). Hoewel deze periode niet ouder is dan 250 jaar, overtreft het aantal veranderingen ruimschoots die in de rest van de menselijke geschiedenis. De jaren 1750-1800 verwijzen in de eerste plaats naar de start van de eerste industriële revolutie, die de snelheid van de economische en maatschappelijke veranderingen enorm de hoogte heeft ingejaagd. De belangrijkste zijn een nieuwe economische organisatie (industrieel kapitalisme), snel opeenvolgende innovaties, veranderende globale verhoudingen, een snelle bevolkingsgroei en grote politieke en culturele verschuivingen. Deze transformaties genereren ook grotere verschillen, sociaal en geografisch. Zo blijft tot diep in de 20ste eeuw in de meeste regio's buiten de kernstaten de landbouwsamenleving dominant. Pas vanaf het begin van de 21ste eeuw leven er over de hele wereld meer mensen in een stad dan op het platteland. Oude rijken en beschavingen ruimen pas in het begin van de 20ste eeuw definitief plaats voor moderne, op complexe bureaucratieën gebouwde staten. Een grotere interconnectie leidt niet tot een meer eengemaakte wereld; de inkomensverschillen nemen hand over hand toe, zowel in de periodes van kolonisatie (tot 1960) als erna. Elders in dit boek komen vele vraagstukken van de snelle hedendaagse veranderingen uitvoerig aan bod. 'Industriële revoluties' volgen elkaar op: de eerste op basis van steenkool en ijzer, de tweede op basis van olie, petrochemie en elektriciteit, de derde op basis van de digitale revolutie. De hierdoor aangestuurde economische groei brengt wel een meer globale, maar geen meer gelijke samenleving. Nu de groeimotor van deze 'moderne periode' op zijn menselijke en ecologische grenzen lijkt te lopen en de wortels van vorige samenlevingsvormen zijn verdwenen (jager-verzamelaarssamenlevingen) of versneld worden afgebouwd (boerensamenlevingen), rijst in deze 21ste eeuw de vraag naar andere mondiale samenlevingsvormen die bevolking, welvaart en ecologie kunnen combineren met democratische staatsvormen en vrije sociale en culturele keuzes. Tegelijkertijd moet de 21ste eeuw op zoek gaan naar nieuwe internationale en globale verhoudingen die veel minder dan de 250 jaren ervoor gebouwd zijn op een Europese en westerse suprematie.

Chronologie van de menselijke geschiedenis

250.000-200.000 jaar terug	de moderne mens verschijnt (homo sapiens) en verspreidt zich over Afrika
100.000 jaar terug	de moderne mens start de migratie uit Afrika naar Eurazië
30.000 tot 20.000 jaar terug	versnelling in de ontwikkeling van technieken en cultuur
20.000 tot 15.000 jaar terug	einde van de laatste ijstijd de moderne mens verschijnt in Amerika; eerste vormen van permanente nederzettingen in Eurazië
10.000 tot 8000 v.t.	eerste landbouwgemeenschappen in Mesopotamië, Noord- en West-Afrika, China, Meso-America en Papua Nieuw Guinea
3000 tot 2500 v.t.	eerste volwaardige steden en staten in Mesopotamië, Egypte, India, Noord-China
2000 v.t.	ontstaan Euraziatische handelsnetwerken
1000 v.t.	ontstaan steden en staten in Midden-Amerika en de Andes; begin Bantoemigratie in Afrika
500 v.t. - 1000 n.t.	groei van steden en rijken, van bevolking en van handelsnetwerken
500 v.t. - 100 n.t.	'axiale periode' met de bloei van grote beschavingen en vernieuwingen in godsdienst, filosofie en wetenschap
200-1000 n.t.	postimperiale werelden (Eurazië)
13de eeuw	Pax Mongolica
16de-17de eeuw	ontstaan globale netwerken die alle regio's koppelen; einde rijken in Amerika; Colombiaanse uitwisseling; maritieme imperia: Spanje, Portugal, Holland, Japan; continentale imperia: Ming China, Moghol India, Rusland, Ottomaanse Rijk, Songhai in West-Afrika
late 18de eeuw	eerste doorbraak nieuwe industriële technieken en fossiele energie; begin suprematie van het Westen
19de eeuw	expansie wereldsysteem onder Britse hegemonie; nieuwe kolonisatiegolf
20ste eeuw	expansie wereldsysteem onder Amerikaanse hegemonie; dekolonisatie
begin 21ste eeuw	einde Amerikaanse hegemonie; einde suprematie van het Westen?

1. Wereldgeschiedenis: een geschiedenis van de wereld?

Is geschiedenis *bunk*, zoals autobouwer Henry Ford ooit zou hebben beweerd, dan is wereldgeschiedenis voorzeker de opperste vorm van gezwam. Is het dit niet, wil het meer zijn dan *one damned thing after another*, dan moeten eerst de vragen wat? en waarom? worden gesteld. De belangrijkste reden om vandaag wereldgeschiedenis te bestuderen is toegang te krijgen tot de historische achtergrond van onze hedendaagse geglobaliseerde wereld. Nu we dagelijks ervaren hoe complex en verbonden de wereld is waarin we leven, beseffen we ook dat regionale en nationale verhalen niet meer afdoende zijn om die wereld te doorgronden. Hoe is deze wereld geworden tot wat ze is, op welke wijze zijn uiteenlopende sociale, culturele, economische en politieke trajecten gegroeid en hoe werken ze op elkaar in? Wereldgeschiedenis gaat uit van de premisse dat de historische levenslopen van individuen, groepen, naties, beschavingen maar zin, betekenis krijgen in hun verbondenheid, binnen het overkoepelende menselijke verhaal. Zoals elke historiografie geeft wereldgeschiedenis dus ook betekenis, maar dan met de focus op vergelijking en interactie op een globaal niveau. Dit inzicht licht ik toe in dit eerste hoofdstuk. De eerste vraag is welk perspectief wereldgeschiedenis hanteert, zowel op het gebied van kijken (kennen) (1) als van denken (kunnen) (2). Daardoor rijst de vraag naar de identiteit (3) en het waarom (4) van wereldgeschiedenis. Een overzicht van de eigen historische achtergrond licht de opvallende vernieuwing in de wereldgeschiedenis tijdens de voorbije decennia toe (5). Wereldgeschiedenis is een eigen discipline geworden, met een heel eigen vraagstelling, eigen methodologie en theorievorming, eigen publicatiekanalen en een eigen finaliteit. Overschouwt wereldgeschiedenis met de ruimste slagen het verhaal van de mensheid, ze appelleert ook het meest uitgesproken aan de kernvraagstukken van de hedendaagse samenleving, zoals demografische groei, ecologische grenzen, voedselzekerheid, bestuurlijke besluitvorming, culturele diffusie en sociale en economische ongelijkheid.

1. Wereldgeschiedenis is een andere manier van kijken

Wereldgeschiedenis is groot en groots. Groots omdat het tijdsperspectief en de ruimtelijke dimensie ongemeen breed zijn, omdat het aantal thema's binnen wereldgeschiedenis vrijwel oneindig is, omdat de bronnen over en de kennis van (delen) van de wereldgeschiedenis onoverzichtelijk lijken en omdat het analytische instrumentarium om deze informatie te begrijpen heel divers is. Toch is wereldgeschiedenis ook beheersbaar. Tijd, plaats, thema's en methodes bakenen een onderzoekskader af waarin grote, ambitieuze, maar ook heldere verhalen worden verteld over de immer spannende reis van de mensheid. Veralgemeningen, vergelijkingen, verbindingen en veranderingen dwingen de onderzoekers, de schrijvers en de lezers tot gestructureerde verhalen waarin divergentie en convergentie, verandering en continuïteit, samenwerking en conflict als sturende krachten herkenbaar worden.

De meest aanvaarde definitie van wereldgeschiedenis of globale geschiedenis is: *wereldgeschiedenis bestudeert het ontstaan, de groei en de veranderingen van de menselijke gemeenschappen in een vergelijkend perspectief en in hun onderlinge samenhang.* Kernwoorden zijn *Communities (gemeenschappen), Comparisons (vergelijkingen), Connections (verbanden)* en *Systems (systemen).* Centraal staat niet de wereld op zich, wel de menselijke gemeenschappen die de wereld door de tijd heen hebben vormgegeven. Wereldgeschiedenis bestudeert die gemeenschappen op tweevoudige wijze: a) in vergelijkend perspectief met het oog op het detecteren van patronen, gelijkenissen en verschillen, en b) in hun interactie via contacten, connecties en beïnvloeding.

Wereldgeschiedenis kijkt naar de diverse vormen van menselijke samenlevingen die zich door de tijd heen hebben ontwikkeld, maar bekijkt die niet op zichzelf. Wereldgeschiedenis wordt zo een translokale, transregionale en transnationale geschiedenis. De bouwstenen, de actoren zijn de menselijke gemeenschappen. De context, het schouwtoneel is de wereld. Die wereld is de uitkomst van het samenleven van mens en natuur, van de interactie tussen humane gemeenschappen en de ecologische omgeving. Binnen heel verschillende omgevingen maakt de mens keuzes, soms dezelfde, soms andere. Wereldgeschiedenis vraagt zich af welke keuzes werden en worden gemaakt en waarom. Wereldgeschiedenis wil weten waarom die keuzes in heel andere omgevingen soms gelijk, soms erg verschillend zijn. Wereldgeschiedenis zoekt ook uit in welke mate die keuzes elkaar hebben beïnvloed, in hoeverre interregionale contacten de geschiedenis van menselijke gemeenschappen een andere wending hebben gegeven. Wereldgeschiedenis plaatst op deze wijze de reisweg van de mensheid altijd binnen het mondiale spanningsveld. De uitkomst zijn zogenaamde metaverhalen, verhalen over de geschiedenis van de mens en de mensheid die uitgaan van de lokale en regionale ervaring, maar die op zoek gaan naar bredere verbanden, patronen, connecties, systemen. Wereldgeschiedenis is dus eerst en vooral een perspectief, een manier van kijken die grondig verschilt van andere manieren van sociaal onderzoek. Zonder een mondiale dimensie blijft dit beperkt tot het eigen 'geval' (groep, regio, land) of wordt de context vernauwd tot het eigen ontwikkelingstraject (Europa, het Westen).

2. Wereldgeschiedenis is een andere manier van denken

Wereldgeschiedenis is meer kunnen dan kennen, wereldgeschiedenis is ook een attitude, een houding, een manier van denken. Wanneer menselijke gemeenschappen worden bestudeerd in een vergelijkend perspectief, in hun relatie met en in hun afhankelijkheid van elkaar, dan wijzigt het beeld. Achter elke opname die we maken, zit een *big picture*. Elke foto die met een scherpe focus wordt genomen, kan en moet worden aangevuld met een opname met een breedhoeklens. Deze nieuwe, globale dimensie doet ons andere vragen stellen en oude vragen anders formuleren. Ze bestrijken alle grote domeinen van het menselijk handelen:

- mensen en hun natuurlijke omgeving (inclusief demografie, techniek);
- de ontwikkeling en interactie van culturele systemen (inclusief religies, kunsten, wetenschappen);
- staatsvorming en conflict (inclusief vormen van bestuur zoals rijken en staten, oorlogen, revoluties);
- de vorming van economische systemen (inclusief landbouwsystemen, handel, industrialisatie);
- de ontwikkeling van sociale structuren (inclusief gender, familie, ras, klasse).

Grote vragen lokken grote antwoorden uit. Die vragen en antwoorden herdefiniëren de drie dimensies die in elke sociale en menswetenschap verweven zitten: de ruimtelijke dimensie ('wereld'), de tijdsdimensie ('geschiedenis') en de thematische dimensie ('wereldgeschiedenis', d.w.z. geschiedenis van menselijke samenlevingen).

Wereldgeschiedenis maakt duidelijk hoezeer deze drie dimensies de uitkomst zijn van keuzes, en dus het voorwerp zijn van discussie.

1/ Binnen het ruimere *tijdsperspectief* verliezen de bestaande, cultuurgebonden periodiseringen veel van hun betekenis. De 'mondiale tijd', de tijd van de aarde, het leven op aarde of de mensheid vraagt om andere omschrijvingen. Tijdschalen blijven dus relatief en worden binnen de wereldgeschiedenis permanent bevraagd.

2/ *Ruimtelijke en geografische concepten* zijn eveneens cultuurgebonden. Wereldgeschiedenis maakt ons bewust van de vaak uiteenlopende visies die bestaan over de eigen ruimte en over de manier waarop diverse dimensies elkaar overlappen, van lokaal over regionaal, nationaal, internationaal tot mondiaal/globaal.

3/ De *thematische dimensie* is evenzeer de uitkomst van keuzes. Wereldgeschiedenis is immers niet de geschiedenis van alles, kan dat ook niet zijn. Wereldgeschiedenis wil, zoals alle historische verhalen, betekenis geven, maar dan op een andere, ruimere schaal. Dit kan maar nadat bepaald is wat de eenheid van analyse is (menselijke systemen, ecologische systemen) en welk thema bestudeerd wordt.

In dit inleidende boek staat het bevragen van deze drie dimensies centraal. In het laatste hoofdstuk komen we hier uitvoerig op terug. Op deze manier krijgen we een beter inzicht in de mogelijkheden en beperkingen van wereldgeschiedenis als betekenisgevend narratief.

3. Welke wereldgeschiedenis?

Wereldgeschiedenis bestudeert het ontstaan, de groei en de veranderingen van menselijke gemeenschappen in een *vergelijkend perspectief* en in hun *onderlinge samenhang*. De aandacht gaat niet naar individuele gemeenschappen (familie, clan, dorp, volk, staat, cultuur, beschaving), maar naar *verschillen en gelijkenissen in de ontwikkeling* van de onderscheiden gemeenschappen en naar de *connecties* tussen die gemeenschappen. Systemen van menselijk samenleven, van klein naar groot, krijgen in de wereldgeschiedenis maar betekenis in een breder perspectief, door het begrijpen van de keuzes die deze gemeenschappen hebben gemaakt in relatie tot hun omgeving en tot elkaar. Deze invulling wordt nog duidelijker wanneer we kijken naar wat wereldgeschiedenis niet is. Wereldgeschiedenis is niet (of niet alleen):

- universele of totale geschiedenis: wereldgeschiedenis is niet de geschiedenis van 'alles';
- internationale geschiedenis: wereldgeschiedenis is niet alleen de geschiedenis van relaties tussen 'naties';

- (westerse) beschavingsgeschiedenis: wereldgeschiedenis is meer dan een geschiedenis van de opkomst van één (westerse) beschaving;
- niet-westerse geschiedenis (vroeger: koloniale of overzeese geschiedenis): wereldgeschiedenis is meer dan een geschiedenis van de wereld buiten het 'Westen';
- comparatieve maatschappijgeschiedenis: wereldgeschiedenis is meer dan een vergelijkende geschiedenis van maatschappijen;
- globaliseringsgeschiedenis: wereldgeschiedenis focust veel verder dan alleen op de historische achtergrond van de hedendaagse globalisering.

Binnen deze vorm van wereldgeschiedenis zijn drie vragen en verhaallijnen dominant. In de eerste staat de graduele, geleidelijke (interne) groei van menselijke samenlevingen in relatie tot de (externe) ecologische uitdagingen. Binnen elke menselijke groep zien we daarom het ontstaan van vergelijkbare samenlevingspatronen: vormen van sociale orde en cohesie, vormen van taal en communicatie, vormen van leiderschap, vormen van voedselvoorziening, vormen van sociale reproductie (fertiliteit, opvoeding van kinderen, familiestructuren) enz. Binnen die patronen worden gelijke, maar ook vaak verschillende keuzes gemaakt. Die keuzes hangen in sterke mate af van de natuurlijke context waarbinnen de groepen leven. Ten tweede vormen menselijke groepen door een toenemende interactie grotere, overkoepelende structuren, culturen of beschavingen. Elke cultuur of beschaving moet een antwoord geven op dezelfde vragen: welk systeem van (politieke) beheersing (staat, leiderschap, bureaucratie, ...), welk systeem van (economische) overleving (landbouw, handel, nijverheid, roof, ...), welk systeem van (sociale) controle (legitimatie, repressie, ...) en welk systeem van (culturele) zingeving (religie)? De keuzes die binnen elke cultuur/beschaving worden gemaakt, laten ook veel gelijkenissen en verschillen zien. Ten derde komen culturen en beschavingen met elkaar op vreedzame of minder vreedzamer wijze in contact, vaak met een grote impact. Deze contacten verlopen via heel uiteenlopende wegen en hebben heel uiteenlopende gevolgen: handel (transactie van goederen), migratie, culturele diffusie of imitatie, roof, verovering, oorlog, integratie, incorporatie.

Voor het begrijpen van deze grote vragen is het niet nodig alles te kennen over alles. In de eerste plaats is het belangrijk keuzes te maken die verband houden met de eenheid van analyse (groep, volk, regio, beschaving, ...), het tijdskader (periode), het ruimtelijke kader (plaats) en het thema (invalshoek). Deze keuzes bestrijken niet noodzakelijk (en zelfs meestal niet) de hele wereld, maar hebben altijd de ambitie de eigen casus te overstijgen, om zo een verhaal te brengen dat inzicht geeft in het ontwikkelingstraject van de hele menselijke gemeenschap.

Vervolgens wordt een gepast onderzoeksmodel uitgewerkt dat steunt op drie pijlers.

a/ Een vergelijkende analyse, waarin de eigen casus een plaats krijgt in een breder geheel. Vergelijking vermijdt de val van de absolute uitspraken over een vermeende 'eigenheid' of exclusiviteit van menselijke samenlevingen (comparatieve analyse).

b/ Een analyse van de interactie en interconnectie tussen samenlevingen of systemen, en van de wijze waarop die patronen van contact veranderen (netwerkanalyse, translokale/transnationale analyse).

c/ De analyse van menselijke systemen waarbinnen de onderscheiden samenlevingen en hun onderlinge contacten vorm krijgen. Het gaat hier over grote, overspannende krachten die in hun geheel, in hun systemische eenheid moeten worden bestudeerd, zoals economische systemen (cf. het huidige wereldsysteem), migratiesystemen, ecologische systemen (klimaat, ziektes), culturele systemen. Menselijke samenlevingen zijn steeds door meerdere van deze systemen met elkaar verbonden en handelen tevens in reactie op deze systemen (systeemanalyse).

Dit driedubbele spoor vormt *één, onlosmakelijk traject.* Hiermee moeten we een antwoord kunnen vinden op de basisvragen in de wereldgeschiedenis:

- Hoe proberen bevolkingsgroepen in verschillende contexten van tijd en plaats soortgelijke doelstellingen met andere middelen te halen: de reproductie van hun fysieke zelf, van hun arbeid, hun kennis en hun inzichten, van sociale en culturele patronen en ten slotte, van hun samenleving? Welke factoren (extern: ecologisch, intern: maatschappelijk) bepalen de verschillende of soortgelijke uitkomsten?

- Op welke wijze bouwen bevolkingsgroepen hun samenleving uit en wijzigen die maatschappelijke systemen zich ten gevolge van contact, interactie of conflict met andere samenlevingen? In hoeverre leven bepaalde maatschappelijke systemen naast elkaar, of nemen systemen andere systemen over?

Uit het voorgaande leren we het volgende. Ten eerste is het duidelijk dat de 'wereld' in wereldgeschiedenis niet staat voor de fysische notie 'aarde', maar wel voor de hele mensheid, de menselijke samenleving, als uitkomst van menselijke keuzes in een vreemde, natuurlijke context. Anders gezegd: de wereld is geen ding, maar een menselijke activiteit. Ten tweede verhindert deze afbakening niet dat het centrale thema in de wereldgeschiedenis minder gemakkelijk te vatten is dan in een 'nationale geschiedenis'. Daar is de rode draad de politieke organisatie van een land/staat/natie. Het is de politiek die van een staat een staat maakt. Waar nodig worden economische, sociale en culturele analyses ingebracht. Wereldgeschiedenis is niet opgebouwd rond een politiek verhaal. Evenmin is dat het geval voor het ecologische (mens/natuur), demografische (reproductie), economische (overleven), sociale (machtsstructuren) en culturele (zingeving) verhaal. Alle verhalen vloeien immers samen in de vraag hoe samenlevingssystemen door de tijd heen en aangepast aan de plaats vorm krijgen, en hoe ze zich via connectie, coöperatie of conflict aanpassen en veranderen. Ten derde is niet zozeer kennis van data, gebeurtenissen en personen belangrijk. De nadruk ligt niet op memoriseren, maar op analyseren, vergelijken en begrijpen. Wat een mens, of een groep mensen ook doet (al dan niet bewust), altijd speelt op de achtergrond een mondiale dimensie. Keuzes zijn altijd mee bepaald en begrensd door de plaats van de mens of groep van mensen binnen de hele humane gemeenschap. Wereldgeschiedenis stelt het aanleren van en kritisch omgaan met die attitude centraal.

Ten slotte is wereldgeschiedenis, zoals de postmodernisten onterecht vreesden, geen nieuw, alles overkoepelend verhaal (*master narrative*), dat uitgaat van een exclusief, eenduidig verklaringskader. Het is wel een metaverhaal, een verhaal van verhalen, met een blik die weids is en ambities die groots zijn, maar met antwoorden die nooit absoluut en definitief zijn.

4. Waarom wereldgeschiedenis?

Wereldgeschiedenis ambieert een andere vorm van kennis en van inzicht. Wereldgeschiedenis is de beste manier om het verhaal van de hele menselijke gemeenschap in beeld te brengen, te analyseren en te begrijpen. Welke historische en ruimtelijke schaal ook wordt gehanteerd, altijd is het nodig de brede context in beeld te houden. Historische processen zoals familiale samenleving, culturele reproductie of staatsvorming spelen zich zelden of nooit af in isolement. Wereldgeschiedenis probeert via het brede kader betekenis te geven aan de myriaden menselijke acties die onze 'wereld' hebben gecreëerd. Zoals al aangegeven, ligt een drievoudig inzicht aan de basis hiervan.

a/ Samenlevingen komen en gaan, volgen elkaar op of richten elkaar te gronde, en zijn dan ook nooit gelijk. Niettemin delen ze een aantal basiskarakteristieken: ze ontwikkelen allemaal materiële (economische) overlevingsstructuren, politieke beheerssystemen, sociale en gender (man/vrouw) verhoudingen, culturele zingevingspatronen, demografische en familiale reproductiesystemen. Daarom kunnen ze worden vergeleken en kunnen we via een *comparatieve analyse* een beter inzicht krijgen in de manier waarop mensen hun leven binnen een samenlevingsgroep vorm geven en waarom in bepaalde contexten bepaalde keuzes worden gemaakt en andere dan weer niet.

b/ Samenlevingen ontstaan, groeien en veranderen niet op zichzelf. Ze staan altijd, in mindere of meerdere mate, in contact met andere samenlevingen. Deze patronen van

interactie/interconnectie is een tweede motivatie voor een sociale/historische wetenschap op globaal niveau. De impact van deze interacties wordt maar zichtbaar bij een
bredere/ruimere analyse dan die van een individuele samenleving.

c/ Samenlevingen zijn bijna altijd het primaire analysemiddel, maar zelden kan het
niveau van analyse en interpretatie hiertoe worden beperkt. Menselijke groepen
geven hun bestaan vorm binnen bredere maatschappelijke contouren die niet louter
in hun subniveau kunnen worden begrepen. *Systemen* van beïnvloeding, ruil en
migratie overkoepelen vaak vele menselijke gemeenschappen en vinden hun bestaan
juist in het samengaan van diverse, ongelijke geografische dimensies.

Bovendien maakt wereldgeschiedenis vaak een hedendaagse, morele claim.
Wereldgeschiedenis leert over de complexiteit van de vroegere en de huidige wereld. Ze
leert dat verschillen en diversiteit basiskenmerken zijn van het menselijke verhaal, en dat
inzicht hierin en omgaan hiermee belangrijke morele eigenschappen zijn. Hierbij worden beoordelingen niet alleen afgewogen tegenover de eigen wereld, maar ook, en vooral, tegenover de complexiteit van de menselijke geschiedenis.

Samengevat: wereldgeschiedenis is belangrijk, niet zozeer voor een globale kennis, maar
wel voor het (leren) hanteren van een globale blik. Die globale blik verkrijg je niet door
het optellen van nationale of regionale casussen, maar door het terugdraaien van de lens
waardoor je kijkt om zo de wereld, en meer bepaald de wijze waarop menselijke contacten en interacties hebben plaatsgevonden, in één, zo weinig mogelijk versnipperd blikveld te krijgen. Wereldgeschiedenis is bijgevolg niet alleen een historisch, maar evenzeer
een hedendaags verhaal. Het mondiale perspectief verbindt mensen, volkeren en culturen. Ze verbindt uiteenlopende plaatsen, verschillende periodes, de vroegere wereld met
die van vandaag en die van morgen.

Deze inzichten kunnen we vertalen in enkele doelstellingen van wereldgeschiedenis als
vak. Deze doelstellingen deel ik op in *kennen* (passief inzicht) en *kunnen* (actief toepas-
sen). De belangrijkste zijn:

a) Kennen

- Een inzicht in het waarom, het hoe en het wat van wereldgeschiedenis. Een 'inleiding tot' is belangrijker dan een 'overzicht van'. De drie dimensies tijd, ruimte en thematische invulling staan hierin in hun onderlinge samenhang centraal.
- Begrijpen dat vraagstukken in de humane wetenschappen binnen een mondiale context niet alleen vaak andere antwoorden krijgen, maar dat die antwoorden even vaak
  niet eenduidig zijn. Studenten moeten dit kunnen uitleggen, staven, en moeten dit
  aan de hand van voorbeelden kritisch kunnen bespreken. Ze moeten zich met ande-

re woorden bewust zijn van het feit dat het gehanteerde perspectief (tijd, plaats, thema) bepalend is voor de antwoorden die gegeven worden. Daarbij moeten ze altijd het perspectief van waaruit antwoorden worden geformuleerd (bv. 'eurocentrisch' tegenover 'mondiaal) evalueren en ter discussie stellen.

b) Kunnen

- Formuleren hoe het mondiale perspectief zich verhoudt tot andere schalen in tijd en ruimte.
- Uitleggen op welke wijze processen van interactie en diffusie de mondiale samenleving vorm geven.
- Beoordelen hoe via een vergelijkende analyse processen van verandering versus continuïteit kunnen worden beoordeeld.
- Begrijpen hoe connecties en systemen menselijke samenlevingen voortdurend veranderen.
- Kritisch evalueren van universele pretenties en veralgemenende uitspraken over de mens en zijn samenleven.

5. Wereldgeschiedenis als traditie en vernieuwing

Geschiedenis is tot op vandaag nog altijd in sterke mate 'nationale' geschiedenis. Zij is nog altijd vooral de geschiedenis van een volk, een culturele ruimte, een groep mensen bezig met de opbouw van een eigen samenleving, in moderne termen, van een natie/staat. Dit verhaal van de opbouw van een eigen samenleving is belangrijk. Die samenleving – Vlaanderen, België, Europa, het Westen – is de sociaal-politieke, maar ook vaak culturele en economische context waarbinnen ieder van ons zijn of haar leven probeert vorm te geven. Dat nationale verhaal speelt zich echter niet af in een vacuüm, het is altijd deel van een groter geheel. Niettemin is de zogenaamde nationale geschiedenis niet erg oud. Ze ontstaat, niet toevallig, samen met het verschijnen van de moderne natiestaten in onze gewesten. Dit proces heeft zijn wortels in het *Ancien Régime*, maar krijgt pas zijn hoogtepunt in de 'romantische' 19de eeuw. Net zoals de nationalistische en eurocentrische historiografie kinderen waren van hun tijd, en dus inspeelden op een behoefte aan legitimering (de natiestaat, de Europese hegemonie), ontstaan andere vormen van geschiedschrijving als reactie op een welbepaalde nood aan kennis en verantwoording. Dit korte overzicht licht dit toe.

Etnocentrische wereldgeschiedenissen

Historische verhalen met een blikveld buiten de eigen ruimtelijke, etnische en politieke grenzen hebben een lange traditie in China, Japan, Zuidoost Azië, de islamwereld en delen van Europa (Griekenland). In andere delen van de wereld zijn er voor de periode vóór de westerse kolonisatie weinig of geen sporen van dergelijke 'universele' geschiedenissen terug te vinden. Sub-Sahara Afrika heeft geen eigen teksten nagelaten; bijgevolg weten we nauwelijks iets over de wijze waarop Afrikanen de wereld buiten de eigen fysische en mentale grenzen zagen. Hetzelfde geldt voor de volkeren op het Amerikaanse continent en in Oceanië. De hindoewereld heeft ook weinig getuigenissen nagelaten. Dit is verrassend, omdat het Indische subcontinent lange tijd de centrale schakel was in een breed Afrikaans-Aziatisch handelssysteem en de geboorteplaats was van een nieuwe universele religie, het boeddhisme.

De oudste historiografische overzichten met een universele pretentie willen de eigen wereld – joods, Grieks, hellenistisch, islamitisch, Arabisch, Chinees, Japans – in een eigen (ontstaans)verhaal vatten. Daarnaast brengen deze geschiedenissen vaak een beeld van de (gewenste) wereldorde, de manier waarop binnen de gekende wereld de volkeren zich tot elkaar verhouden of horen te verhouden. Met deze historische verhalen wordt aan de eigen wereld, in zijn historische wortels en in relatie tot de gekende buitenwereld, betekenis gegeven. Ze zijn dan ook altijd teleologisch van inslag, waarbij de superioriteit van de eigen beschaving het logische uitgangs- en eindpunt is. Nieuwsgierigheid voor de buitenwereld is er pas wanneer die volkeren een rol spelen in het eigen verhaal. Zo besteden historiografen uit de expansieve islamwereld veel aandacht aan de omwereld, terwijl de hindoewereld veel meer in zichzelf is gekeerd. Elke sociale groep koestert haar eigen genesisverhaal, het verhaal van de (mythische) oorsprong van de groep. Grote religies leggen dat oorsprongsverhaal vaak vast (jodendom, christendom, islam). Deze verhalen combineren mythe, bovennatuurlijke predestinatie en zingeving met feitelijke gebeurtenissen uit het eigen verleden. Ze ambiëren een algemene, universele en vaak tijdloze waarheid te brengen. Binnen het christendom bouwt de *'historia universalis'* op deze traditie verder. Zij brengt het teleologische en tijdloze verhaal van de 'twee steden' (van God en van de mensheid), zoals eerst geboekstaafd door *Sint-Augustinus* (4de eeuw n.t.). Een voorbeeld binnen deze traditie van universele geschiedenis is J.B. Bossuet, *Discourse on Universal History* (17de eeuw), die een mix brengt van theologie, mythe en historische verhalen.

Binnen diverse culturen groeit eveneens een meer 'wereldse' historiografische activiteit, met de blik op de in die tijd bekende wereld. *Herodotos* is niet alleen de historiograaf van de Griekse wereld, maar ook van de hele toenmalige door de Grieken gekende wereld (5de eeuw v.t.). Om de verschillen te begrijpen tussen Grieken en niet-Grieken (*barbaroi*), zoekt hij naar geografische en etnografische verschillen en samenhangen. Hiertoe maakt hij studiereizen door de toen door de Grieken gekende wereld. Zijn werk *Historiën* (*historiès apodeksis*), een omvangrijke bundeling van boeken, houdt het midden tussen de memoires van een reiziger en een poging om als geschiedkundige op afstandelijke wijze aan geschiedschrijving te doen. Geschiedschrijving maakt traditioneel ook deel uit van de Chinese en Japanse cultuur. Deze historiografie is opgebouwd uit annalen, biografieën van leiders en andere voorbeeldfiguren, calendaria en kronieken van het politieke en culturele leven. Deze kennis dient het bestuur en het rijk als voorbeeld of als uitstraling. De belangstelling voor volkeren buiten het rijk is beperkt tot de eigen belangen, handel of verovering. Chinese geschiedschrijvers zien de wereld tot de 19de eeuw in sinocentrische termen. De wereld wordt opgedeeld in zones, naargelang de volkeren dichter of verder weg staan van de Chinese beschaving. De superioriteit van het Chinese centrum bepaalt het beeld van de andere regio's en volkeren, net zoals bij Europese of Arabische schrijvers 'barbaren' genoemd. De beroemdste geschiedschrijver uit het oude China is *Sima Qian* (of *Ssi-ma Ch'ien*, 2de-1ste eeuw v.t. tijdens de Han-dynastie). Hij combineert indrukken uit de vele reizen die hij maakt met historische verhalen en data, die hij met kritische zin onderzoekt. In zijn werk *Shiji* (De historische gebeurtenissen) tekent hij het verhaal op van China vanaf de tijd van de mythische Gele Keizer tot de Han-dynastie, samen 3000 jaar Chinese geschiedenis. *Shiji* bestaat uit dertig hoofdstukken algemene politieke, dynastieke, economische en culturele geschiedenis en vervolgens honderd hoofdstukken met een biografische insteek.

Tot de 19de eeuw is de traditie van universele geschiedenis het sterkst aanwezig in de islamwereld (in zowel Arabische, Perzische als Ottomaanse talen). Dit heeft zeker te maken met een geschiedenis van duizend jaar van handel, expansie en verovering, en met een traditie van incorporatie van nieuwe volkeren onder het islamitische gezag. De islamwereld is geen rijk in de formele betekenis van het woord, maar eerder een oecumenische gemeenschap. Kennis over de diverse delen van de wereld heeft daarom zowel een praktisch als een legitimerend doel. De focus in de geschiedschrijving is breed: verhalen over heersers en gebeurtenissen, kronieken van het bestuur en histories van steden en provincies. De belangrijkste periode in de eigen geschiedenis is die van het ontstaan en de expansie van de islam. Hoewel de teksten worden geschreven onder het gezag en de goedkeuring van de religieuze en wereldlijke autoriteiten, is er veel aandacht voor een zo accuraat mogelijk relaas. Ook in de islamitische geschiedschrijving staat de eigen chronografie vaak centraal (*Ja'far al-Tabari*, 9-10de eeuw n.t., met een geschiedenis van profeten en koningen van Adam tot de profeet Mohammed). Het werk van *Ibn Chaldoen* (14de eeuw n.t.) heeft een echte 'universele' pretentie, de ambitie van een beschavingsgeschiedenis. Zijn levenswerk is *Kitab al-Ibar* (Boek der Voorbeelden), waarin hij drie geschiedenissen combineert: de *al-Muqaddimah* (in het Grieks bekend als *Prolegomena*), een inleiding op zijn project van wereldgeschiedenis, boeken 2 tot 5 die een geschiedenis brengen van de (hem bekende) 'mensheid', en boeken 6 en 7 met een geschiedenis van de Berbervolken. Zijn werk heeft een heel moderne sociologische inslag omdat hij op zoek gaat naar de impact van sociale en politieke cohesie op de opkomst en neergang van volkeren en beschavingen. Tegelijk besteedt hij veel aandacht aan geografische en klimatologische factoren, wat van hem de echte voorloper van de latere wereldhistorici maakt.

Een Europees universalisme

Met de 18de-eeuwse verlichte filosofen zet zich in Europa de secularisering van de 'eschatologische, universele geschiedenis' door (Voltaire, Kant). Dit mondt in de 19de eeuw uit in de zoektocht naar 'algemene wetmatigheden' die de geschiedenis van de mensheid vorm geven, zoals de 'idealistische wereldbeelden' van Georg Wilhelm Friedrich Hegel, het 'historische materialisme' van Karl Marx en de 'evolutietheorie' van Charles Darwin. Dit universalisme wordt echter op een heel eigen manier ingekleurd door twee eeuwen westers triomfalisme. De 19de eeuw is de Europese eeuw, met een absolute economische, politieke, militaire en ideologische hegemonie. De economische groei en de imperialistische expansie zijn ongezien. De overgrote meerderheid van de Europese intellectuelen schrijft zich in een introspectief wereldbeeld in, waarbij Europa de norm is. Ze volgen hierbij het adagium van Hegel, dat stelt dat alleen volkeren die een staat hebben gevormd en een bepaalde vorm van spirituele ontwikkeling hebben bereikt, een eigen geschiedenis kunnen hebben. Hij voegt hier aan toe dat geschiedenis reist van oost naar west, waarbij Azië het begin en Europa het einde van de geschiedenis is. Modernisering en vooruitgang, revolutie en ontwikkeling volgens het Europese pad, dit wordt de canon in de geschiedschrijving en in alle sociale wetenschappen. De Europese weg is de norm, wat hierbuiten valt (het Oosten), wijkt hiervan af. Het in kaart brengen van het Europese ontwikkelingstraject is de centrale doelstelling van nieuwe wetenschappelijke disciplines zoals sociologie, economie en geschiedenis. Die niet-Europese wereld wordt het onderzoeksobject van etnografen en antropologen, op zoek naar de verklaring van 'het andere'. Hiermee vindt een splitsing ('disciplinering') van de wetenschappen plaats: de menswetenschappen splitsen af van de fysische wetenschappen en de menswetenschappen worden op hun beurt opgedeeld in subdisciplines met eigen codes, jargon, publicatiekanalen, scholen, opleidingen enz. (geschiedenis, antropologie, sociologie, …). Meer algemene, disciplineoverschrijdende benaderingen komen zo in de verdrukking en zo ook de aandacht voor het bredere beeld, de grote schaal en de lange termijn.

Deze doorbraak van een eurocentrisch moderniseringsperspectief met universalistische pretenties gaat samen met de triomf van de nationalistische historiografie, met boegbeelden als Jules Michelet, George Bancroft en Henri Pirenne. Het is hierbinnen dat de nieuwe standaarden van het *historische métier* (heuristiek, analyse, bewijsvoering, synthese) worden vastgelegd. Er is nog aandacht voor zogenaamde 'universele geschiedenissen', maar die focussen bijna exclusief op de opgang (en soms ook op de voorspelde neergang) van het Westen (August Comte, Leopold von Ranke). Deze nationale en eurocentrische benadering blijft de standaard in de geschiedenis en in de sociale wetenschappen tot ver in de 20ste eeuw.

Aan de rand van het dominante historische bedrijf bewaren twee tradities of paradigma's de bredere, mondiale blik. Dit is ten eerste het paradigma van de beschavingsgeschiedenis, geschreven in de oudere traditie van de geschiedenisfilosofie. Bekende voorbeelden zijn Oswald Spengler (*Der Untergang des Abendlandes*, 1918-22), H.G. Wells (*A Short History of the World*, 1922) en Arnold Toynbee (*A Study of History*, 1933-61). Beschavingen worden in deze werken geanalyseerd als min of meer op zichzelf staande grootheden, autonome organismen met een eigen levenscyclus (opkomst, groei, ondergang). Daarnaast, en geheel los hiervan, is het paradigma van de (kapitalistische) wereldeconomie (opkomst en ondergang van één globaal, overkoepelend economisch systeem, cf. Marx en Engels) voor een aantal auteurs de inspiratie voor grootschalige historische analyses. Voorbeelden zijn Vladimir Lenin (*Der Imperialismus als höchstes Stadium des Kapitalismus*, 1916), Karl Polanyi (*The Great Transformation. The Political and Economic Origins of Our Time*, 1944), Maurice Dobb (*Studies in the Development of Capitalism*, 1946) en Fernand Braudel (zie verder).

Een nieuwe wereldgeschiedenis

Na Wereldoorlog Twee groeit met de economische heropbouw en de dekolonisatie een nieuwe, globale wereldorde. Vanaf de jaren 1960 krijgt wereldgeschiedenis een nieuwe impuls. Ze verandert hierdoor geheel van objectieven en van inhoud. De belangrijkste stimuli voor deze opkomst en gedaantewisseling van wereldgeschiedenis komen van buiten het academische geschiedenisbedrijf. Ten eerste groeit sinds de jaren 1960 het besef dat samenlevingen geen zelfstandige levenscyclus hebben, maar slechts vorm krijgen door *processen van onderlinge interactie*. Daardoor neemt de behoefte toe om niet alleen groeps- en maatschappijvorming comparatief te ontleden, maar ook om een ruimer tijds- en plaatsperspectief te hanteren. Naast de lokale 'setting' waarbinnen mensen hun leven vorm geven, krijgt de globale dimensie waarin samenlevingen groeien of wegkwijnen, meer en meer aandacht. Voorbeelden zijn het onderzoek naar handelsrelaties en migratiestromen, zoals het werk van Philip Curtin (*The Atlantic Slave Trade*, 1969; *Cross-cultural Trade*, 1984), de studie van de politieke economie als een (ongelijk) mondiaal systeem: Andre Gunder Frank (*World Accumulation, 1492-1789*, 1978), Immanuel Wallerstein (*The Modern World-System*, 1974, 1980, 1989, 2011; *Historical Capitalism*, 1983) en de geschiedenis van de wereld buiten Europa: Eric Wolf (*Europe and the People without History*, 1982). Daarnaast is er een toenemende historische interesse voor processen op *een ecologische schaal*, zoals de verspreiding van ziektes, planten en dieren, en de impact van veranderingen in geologie, klimaat en energiestromen op de mensheid. Pioniers zijn William H. McNeill (*Plagues and Peoples*, 1976), Alfred Crosby (*The Columbian Exchange. Biological and Cultural Consequences of 1492*, 1972 en *Ecological Imperialism. The Biological Expansion of Europe, 900-1900*, 1986) en later Jared Diamond (*Guns, Germs and Steel. The Fates of Human Societies*, 1997). Opvallend is de stimulerende invloed van niet-historische auteurs, zoals de sociologen Frank en Wallerstein, de 'ecologist' Crosby, de antropoloog Wolf en de evolutionair bioloog Diamond.

Ook binnen de historische wereld wordt vanaf de jaren 1960 het paradigma van de staat als primaire analyse-eenheid ter discussie gesteld. Fernand Braudel analyseert in zijn *La Méditerranée et le Monde Méditerranéen à l'époque de Philippe II* (1949) het Middellandse Zeegebied als één *économie-monde*, één wereldsysteem waarbinnen traditionele grenzen van naties, culturen en beschavingen worden doorbroken. Deze geïntegreerde analyse van menselijke interactie zet een nieuwe standaard in de geschiedschrijving. Met zijn baanbrekende werk uit 1963, *The Rise of the West. A History of the Human Community*, focust William H. McNeill op beschavingen, echter niet als op zichzelf bestaande, elkaar aflossende eenheden, maar als interagerende systemen. Vier paradigma's lossen elkaar in McNeill's wereldgeschiedenis af: het stedelijke paradigma (ontstaan van beschavingen), het oecumenische paradigma (interactie tussen beschavingen), het Europese expansieparadigma (creatie van de 'moderne' wereld) en het koudeoorlogparadigma (20ste eeuw). Belangrijk is dat McNeill hierbij ook de grenzen van de staatsgebonden geschiedenis openlegt. Braudel verbreedt zijn analyse van het vroege kapitalisme als wereldsysteem in *Civilisation Matérielle, Economie et Capitalisme, XVᵉ-XVIIIᵉ* (1979) en McNeill publiceert nog werken als *Plagues and Peoples* (1976) en *The Pursuit of Power. Technology, Armed Force, and Society since A.D.1000* (1982).

In de jaren 1980 groeit de impact van de nieuwe wereldgeschiedenis, wat zich vertaalt in een verdere professionalisering van het veld, door middel van eigen publicatiekanalen, eigen professionele organisaties, wetenschappelijke bijeenkomsten en debatten, eigen cursussen, opleidingen en tekstboeken, en door het langzaam ontwikkelen van eigen standaarden, eigen argumentaties en een eigen jargon. Volgens Patrick Manning (*Navigating World History*, 2003) is dit niet alleen logisch, maar ook noodzakelijk. Wereldgeschiedenis is immers geen optelsom van lokale en/of nationale kennis. Daarom kan de moderne wereldgeschiedenis niet zomaar de standaarden en methodes overnemen van de bestaande humane en sociale wetenschappen. Een verdere professionalisering van de wereldgeschiedenis moet volgens Manning samengaan met een verdere exploratie van de mogelijkheden en de grenzen van:

a/ Bronnen en data. Die zijn meestal opgesteld in de context van een gemeenschap of, meer recent, een nationale staat, en moeten dus 'herlezen' worden.

b/ Methodes. Voor het herinterpreteren van de data zijn nieuwe of aangepaste methodes in dataverzameling en -analyse nodig, zoals comparatieve technieken en systeemanalyse.

c/ Analyses. Het interpretatiekader is niet meer exclusief de lokale gemeenschap of de nationale staat, maar integreert een bredere schaal.

d/ Theorievorming. Er wordt gekeken naar andere sociale en ook fysische wetenschappen (zoals de chaostheorie) om 'globale kennis' betekenis te geven buiten het lokale/nationale kader.

Beschavings- versus wereldgeschiedenis

De inhoudelijke heroriëntatie van een beschavingsgeschiedenis naar een moderne en geïntegreerde wereldgeschiedenis is een cruciaal proces. Het impliceert een fundamentele paradigmaverschuiving waarin met de woorden van de in Bangladesh geboren historicus Dipesh Chakrabarty de Europese geschiedenis wordt 'geprovincialiseerd' (*Provincializing Europe: Postcolonial Thought and Historical Difference*, 2000). Deze omschakeling is echter niet rechtlijnig, beschavingsgeschiedenissen worden nog steeds gepubliceerd. Bovendien is dit proces aanleiding tot intense ideologische debatten over de inhoud van wereldgeschiedenis en over de plaats en de rol van het bredere historische perspectief.

Peter Stearns (*Western Civilization in World History*, 2003) schetst het moeilijke samengaan van de concepten '*civilization*' en '*world*' in de recente wereldgeschiedenis. Vooral binnen de Amerikaanse academische en onderwijskundige wereld heeft dit geleid tot een lang en intens debat, met als inzet de zin of onzin van een (westers) beschavingsperspectief, samengevat als *Western civ*. Western civ, of de geschiedenis van de westerse civilisatie, is in de Verenigde Staten gegroeid uit de oudere nationale geschiedschrijving. In de zoektocht naar de wortels van de Amerikaanse natie zocht men naar gelijkwaardige partners met een soortgelijk waardesysteem ingebed in een westers beschavingsmodel. Het verhaal van Western civ draagt een sterke boodschap van superioriteit en vooruitgang uit. De focus ligt op de Europese en Amerikaanse geschiedenis. Andere volkeren en delen van de wereld komen pas in beeld wanneer ze met deze westerse samenleving in contact komen.

Kritiek op de enge invulling van het beschavingsconcept en op de 'imperialistische wandaden' van de toenmalige westerse (Amerikaanse) samenleving voeden in de jaren 1960 en 1970 de inhoudelijke bezwaren tegen Western-civ-opleidingen. De kritiek spitst zich toe op a) de homogeniserende notie 'beschaving', waarin differentiatie, interne verschillen en onderlinge belangenstrijd te weinig aandacht krijgen, b) het vooruitgangsidee, dat uitgaat van een westerse 'moeder'beschaving en c) de beschaving als ideologisch concept dat geen ruimte laat voor andere samenlevingsvormen. Vanuit die kritiek worden in die jaren concepten van wereldgeschiedenis voorgesteld die uitgaan van een gelijkwaardigheid van beschavingen en culturen, en die meer focussen op de wisselwerking tussen diverse menselijke systemen. In de neoliberale jaren 1980 krijgt de beschavingsgeschiedenis een nieuwe impuls, vooral vanuit de motivatie dat de eigen geschiedenis het allereerste referentiekader moet zijn en blijven. Westerse waarden krijgen in die optiek een hernieuwde aandacht en samen hiermee ook de vermeende uniciteit van een westers beschavingsmodel. Deze reactie, waarin wordt teruggekeerd naar een meer particularistische geschiedschrijving (met nadruk op verschillen), situeert zich, paradoxaal of niet, binnen een periode van versnelde globalisering. Vandaar dat vanuit vele wetenschappelijke middens, zeker vanaf de jaren 1990, de roep voor een waarlijke wereldgeschiedenis alsmaar sterker wordt. Deze geschiedenis mag niet uitgaan van één samenlevingsvorm, maar geeft aandacht aan de diverse manieren waarop mensen met elkaar hebben samengeleefd, en dit op een vergelijkende en geïntegreerde manier. Het debat over beschavings- versus wereldgeschiedenis, dat nog altijd wordt gevoerd, toont aan hoe gevoelig inhoudelijke keuzes liggen binnen het mondiale perspectief en hoe nauw ze zijn verbonden met normatieve visies op het wereldgebeuren, de zogenaamde *world views*.

Een nieuwe wereldgeschiedenis is een antwoord op nieuwe vragen in een nieuwe tijd waarin globale kennis, globale interactie en globale uitdagingen meer en meer de agenda bepalen. Het Westen, laat staan Europa, is niet meer de norm; ontwikkeling via het westerse pad niet meer vanzelfsprekend. Nieuwe kennis moet inspelen op de nieuwe behoefte aan inzichten op een mondiale schaal, waarbij niet meer uitgegaan wordt van vermeende universele aanspraken van één regio. Het historische verhaal moet zich losmaken van particuliere belangen van één groep, natie, religie of volk. Het moet een metaverhaal brengen dat oog heeft voor de diversiteit in de menselijke geschiedenis en tegelijkertijd die diversiteit samenbrengt in een menselijke reisweg die al van meet af aan mee bepaald wordt door globale interacties. De omstandigheden voor een nieuwe wereldgeschiedenis zijn gunstig. Niet alleen is onze kennis over de geschiedenis van menselijke gemeenschappen uit alle tijden en van alle plaatsen enorm toegenomen en zijn onze methodes en interpretatiemodellen verfijnd en aangepast. Ook hebben we geleerd van de inzichten en de fouten van de introspectieve, eurocentrische en nationale historiografie, en van hun gebruik van vaak te enge concepten (beschaving, Westen, enz.). Maar vooral loopt na twee eeuwen de absolute hegemonie van het westerse maatschappijmodel en van het westerse denken af. Een dialoog met kennis en inzichten buiten het Westen noopt ons tot een verbreding en verdieping van onze kijk op de menselijke geschiedenis.

De opbouw van het leerboek illustreert de opzet: een 'inleiding tot' en geen 'overzicht van'. De hoofdstukken zijn opgebouwd rond de grote vragen uit de wereldgeschiedenis:
- een menselijke wereld: hoe de mens uitgroeide van een bedreigde tot de meest succesvolle soort;
- een natuurlijke wereld: hoe de natuur de menselijke geschiedenis mee vorm gaf;
- een agrarische wereld: hoe landbouwsamenlevingen de menselijke geschiedenis een nieuwe wending gaven;
- een politieke wereld: hoe de mens zich organiseerde in steeds complexere bestuurssystemen;
- een goddelijke wereld: hoe de mens nieuwe religieuze en culturele zingevingspatronen ontwikkelde;
- een gescheiden wereld: hoe de voorbije eeuwen de trajecten van het 'Westen' en de rest van de wereld uit elkaar liepen;
- een globale wereld: hoe tegelijkertijd de wereld globaler werd;
- een gepolariseerde wereld: hoe die wereld werd en wordt getekend door divergerende patronen van rijkdom, armoede en ongelijkheid.

2.

Een menselijke wereld: mens en mensheid

Op 16 november 1532 vindt in de stad Cajamarca op de Peruviaanse hooglanden een dramatische ontmoeting plaats. Francisco Pizarro, *conquistador* van het grootste rijk in het westelijke deel van Eurazië, het Spanje van Karel V, en Atahuallpa, leider en zonne-god van de Inca's en absolute heerser over het meest uitgebreide en meest ontwikkelde rijk van het Amerikaanse continent, ontmoeten elkaar voor het eerst. Atahuallpa ont-vangt de Spanjaard op vertrouwd terrein, begeleid door een leger van 80.000 soldaten, dat werd gevreesd tot ver buiten het Incarijk. Pizarro heeft niet meer dan 168 manschap-pen bij zich, midden in een vijandig gebied en afgesneden van de rest van de Spaanse troepen. Niettemin kan Pizarro Atahuallpa enkele ogenblikken na het eerste contact al gevangen nemen. De keizer van de Inca's wordt acht maanden als gijzelaar vastgehou-den, met de belofte hem vrij te laten na het betalen van een van de grootste losgelden uit de geschiedenis. Zodra het goud ontvangen is, genoeg om een kamer te vullen van zeven meter lang op vijf meter diep en 2,5 meter hoog, wordt Atahuallpa omgebracht.

Wat vertelt ons deze gebeurtenis? De gijzeling en executie van de keizer van de Inca's symboliseert een keerpunt in de wereldgeschiedenis. Het contact tussen de Spanjaard Pizarro en de Inca Atahuallpa is de eerste ontmoeting tussen volkeren die enkele tien-duizenden jaren eerder uit elkaar zijn gegroeid. De Inca's zijn afstammelingen van migre-rende jager-verzamelaars die omstreeks 13.000 jaar terug de Beringstraat zijn overge-trokken en daarna stap voor stap het Amerikaanse continent hebben bevolkt. In diver-se regio's, meest uitgesproken in Midden- en Zuidwest-Amerika, ontstonden welvaren-de gemeenschappen en grote beschavingen. Na millennia van geïsoleerde ontwikkeling (enkele sporadische contacten met Noorse volkeren niet te na gesproken) staan in 1532 twee van de meest ontwikkelde beschavingen aan beide kanten van de Atlantische Oceaan oog in oog.

Maar waarom is die confrontatie tussen twee machtige, centralistisch geleide en expansionistische rijken zo ongelijk? Wat verklaart het plotse ineenstorten van de grote beschavingen op het Amerikaanse continent? En, hoe komt het dat de Europeanen naar Amerika zijn getrokken en dat niet de Inca's zich ontscheepten op de kusten van Europa? Ten eerste hebben de Indiaanse volkeren geen zeewaardige schepen. Die hebben ze in tegenstelling tot de Europeanen niet nodig voor expansieplannen. Ten tweede is er een verschil in intentie. Terwijl Pizarro, Cortés en de andere Spaanse avonturiers een directe confrontatie voor ogen hebben, worden de inheemse volkeren in de eerste plaats geleid door nieuwsgierigheid. Het plotse optreden van de Europeanen, waarover de inheemse volkeren nauwelijks informatie hebben, zorgt zo voor grote en geplande verwarring. De Inca's noch de Azteken hebben een vermoeden dat de troepen van Pizarro en Cortés slechts de voorwacht zijn van een echt kolonisatieproject. De bedoelingen van de Europeanen worden dus totaal fout ingeschat. Ten derde maken de Spanjaarden optimaal gebruik van voor de Indiaanse volkeren onbekende hulpmiddelen en wapens zoals paarden, stalen slagwapens, harnassen, helmen en vuurwapens. De verwarring die hiermee wordt gecreëerd, is vaak voldoende om de leiders op te pakken of te doden. Alleen dit kan de enorme paniek verklaren die uitbreekt bij de Incakrijgers na de onverwachte aanval van Pizarro en zijn 62 ruiters en 106 soldaten. In enkele uren tijd doden ze 7000 Incasoldaten, zonder dat er bij de Spanjaarden één slachtoffer valt. Ten vierde kunnen Pizarro en Cortés dankzij de gevangenneming van de Inca- en Aztekenkeizers de heel hiërarchisch ingestelde samenlevingen destabiliseren. Hierbij maken ze gebruik van de hulp van vijandige volkeren. Zo kan het continent verder worden verkend, versterkingen worden aangevoerd en de centrale knooppunten worden gecontroleerd. De genadeslag komt er echter, en dat is ten vijfde, pas met het uitbreken van door de Europeanen ingevoerde epidemische ziekten zoals de pokken, mazelen, tyfus en griep. Deze ziekten ondermijnen op korte tijd het economische en sociale weefsel en doden uiteindelijk tot 95% van de precolumbiaanse bevolking.

Dit desastreuze contact tussen menselijke beschavingen vertelt het verhaal van de menselijke reis, waarbij expansie en conflict, groei en uitroeiing hand in hand gaan. De precolumbiaanse beschavingen verdwijnen niet omdat ze minder ontwikkeld zijn, maar omdat ze tegenover de Europese in een veel zwakkere positie staan. Ze zijn geheel onvoorbereid op de misdadige intenties van de 'goden van het westen', ze beschikken niet over grote last- en rijdieren, noch over de sterke stalen wapenuitrustingen, en vooral, ze zijn onbeschermd tegen ziekten waartegen de Europeanen al lang een grote immuniteit hebben opgebouwd.

Deze ommekeer in de wereldgeschiedenis is een illustratie van de impact van de soms gelijke, soms uiteenlopende trajecten die menselijke gemeenschappen afleggen. Geheel onafhankelijk van elkaar ontstaan in het Euraziatische en in het Amerikaanse continent grote en sterke beschavingen, gebaseerd op een ontwikkelde landbouw, op een centraal bestuurde staat en op een repressief religieus en cultureel model. De sterke positie van de Europese beschaving kan worden verklaard door haar positie in de veel ruimere Euraziatische-Afrikaanse wereld. Kennis, technologie, immuniteit wordt verworven in interactie met de andere volkeren in deze regio. De meer geïsoleerde Amerikaanse rijken hebben dit voordeel niet. Om dit alles te kunnen duiden is het eerst nodig de diverse trajecten te volgen die de menselijke soort in zijn expansie over het aardoppervlak heeft afgelegd.

1. Altijd meer mensen: bevolkingsgroei

Recent en lopend DNA-onderzoek brengt een steeds helderder beeld van de contouren van de 'human journey'. Zo wordt bevestigd dat de huidige wereldbevolking (7 miljard) afstamt van een kleine groep Afrikaanse voorouders (hoogstens enkele duizenden, deel van de groep Homo sapiens), die ongeveer 70.000 tot 80.000 jaar terug over de savannes zwierven. Afstammelingen van deze groep zwermden uit 'out of Africa' en koloniseerden langzamerhand de hele wereld. Als gevolg van deze flessenhals, waardoor de nu bestaande menselijke soort is gegaan, is deze bevolking ook opvallend uniform. Het bijzonder kleine verschil in DNA-structuur (99,9% is bij alle mensen gelijk) spreekt tegen dat er menselijke (biologische) subrassen zouden bestaan. Daarbij komt dat er nauwelijks nog 'homogene' bevolkingsgroepen zijn. Iedereen onder ons accumuleert genetisch materiaal van heel diverse oorsprong. Zo heeft 20% van de bevolking van het Iberische schiereiland Joodse voorouders en 11% heeft een Arabische bloedlijn, een gevolg van massale bekeringen van joden en moslims tijdens en na de Katholieke Reconquista in de 15de en 16de eeuw.

De verspreiding van de menselijke soort over de aardbodem gebeurde in diverse stappen. Evenmin is de groei van de bevolking een continu proces. Op de lange termijn onderscheiden we vier fasen.

Figuur 1. De grote cycli van de demografische groei.

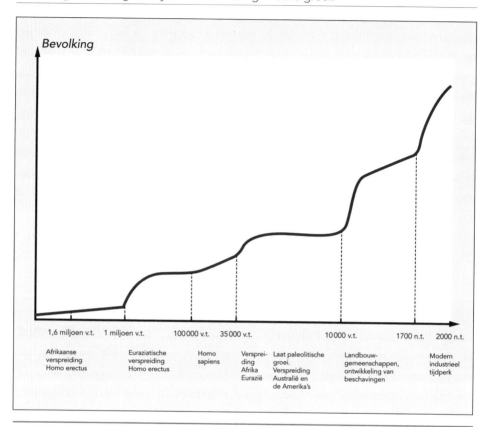

1/ De menselijke geschiedenis begint tussen 9 en 5 miljoen jaar terug, wanneer Afrikaanse mensapen zich opsplitsen in vier soorten: de gorilla, de chimpansee, de bonobo en ten slotte de 'protomens'. De Homo erectus verschijnt tussen 1,7 en 1 miljoen jaar terug en verschilt van zijn menselijke voorouders door een grotere lichaamsbouw (vergelijkbaar met de onze) en een toenemende intelligentie (een hersenmassa van 800 tot 1050 cm³, tegenover 1400-1500 cm³ bij de moderne mens). Een eerste fase van versnelde bevolkingsgroei valt samen met het uitzwermen van de Homo erectus over Afrika en Eurazië (van 1 miljoen tot 100.000 jaar terug). Met behulp van een eenvoudige steentechnologie en het gebruik van het vuur is de Homo erectus de eerste koloniserende bevolkingsgroep. De bevolking groeit aan tot 1, maximaal 1,5 miljoen, maar valt hierna wegens technische beperkingen op het gebied van voeding en bescherming stil.

2/ De voorvader van de moderne mens, de *Homo sapiens*, verschijnt tussen 250.000 en 200.000 jaar terug. Lange tijd werd gedacht aan een multiregionale ontwikkeling, waarbij de Homo sapiens zich op diverse plaatsen uit de Homo erectus ontwikkelde. Recent bewijsmateriaal, zoals het DNA-onderzoek, wijst in de richting van de out-of-Africahypothese. De Homo sapiens begint zijn opmars vanuit de Afrikaanse savannes vanaf 100.000 jaar terug en is zo de motor achter de tweede 'globale kolonisatiegolf' over Afrika, Eurazië, Oceanië en Amerika. De moderne mens verdrijft of assimileert alle oudere menselijke soorten (zoals de neanderthaler, die omstreeks 18.000 jaar terug verdwijnt). Deze nieuwe migratiegolf gaat gepaard met een nieuwe bevolkingsgroei. Die wordt ondersteund door een opvallende technologische, economische en culturele vooruitgang: jagers- en verzamelaarsuitrusting, kleding, behuizing, samenwerking tussen groepen, handelsrelaties, taal, culturele patronen.

Het tempo van demografische en sociale veranderingen voorafgaand aan de landbouwrevoluties mag dan in vergelijking bijzonder traag zijn, ze zijn voor de menselijke geschiedenis van cruciaal belang. Dankzij het overleven van diverse ecologische flessenhalzen, waarbij de menselijke soort meermaals op de rand stond van extinctie, en dankzij het verspreiden en uitwisselen van zijn genen is de paleolithische mens erin geslaagd zich over grote delen van de wereld te verspreiden. De allerbelangrijkste verwezenlijking is geheel uniek aan de menselijke soort: de culturele uitwisseling. Door de vele tienduizenden jaren heen heeft de moderne mens de kunst aangeleerd van het collectief aanleren, van het accumuleren en overgeven van kennis. Het gebruik van het vuur, de verbeterde methoden van jacht, nieuwe technologieën, het aanleren van (symbolische) taal: zonder het collectieve leren was dit nooit mogelijk geweest. De eerste 150.000 jaar van de geschiedenis van de moderne mens, de Homo sapiens, speelt zich volledig af op het Afrikaanse continent. Vanaf het verschijnen van deze soort, 250.000 tot 200.000 jaar terug, kan ze nieuwe technieken ontwikkelen en nieuwe gebieden koloniseren. Zoals aangegeven, stammen alle hedendaagse mensen af van een kleine groep Afrikanen die mogelijk met succes een ecologische dreiging heeft overleefd. Afstammelingen bereiken Azië 70.000 jaar terug, Australië 60.000 tot 40.000 jaar terug, Europa 40.000 jaar terug en Amerika 20.000 tot 15.000 jaar terug. De mens slaagt erin om zich aan te passen aan de meest uiteenlopende ecologische omstandigheden, iets wat geen diersoort hem ooit heeft voorgedaan. Na de laatste ijstijden, 16.000 jaar terug, trekt de mens verder naar het noorden, zowel in Europa als in Azië.

Gedurende 95% van onze menselijke geschiedenis leven we in kleine, mobiele groepen tot 50 leden groot. Voor het overgrote deel van de tijd zijn we met niet meer dan enkele honderdduizenden. Alleen in de aanloop naar de landbouwrevoluties neemt de bevolking sneller toe, tot enkele miljoenen 10.000 jaar terug.

3/ De vestiging van landbouwsamenlevingen vanaf 10.000 v.t. op diverse plaatsen van de wereld initieert een derde fase in de bevolkingsgroei. Omdat agrarische, pre-industriële samenlevingen maar een beperkte bevolkingsgroei kunnen dragen, wordt deze versnelling evenmin volgehouden. Niettemin groeit de wereldbevolking in deze periode aan van maximaal 10 miljoen 12.000 jaar terug tot 1 miljard in 1800. Vanaf 1500, nog ver voor de industriële revolutie, begint de bevolking in meerdere en heel verschillende regio's sterker aan te groeien. Tussen 1500 en 1750 verdubbelt de bevolking in Engeland (tot 5,75 miljoen), Rusland (tot 35 miljoen) en China (tot 200 miljoen).

4/ De vierde versnellingsfase is een gevolg van het industrialiseringsproces dat vanaf 1800 in Europa op gang komt. De versnelling in de bevolkingsgroei zet zich door tot de late 20ste eeuw, maar lijkt dan te keren. In de 21ste eeuw vertraagt de groei verder, tot mogelijk een nulgroei na 2050/2070.

Voor de neolithische revolutie en het ontstaan van landbouwmaatschappijen blijft de groei van de wereldbevolking uiterst beperkt. Naar schatting leven er tot 50.000 jaar terug minder dan een miljoen mensen en tot 10.000 jaar terug minder dan 10 miljoen mensen op de aarde. Groei is er nauwelijks, tot 0,001% per jaar. 15.000-10.000 jaar terug versnelt het groeiritme. De totale bevolking neemt toe van 5 tot 10 miljoen 10.000 v.t. tot 7 miljard in 2012.

Verdubbelingsperiode.

Het inschatten van het effect van de bevolkingsgroei gebeurt door de verdubbelingsperiode te berekenen. De periode waarin de bevolking verdubbelt, kan worden berekend door het getal 70 te delen door de jaarlijkse groeivoet (% per jaar).

Voorbeelden:

Groeivoet (per jaar)	Verdubbelingsperiode
0,001%	70000 jaar
0,01%	7000 jaar
0,1%	700 jaar
0,5%	140 jaar
1%	70 jaar
3%	23 jaar

Tot de 20ste eeuw zijn bevolkingsaantallen gebaseerd op schattingen. De volgende tabel schetst het algemene beeld.

	Bevolking (miljoen)	Groeivoet	Verdubbelingstijd
10.000 v.t.	5-10	0,008-0,01	8000-7000 jaar
400 v.t.	153		
1	252	0,04	1750 jaar
600	208		
1000	253		
1200	400		
1400	374		
1600	579		
1750	770	0,07	1000 jaar
1800	954		
1850	1241		
1900	1634		
1950	2520	0,6	116 jaar
2000	6236	1.8	38 jaar
2010	6909		

De versnelling van de groei is een recent fenomeen. Gemiddeld groeit de wereldbevolking tussen 1 en 1750 met 0,05-0,07% per jaar (een verdubbeling in 1000 à 1500 jaar). Tussen 1750 en 1950 is dat 0,6% per jaar (verdubbeling in 117 jaar) en tussen 1950 en 2000 1,8% per jaar (verdubbeling in amper 40 jaar). Het eerste miljard wordt gehaald omstreeks 1800, 2 miljard in 1918 (118 jaar), 3 miljard in 1960 (42 jaar), 4 miljard in 1973 (13 jaar), 5 miljard in 1987 (14 jaar), 6 miljard in 1999 (12 jaar) en 7 miljard in 2011 (13 jaar). Deze groei noemen we exponentieel. Dit betekent dat de groei evenredig is aan de eigen omvang. De impact van de groei van de hedendaagse bevolking is minstens drie maal zo groot als een halve eeuw terug.

Sinds de dageraad van de mensheid zijn er naar (ruwe) schatting 82 miljard mensen geboren. Hiervan zijn er vandaag bijna 8% in leven. Door haar aantal en door de stijging van de levensverwachting zal de generatie geboren in 2000 bijna een vijfde van de opgetelde levensjaren (alle jaren geleefd door elke mens sinds het ontstaan van de menselijke groep) voor zich nemen.

De volgende tabel geeft een overzicht van de spreiding van de wereldbevolking over de continenten.

Wereldbevolking (geschatte aantallen)

Jaar	Azië	Europa en Rusland	Afrika	Amerika	Oceanië	Totaal
400 v.t.	95	32	17	8	1	153
1	170	43	26	12	1	252
600	134	33	24	16	1	208
1000	152	43	39	18	1	253
1500	245	84	87	42	3	461
1800	631	195	102	24	2	954
1900	903	422	138	165	6	1634
1950	1376	575	224	332	13	2520
2000	3736	807	832	830	31	6236
2010	4110	784	1040	939	36	6909

Wereldbevolking (aandelen)

Jaar	Azië	Europa en Rusland	Afrika	Amerika	Oceanië	Totaal
400 v.t.	62%	21%	11%	5%	0,7%	100%
1	67%	17%	10%	5%	0,4%	100%
600	64%	16%	12%	8%	0,5%	100%
1000	60%	17%	15%	7%	0,4%	100%
1500	53%	18%	19%	9%	0,7%	100%
1800	66%	20%	11%	3%	0,2%	100%
1900	55%	26%	8%	10%	0,4%	100%
1950	55%	23%	9%	13%	0,5%	100%
2000	60%	13%	13%	13%	0,5%	100%
2010	59%	11%	15%	14%	0,5%	100%

Opvallend is het immer grote aandeel van Azië (zonder Rusland), dat na een sterke terugval in de 19de eeuw, na 1950 opnieuw opklimt tot 60%. De Europese bevolking (met Rusland) groeit sterk aan in de 19de eeuw, waarna het aandeel tussen 1900 en 2000 meer dan halveert. Het aandeel van Afrika in de wereldbevolking valt tussen 1500 en 1900 heel sterk terug, een gevolg van de slavenhandel, interne twisten en de 19de-eeuwse kolonisatie. De groei na 1950 is opvallend. De Amerikaanse populatie wordt tussen 1500 en 1800 bijna gehalveerd, een gevolg van de decimering van de indiaanse bevolkingsgroepen. Massale immigratie verklaart het snel groeiende aandeel in de 19de en het begin van de 20ste eeuw.

Projecties voorspellen een aangroei van de wereldbevolking in 2050 tot 9 à 10 miljard. Zeker is dat de snelheid van aangroei verder afneemt, mogelijk zelfs tot een stabilisatie na 2050 (eerdere schattingen tot 15 miljard zijn al bijgesteld). Deze aangroei vindt bijna volledig plaats in de armere delen van de wereld. Zo zal de bevolking in de 50 armste landen in de volgende halve eeuw meer dan verdubbelen (van 0,8 miljard tot 1,7 miljard). Het aandeel van Afrika in de wereldbevolking groeit van 15% in 2010 tot 21% in 2050. Europa valt verder terug van 11 % naar 7%.

De belangrijkste oorzaak voor de vertragende bevolkingsgroei is de daling van het aantal (overlevende) kinderen per vrouw, van vijf in de jaren 1950 over 4,5 in 1970/75, 2,65 in 2000/2005 tot naar schatting 2,1 in 2050. De verhouding ligt in de meest ontwikkelde landen nu al onder de vervangingsgraad (2,1 kinderen per vrouw): 1,56. Voor de minst ontwikkelde landen wordt een terugval voorspeld van vijf kinderen per vrouw nu tot 2,6 in 2050. De levensverwachting van de baby's neemt wel verder toe, van gemiddeld 65 jaar in 2005 tot gemiddeld 75 jaar in 2050. De vooruitgang in de minst ontwikkelde landen is het spectaculairste, van 51 jaar nu tot 67 jaar in 2050. De wereldbevolking van 2050 zal veel grijzer zijn dan die van nu, ook in de armste landen.

2. Demografische transities

De diverse fasen in de bevolkingsgroei veronderstellen meerdere 'demografische transities', periodes waarin het demografische gedrag, de manier waarop de mensen met hun vruchtbaarheid omgaan, fundamenteel verandert. Deze veranderingen krijgen vorm door de interactie tussen twee krachten: externe beperkingen en interne keuzes. Onder beperkingen verstaan we klimaat, ziektepatronen, het aanbod aan land, energie en voedsel, en nederzettingspatronen. Deze factoren zijn 'structureel' en veranderen maar langzaam. De keuzes die worden gemaakt, stemmen het eigen reproductieve gedrag (gezinsvorming, geboorten, migraties) af op die externe beperkingen. Indien de verhouding tussen beperkingen en keuzes wijzigt, spreken we van een demografische transitie. De twee belangrijkste transities in de menselijke geschiedenis zijn de neolithische en de hedendaagse.

De langzame toename van de bevolking en de uitputting van de natuurlijke hulpbronnen bij de paleolithische jager-verzamelaars stimuleert de zoektocht naar grotere voedselopbrengsten op kleinere oppervlaktes. Dit betekende dat de menselijke groepen niet meer voldoende hebben aan wat de natuur hen kan bieden, maar dat ze diezelfde natuur moeten manipuleren: het domesticeren van planten en dieren. Circa 10.000 jaar terug begint de wereldbevolking in een ongezien tempo aan te groeien, tot 250 miljoen bij het begin van de jaartelling. Dit kan maar wanneer het verschil tussen geboorten en overlijdens groter wordt. Tot voor kort werd dit toegeschreven aan het succes van de neolithische revolutie, de mogelijkheid meer mensen te onderhouden op een kleinere oppervlakte. Recent onderzoek wijst echter op een aantal nieuwe onzekerheden bij de overgang naar landbouwculturen: de afhankelijkheid van een eenzijdiger voedselpakket (op basis van granen) en de grotere kans op het doorgeven van besmettelijke ziekten (minder mobiliteit, meer interactie tussen (tamme) dieren en mensen, grotere bevolkingsdichtheden). De mortaliteit, ook van kinderen, lijkt dus eerder toe dan af te nemen. Maar tegelijk neemt het aantal geboorten toe, in een hoger tempo dan het aantal sterftes. De 'kosten' van het grootbrengen van kinderen worden in sedentaire culturen immers sterk gereduceerd. Het is moeilijker en meer risicovol kinderen groot te brengen in mobiele jager-verzamelaargroepen. Geboorten worden daarom hier meer gespreid. Tegelijk zijn de 'opbrengsten' van het kind groter in landbouwculturen. Ze kunnen sneller in het economische proces worden ingezet. Per saldo is in landbouwersculturen de groei van het aantal geboorten groter dan dat van het aantal overlijdens, met een hoger geboorteoverschot en dus een grotere bevolkingsgroei tot gevolg.

De hedendaagse demografische transitie werd ingezet in het 18de-eeuwse Europa. Eerst daalt de mortaliteit (toename van de levensverwachting), gevolgd door een afname van de fertiliteit (minder overlevende kinderen per vrouw). Tussen deze twee bewegingen zit er altijd een décalage, met een versnelde groei van de bevolking als gevolg.

Figuur 2. De hedendaagse demografische transitie.

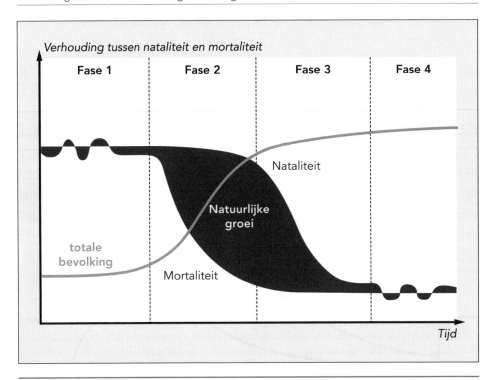

De demografische theorie verklaart deze overgang opnieuw vanuit de 'kosten' van het kind. In traditionele landbouwmaatschappijen is een groot kindertal niet alleen een antwoord op de hoge kindersterfte, maar ook een verzekering voor de opvolging binnen de familie en het bedrijf, en voor de 'oude dag' van de ouders. In de nieuwe industrieel-urbane samenlevingen verliezen kinderen gradueel hun 'economisch nut' (verdwijnen kinderarbeid, invoeren leerplicht). Daarbij neemt de kindersterfte snel af en groeit een nieuw cultureel patroon, waarin ouderlijke investeringen in het kind een project van langere termijn worden. Binnen de 'westerse wereld' (rijkere landen) verloopt dit overgangsproces van een hoge nataliteit en hoge mortaliteit naar een lage nataliteit en lage mortaliteit eerder geleidelijk. Gemiddelde groeicijfers komen zo zelden uit boven 1%. In de 'niet-westerse wereld' (armere landen) is deze transitie veel bruusker, met een veel groter bevolkingsoverschot tot gevolg.

Figuur 3. Demografische transitie in rijke en in arme landen (gemiddelde jaarlijkse groeivoeten van de bevolking).

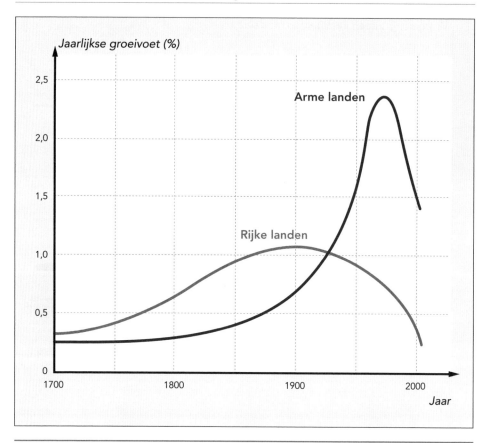

Sinds de jaren 1980 is ook in de minder rijke regio's de daling van het groeiritme ingezet. Het gemiddeld aantal kinderen per vrouw in de minder ontwikkelde landen valt terug van 5,4 in 1970-75 naar 2,7 in 2005-2010. De vruchtbaarheidsverhoudingen groeien verder naar elkaar toe. Dit laat de volgende figuur zien.

Figuur 4. Het aantal kinderen per vrouw tussen 1950 en 2030.

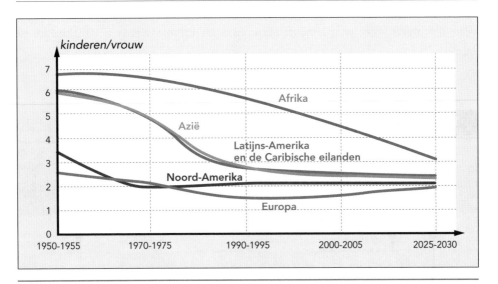

3. Demografische groei als rem of als motor

De relatie tussen bevolkingsgroei, economische ontwikkeling en welzijn is nog altijd een open en niet ondubbelzinnig te beantwoorden vraag. Een groeiende bevolking dwingt de samenlevingen uit te kijken naar andere en betere vormen van voedselbevoorrading. Daar staat tegenover dat een niet gecontroleerde bevolkingsgroei de beschikbare middelen in een versneld tempo consumeert, met een schaarste tot gevolg.

Bevolkingsgroei als rem

De meest bekende theorie over de spanning tussen bevolking en economische middelen is die van de Engelse plattelandsdominee Thomas Robert Malthus (1766-1834). Op zoek naar een verklaring voor en een remediëring van de snelle bevolkingsgroei in de eerste jaren van de Eerste Industriële Revolutie voorspelde hij een groeiende kloof tussen de snelheid van de aangroei van de bevolking en die van de toename van de levensmiddelen. Terwijl de bevolking scheen aan te groeien volgens een exponentieel ritme (een verdubbeling elke 25 jaar: 2, 4, 8, 16, ...), voorspelde Malthus dat de beschikbare levensmiddelen (in feite de bebouwde gronden) maar zouden toenemen volgens een lineair ritme (altijd een gelijke toename: 2, 4, 6, 8...). Een catastrofe (hongersnood, oorlog, epidemie: *positive checks*) kon maar worden vermeden door het aanpassen van het voortplantingsgedrag (celibaat, onthouding: *preventive checks*). Het volgende schema geeft de impact weer van demografische groei en krimp volgens het malthusiaanse model.

Figuur 5. Malthusiaans model van demografische groei.

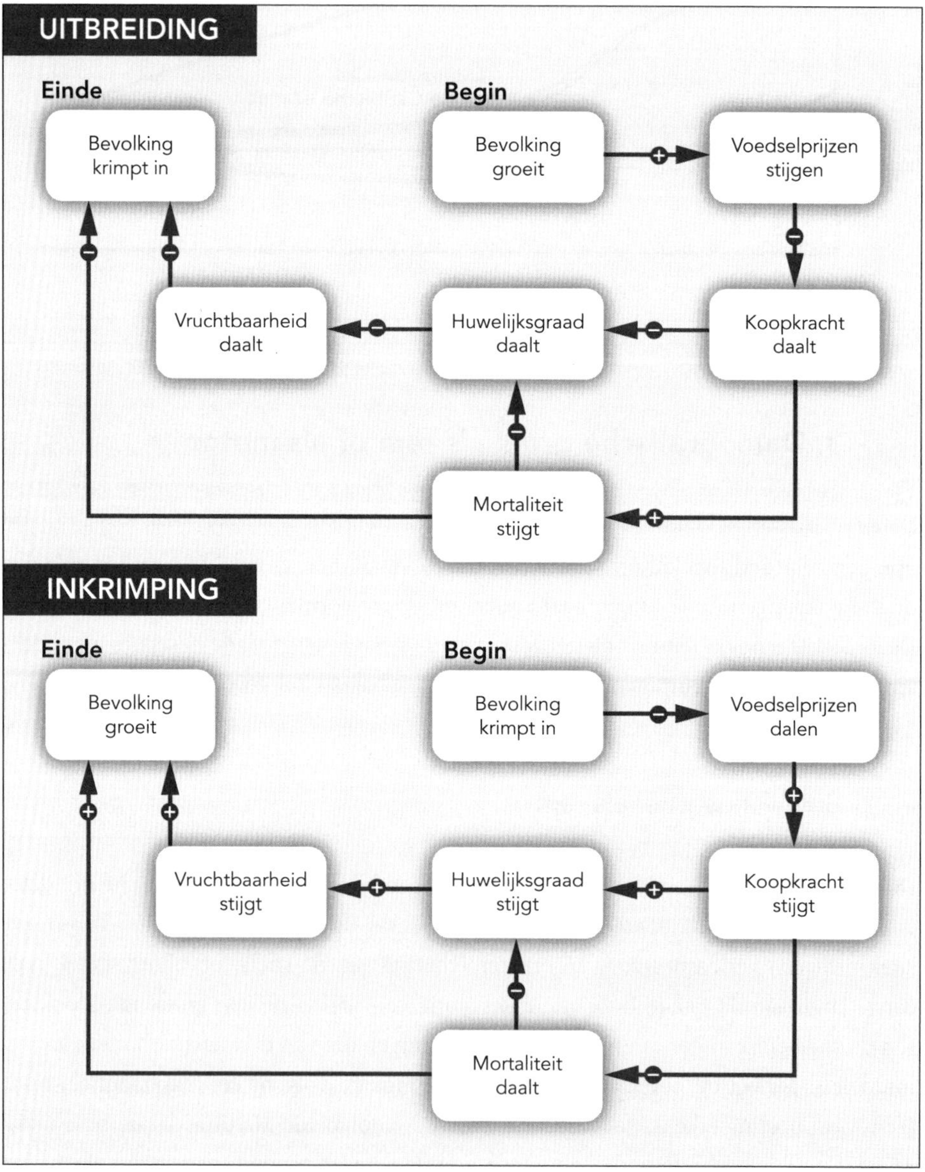

Een bevolkingsgroei doet de vraag naar voedsel en dus de voedselprijzen stijgen. Hierdoor dalen de reële lonen (dit wil zeggen: een dalende koopkracht, stijgende levenskosten). Dit beïnvloedt dan weer de mortaliteit (meer sterfte), de nuptialiteit (minder huwelijken) en de fertiliteit (minder geboorten). Meer overlijdens en minder baby's betekenen een bevolkingsdaling, waardoor de druk op de voedingsmiddelen (en de prijzen) weer afneemt. Het schema geeft ook de keuze weer waar de (wereld)bevolking volgens Malthus voor staat: ofwel de eigen vruchtbaarheid inperken (*preventive check*), ofwel afstevenen op een demografische ramp (*positive check*). Bij een bevolkingsdaling doet zich dan weer het omgekeerde proces voor.

Deze malthusiaanse visie op de demografie gaat uit van de premisse van de natuurlijke, ongecontroleerde bevolkingsgroei. Wat de mensheid ook probeert om de remmen op technologische ontwikkeling en productiviteitsgroei weg te nemen, de bevolkingsgroei die hiermee gestimuleerd wordt, zal de voordelen snel opconsumeren. Het staat echter vast dat de periodes in de wereldgeschiedenis met een dergelijke snelle en schijnbaar ongecontroleerde groei uitzonderingen zijn (zoals in de korte overgangsperiode van een agrarische naar een industriële samenleving). Daarnaast verkeek Malthus zich op de groeimogelijkheden binnen de landbouw, en meer algemeen binnen het expansieve kapitalistische systeem. Wat Europa betreft, wordt de 19de-eeuwse 'flessenhals' in de voedselbevoorrading vermeden door de grote productiviteitssprongen in de landbouw en de gigantische invoer van levensmiddelen vanuit de vruchtbare vlakten van Noord-Amerika, Oekraïne en Australië. Daarbij wordt economische groei een mondiaal gegeven. De ongeziene expansie van de Britse economie kan maar plaatsvinden doordat Groot-Brittannië op dat moment de wereldhegemonie is. De eigen economische groei is alleen binnen dat globale kader te verklaren. Zo schrijft de Engelse econoom Jevons in 1865: '*De vlakten van Noord-Amerika en Rusland zijn onze korenvelden; Chicago en Odessa onze graanschuren; Canada en de Oostzeelanden ons bosbezit; Australië bevat onze schapenboerderijen, terwijl in Argentinië en op de vlakten van het westen van Noord-Amerika onze kudden runderen grazen; Peru zendt ons zilver, het goud van Zuid-Amerika en Australië stroomt naar Londen; de Hindoes en de Chinezen telen thee voor ons, en onze koffie-, suiker- en specerijenplantages liggen allemaal in India; Spanje en Frankrijk zijn onze wijngaarden en het Middellandse-Zeegebied is onze fruittuin, terwijl onze katoenvelden, die lange tijd het zuidelijke deel van de Verenigde Staten besloegen, thans naar overal in de warme streken van de aarde worden uitgebreid*'.

Daarbij wordt het Europese 'bevolkingsoverschot' uitgevoerd. Tussen 1815 en 1940 migreren ongeveer 20 miljoen Britten en 55 miljoen Europeanen naar de 'nieuwe wereld'.

Het malthusiaanse groeischema wordt opnieuw populair in de jaren 1960/70, wanneer de eerste doemscenario's over de nakende en nu mondiale bevolkingsexplosie opduiken. Paul Ehrlich (*The Population Bomb*, 1968) schreef in zijn voorwoord: '*The battle to feed all of humanity is over. In the 1970s and 1980s hundreds of millions of people will starve to death in spite of any crash programs embarked upon now. At this late date nothing can prevent a substantial increase in the world death rate...*' De groeicijfers van de wereldbevolking dalen vanaf de jaren 1970/80 echter sneller dan verwacht, door het veralgemenen van gezinsplanning en anticonceptie (China), maar tevens door de uitbraak van de aidsepidemie in Afrika. Momenteel wordt ervan uitgegaan dat de mondiale landbouw de technische mogelijkheden heeft om negen tot tien miljard mensen te voeden.

Bevolkingsgroei als motor

Voordat Malthus zijn pessimistische visie de wereld instuurde, was de meest aanvaarde overtuiging dat de groei van de bevolking een voorwaarde was voor economische ontwikkeling. (Europese) staten streefden naar een zo groot mogelijke bevolking, in het geloof dat een groeiend inwonertal niet alleen een symbool van nationale rijkdom was, maar er ook aan de basis van lag. De idee van de demografische groei als motor van ontwikkeling heeft de voorbije decennia weer aan (veel) invloed gewonnen. Het volgende schema vat het denkmodel samen.

Figuur 6. Intensiveringsmodel van demografische groei.

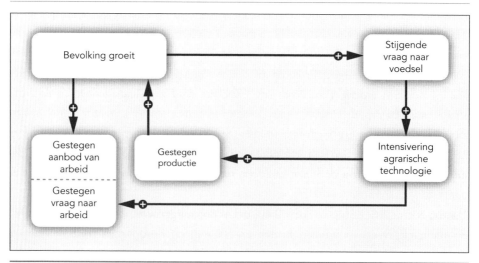

Door een toename van de bevolking groeit de vraag naar voedingsmiddelen. Dit betekent een stimulans voor de landbouwsector, waarin meer wordt geïnvesteerd en met nieuwe technieken wordt geëxperimenteerd: intensivering. Dit leidt tot een hogere productie en tot meer vraag naar arbeidskrachten. Zo kan het extra aanbod aan arbeid (door de bevolkingstoename) in het economische circuit worden opgenomen. De premisse is hier dus dat de landbouwsector pas vernieuwt en productiever wordt, wanneer er de nodige demografische stimuli zijn. Voorbeelden van intensivering zijn het verdwijnen van de hak- en brandcultuur, het verdwijnen van de braak in het vruchtwisselingssysteem, het gebruik van betere hulpmiddelen en meststoffen, de introductie van irrigatie en het meer permanent stallen van het vee. Daarnaast werken mensen meer samen, verdelen ze het werk en plukken ze zo de vruchten van een betere arbeidsdeling.

Voor het interpreteren van oorzaken van bevolkingsgroei (of -daling) is het belangrijk een onderscheid te maken tussen stabiele culturele systemen en periodes van verstoring/overgang/instabiliteit. In min of meer stabiele maatschappijvormen werken er altijd homeostatische mechanismen die het bevolkingsaantal onder controle houden. Het is immers altijd in het belang van het voortbestaan van een bevolkingsgroep dat het aantal mensen niet te snel of in een te grote mate toe- of afneemt. Elke menselijke groep heeft in principe de (reproductieve) kracht om uit te groeien boven de maximaal mogelijke opbrengsten van de hulpbronnen. Elke menselijke groep probeert bijgevolg die hulpbronnen niet te snel uit te putten om haar eigen overlevingsbasis niet te ondermijnen. Hiervoor heeft ze een aantal demografische middelen ter beschikking, zoals het beperken van de geboorten en het uitstoten (of laten vertrekken) van een deel van de bevolking (migratie). Het controleren en beperken van de vrouwelijke vruchtbaarheid is een centrale bezorgdheid in elke menselijke gemeenschap. In vele samenlevingen werd en wordt de fertiliteit gecontroleerd via allerlei morele, religieuze of wettelijke regelgevingen. Zo zijn er vaak beperkingen op het seksuele verkeer, toegelaten vormen van abortus (en zelfs infanticide), taboes op omgangsvormen enz.

De Europese landbouwsamenlevingen kenmerken zich zo tussen 1000 en 1800 in toenemende mate door een restrictief huwelijkspatroon, met een gemiddelde huwelijksleeftijd hoger dan 25 jaar en een groot aantal nooit gehuwde mannen en vrouwen. Dit houdt het geboortecijfer laag, waardoor de druk op de schaarser wordende gronden wordt getemperd. Tevens kunnen vrouwen zich zo langer aanbieden op de arbeidsmarkt, wat hen een meer onafhankelijke status oplevert dan in regio's met een lage huwelijksleeftijd, zoals China.

4. Familie, gender en vruchtbaarheid

De hele menselijke geschiedenis door worden kinderen binnen een familie geboren. Families en gezinnen (of huishoudens) zijn centrale organisatievormen in de menselijke samenlevingen. Ze zijn daarom universeel. Tegelijkertijd veranderen vorm en inhoud van families en gezinnen voortdurend. Deze veranderingen staan in verband met veranderingen in het economisch leven, met veranderingen in idealen en ideologieën met betrekking tot de rol van het gezin, en met veranderingen in wetgeving en bestuur. Verhoudingen tussen man en vrouw, zowel in de wettelijke als in de werkelijke wereld, spelen een grote rol in de gezinsvorming. Daarnaast verschuift de verhouding tussen familie en gezin. De familie staat voor het geheel van verwantschapsbanden, terwijl een gezin of huishouden verwijst naar de plaats van verblijf (samenwonen). Behalve bij uitgebreide huishoudens vallen familie en huishoudens meestal niet samen.

Jager-verzamelaars leven in kleine groepen, in de regel beperkt tot enkele tientallen leden. Deze uitgebreide familieverwantschappen zijn het dominante samenlevingspatroon tijdens verreweg het grootste deel van de menselijke geschiedenis. Gedurende de grote migratiegolf van de Homo sapiens over de continenten vormt een aantal groepen grotere gemeenschappen, dankzij meer efficiënte methodes van jagen, verzamelen en behuizing. Ze verblijven op semipermanente kampplaatsen, soms met woningen. Hoewel de vrouwelijke leden van de gemeenschap vanaf zestien/zeventien jaar het eerste kind baren, blijft de vruchtbaarheid laag. Door het lange zogen zijn de intervallen tussen de geboorten lang, waardoor een vrouw voor haar overlijden op 30- à 40-jarige leeftijd gemiddeld vier tot vijf kinderen krijgt. Door de hoge kindersterfte overleeft amper de helft tot volwassen leeftijd. Dit overstijgt nauwelijks de vervangingsgraad van 2,1 kinderen per vrouw. Zelfs met deze beperking van de geboorten drukt de kinderlast zwaar op een jager-verzamelaargemeenschap. Een groep van 40 personen met acht à negen vruchtbare vrouwen met elk twee kinderen jonger dan zeven jaar telt zo al vlug zestien tot achttien jonge kinderen. Dit beperkt in belangrijke mate de mobiliteit en flexibiliteit van de gemeenschap. In het voedsel wordt voorzien via jacht (in meerderheid mannen) en verzamelen (in meerderheid vrouwen). Over deze verdeling van taken bestaat in de literatuur geen eensgezindheid, behalve dat ze flexibel en in samenspraak worden uitgevoerd (zo wordt gereedschap door vrouwen en mannen gemaakt). De meeste onderzoekers gaan uit van een grote gelijkheid tussen de seksen in deze kleinschalige gemeenschappen. Gemiddeld zijn vijf uren per dag voldoende om te voorzien in de nodige calorieën voor de groep. Omdat ze niet veel nodig hebben, meestal met gemak zichzelf kunnen voeden en veel tijd over hebben, bestempelen sommige antropologen de paleolithische gemeenschappen als de echte *'affluent societies'* (welvaartssamenlevingen). Daar staat tegenover dat de mensen jong sterven, door ziekte, geweld of bij de bevalling. Tot 40% van de mannelijke skeletten bevat sporen van een gewelddadige dood.

De landbouwrevoluties veranderen de levenswijze van de mensen ingrijpend. De bevolking stijgt, mensen wonen in grotere groepen samen, een meer eenzijdige voeding en een grotere vatbaarheid voor ziekten (onder meer via het contact met het vee) doen zelfs de levensverwachting dalen. De vrouwen in landbouwgemeenschappen baren gemiddeld meer kinderen, door het inperken van de borstvoedingsperiode (en het gebruik van vervangingsmelk) en doordat een sedentaire gemeenschap meer kinderen kan grootbrengen. In deze gemeenschappen groeien nieuwe patronen van kennis, samenleven en bezit.

Deze omwenteling heeft ook een grote impact op de man-vrouwverhoudingen. Het zijn hoogstwaarschijnlijk de vrouwen die de eerste zaden selecteren en planten, waardoor ze hun greep op het belangrijkste (plantaardige) deel van het dieet vergroten. In vele delen van de wereld blijft de grondbewerking met stok en hak de verantwoordelijkheid van de vrouwen. Pas wanneer de gemeenschappen geheel sedentair worden en veeteelt een grotere rol speelt, veranderen de sekseverhoudingen grondig. De man neemt onder meer door de introductie van het ploegen de akkerbouw over. Vrouwenarbeid wordt meer gekoppeld aan de organisatie van het huishouden zelf, met onder meer spinnen en weven. Deze landbouw met ploeg en veeteelt ligt aan de basis van meer grootschalige, meer gedifferentieerde en strikter sekseafgebakende samenlevingen. De meningen over het waarom van deze groeiende verschillen tussen man en vrouw lopen uiteen: van een ongelijke toegang tot productiemiddelen (in de landbouw) tot een nieuwe, meer duale waardering van natuur (de vrouw/kinderen) en cultuur (bewerken van het land). Vrouwen worden meer gebonden aan de sfeer van het huishouden (opvoeding, huiselijke taken), de man beheerst de publieke sfeer en dus de belangrijke economische, politieke, sociale en culturele posities.

In de nieuwe beschavingen worden kleinere familieverbanden belangrijker. Ze worden meer en meer geformaliseerd via wetgeving (huwelijk en seksualiteit) en gelegitimeerd via ideologie en religie. De gezinnen bepalen de status van man en vrouw (meestal jonger dan de man), trekken de grenzen van de seksuele betrekkingen, geven legitimiteit aan de nakomelingen en brengen de bezittingen samen. Dit is het geval in het confucianistische China, in de islamwereld en in de Romeins-Europese en christelijke wereld. Telkens wordt de familie (in diverse betekenissen) centraal geplaatst in de maatschappelijke ordening en bijna altijd gaat dit gepaard met een bevestiging van de mannelijke dominantie, binnen- en buitenshuis. De huishoudens zijn overwegend patrilineair georganiseerd, waardoor de familielijn wordt voortgezet via de zonen. De status van de dochters is dan ook in vele samenlevingen lager dan die van hun broers. Zo krijgen ze vaak geen economische en bezitsrechten mee. Vrouwen verdienen hun respect vanuit het huwelijk en het moederschap. Uiteraard zijn er grote verschillen, verhindert de harde economische nood vaak het huiselijkheidsideaal (en moet de vrouw dus ook evenveel of zelfs meer bijdragen tot het gezinsinkomen) en kunnen vrouwen vaak vooraanstaande posities innemen.

In alle beschavingen wordt de familie een centraal en formeel georganiseerde schakel in de samenleving. Er blijft overal een groot verschil tussen de leidende sociale groepen die het culturele ideaal in de praktijk kunnen brengen en de overgrote meerderheid die is aangewezen op dagelijks overleven. Die overgrote meerderheid leeft op kleine boerenbedrijven, waarop de arbeid van man, vrouw en kinderen niet gelijk, maar wel – noodzakelijkerwijs – evenredig wordt verdeeld.

Families organiseren zich niet overal op dezelfde wijze. Tussen 1000 en 1800 vindt in Noordwest-Europa een belangrijke verandering plaats in de verhouding tussen gemeenschap en individu, wat zich vertaalt in andere huwelijks- en vruchtbaarheidspatronen. Familievorming start na het huwelijk meer en meer als een nieuw huishouden. De nieuwe koppels nemen het ouderlijke bedrijf over, of nemen hun intrek in een nieuwe plaats (neolokaliteit). Deze strategie vereist voldoende spaarmiddelen en perspectieven op een gezinsinkomen. Het huwelijk wordt bijgevolg meestal uitgesteld tot de leeftijd van 25 jaar of later. Heel wat volwassenen, soms tot een vijfde, blijft ongehuwd. Deze strikte huwelijksmarkt is typerend voor het Europese huwelijkspatroon na de Middeleeuwen tot de 19de eeuw. In zuidelijk en oostelijk Europa zijn de families meer complex, jonggehuwden vestigen zich in de regel niet op een nieuwe plaats. Het wegvallen van de nood aan een eigen onafhankelijk inkomen neemt een belangrijke rem weg op het huwelijk. In China blijven pas gehuwde koppels, in de eerste plaats de oudste zoon, in het ouderlijke huis wonen. In dit systeem, waarbij de ouders het gezag behouden, kunnen mannen en vrouwen vroeg huwen, de meisjes zelfs vanaf de leeftijd van twaalf jaar. Nagenoeg niemand blijft ongehuwd.

Deze uiteenlopende vormen van familievorming nopen tot verschillende strategieën om het aantal kinderen te beperken. Bij een onbeperkte vruchtbaarheid tussen de pubertijd en de menopauze kan een vrouw zestien tot achttien kinderen baren. In de praktijk wordt dit beperkt tot vijf à zes. Dat betekent dat per koppel gemiddeld drie kinderen de volwassen leeftijd bereiken. In Noordwest-Europa is de restrictieve toegang tot het huwelijk de belangrijkste rem op het aantal geboortes. De late huwelijksleeftijd en het hoge aantal nooit gehuwden halveren immers vooraf de potentiële vruchtbaarheid. Binnen het huwelijk wordt de vrouwelijke vruchtbaarheid niet meer beperkt, ook het hertrouwen bij het overlijden van de man wordt aangemoedigd. In samenlevingen waar vroeg en meer algemeen wordt getrouwd, worden andere strategieën toegepast. In China gaan mannen na het huwelijk vaak een aantal jaren ergens anders (meestal in steden) leven en werken. Daarnaast zijn praktijken van onthouding en zelfs verwaarlozing (tot kinderdoding) meer aanvaard. Vrouwen hebben hier ook op vroegere leeftijd hun laatste geboorte. Vaak is dit een gevolg van het wegvallen van de man, hertrouw is veel minder aanvaard.

De ontwikkeling van een eigen Europees huwelijkspatroon in het tweede millennium gaat samen met veranderingen in het familiale huwelijks- en erfrecht. Binnen het Latijnse christendom groeit de ruimte voor huwelijken zonder inmenging van de ouderparen of families. Nieuwe huishoudens worden pas gevormd wanneer de inkomensvooruitzichten gunstig zijn. Vrouwen kunnen ook vaker erven en zelf beschikken over grond en vermogen. Dit stimuleert de deelname aan het arbeidsproces en doet het aanbod aan vrije en flexibele arbeid toenemen, zeker in de regio's rond de Noordzee. In China blijft het huwelijk veel meer een collectieve aangelegenheid, waarbij een contract wordt gesloten tussen twee families. Het ouderlijke gezag blijft heel sterk en vrouwen krijgen geen aanspraak op erfenis. Veel minder dan in West-Europa staat de vrijheid van het individu centraal, maar wel de familie- en clanbelangen. Zij garanderen meer bescherming in periodes van nood en vlakken sociale tegenstellingen uit.

De grote economische verschuivingen na 1500 hebben een belangrijke impact op de organisatie van families en op de verhoudingen tussen mannen en vrouwen. De veranderingen zijn het grootst in West-Europa, in Afrika en in de Amerikaanse kolonies.

In West-Europa wordt de positie van het huwelijk en het kerngezin versterkt. Dit is een gevolg van de opkomst van de stedelijke samenleving, maar ook op het platteland is het kerngezin de norm. Seksualiteit buiten het huwelijk wordt steeds meer veroordeeld en de vruchtbaarheid, door hogere huwelijksleeftijden en een groter aandeel van het celibaat, wordt meer aan banden gelegd. Deze beperking van de vruchtbaarheid is mee een gevolg van de toenemende schaarste van land, wat een rem is op de toekomstperspectieven van het gezin. Dit gaat samen met een grotere ondergeschiktheid van de vrouw. Dit wordt sterk gepromoot door Kerk en staat, onder meer door een moraal van seksuele controle (en het bestraffen van seksueel 'afwijkend gedrag') en door het beknotten van de rechten van de vrouw binnen het gezin: het verlies van persoonlijke eigendomsrechten en de zogenaamde handelingsonbekwaamheid van de vrouw. Vrouwen worden in de stedelijke economie bovendien in toenemende mate buiten de officiële arbeidscircuits gehouden (gilden en ambachten) en moeten hun toevlucht zoeken tot de meer informele vormen van (onzekere) arbeid.

Verandering in familie- en sekseverhoudingen in Europa zijn voornamelijk een gevolg van interne transformaties. Dat is heel anders in Afrika en Amerika. Algemeen kunnen we stellen dat in Europa het meest schaarse product land is, terwijl dat in Afrika en Amerika arbeid is. Tot de 19de eeuw participeert Afrika in de wereldeconomie voornamelijk als leverancier van (onvrije) arbeid. Dit verscherpt de spanning in verband met de controle over de vrouwelijke vruchtbaarheid. Die wordt door de uitgebreide familie of clan in toenemende mate afgeschermd via normen en rituelen. Veelwijverij is vaak een antwoord op het onevenwicht tussen mannen en vrouwen (de meerderheid van de weggevoerde slaven zijn mannen). De geritualiseerde toegang tot seksualiteit en fertiliteit is de basis van een latente spanning tussen generaties in Afrikaanse samenlevingen.

In de Amerikaanse kolonies groeit er een groot verschil tussen de rijke toplaag, waarin huwen binnen de eigen uitgebreide familie de regel is, en de lagere sociale groepen, waarbinnen huwelijk en samenwonen niet vrij is. In de 'frontierfamilies' in Noord-Amerika wordt het Europese gezinsideaal meegedragen (inclusief de ongelijke rechten van de vrouw), maar op veel soepelere wijze. Arbeid is schaars en bijgevolg wordt er meer en jonger gehuwd. Families zijn de basis van het sociale leven, controle van externe instituties zoals Kerk en staat is zwak, en ten gevolge van de vele onzekerheden worden samenlevingspatronen minder strikt ingevuld dan in Europa.

In de industriële (lees: Europese en Noord-Amerikaanse) wereld van de 19de eeuw is de betaalde arbeid van vrouwen en kinderen een gewone zaak. Niettemin zet zich in die tijd de retoriek en het ideaal van het kostwinners/huisvrouwmodel door. Dit model steunt op het zogenaamde gezinsloon van de man, het terugdringen van de vrouwelijke arbeid tot de huiselijke sfeer en het reserveren van het publieke domein voor de man. Betaalde vrouwelijke arbeid wordt zo in de meeste geïndustrialiseerde landen beperkt tot specifiek vrouwelijke sectoren (tot het huwelijk) en tot de meer informele arbeidscircuits zoals huisnijverheid. Op het einde van de 19de eeuw beperken nieuwe vormen van geboortecontrole het kindaantal. Kinderen worden minder een inkomensbron (kinderarbeid) dan wel een investering (scholing). Tegelijkertijd daalt de kindersterfte, stijgt de levensverwachting, daalt de huwelijksleeftijd en zorgt de overheid voor een betere sociale bescherming.

In deze 20ste-eeuwse context van kleinere en meer duurzame families in het Westen beleeft het kostwinners/huisvrouwmodel zijn hoogdagen, ondersteund door de wetgevende en financiële politiek van de nationale overheden. In de tweede helft van de 20ste eeuw wordt het tweeverdienersmodel (opnieuw) dominanter, om in de 21ste eeuw opnieuw de norm te worden. Niettegenstaande wettelijke vormen van achterstelling van de vrouw worden opgeheven, blijft er een feitelijke ongelijkheid tussen mannen en vrouwen wat loopbaanopbouw, verloning en inzet in de huishoudelijke arbeid betreft. Gezinnen worden nog kleiner (er zijn minder kinderen per koppel) en het aantal nieuwe gezinsvormen neemt sterk toe.

Buiten (West-)Europa, Noord-Amerika en Japan is de impact van de economische en politieke transities van de 19de en 20ste eeuw minstens even ingrijpend. Enerzijds bevorderen verstedelijking, de koloniale politiek en nieuwe vormen van arbeid op plantages en in mijnen een reproductie van het Europese gezinsmodel met kleinere familieverbanden en een dominante plaats voor de mannelijke kostwinner. Daarbij neemt in de 20ste eeuw ook het aantal kinderen per gezin af en krijgen de vrouwen meer mogelijkheden om zich zelfstandig te ontwikkelen. Anderzijds neemt de inkomensonzekerheid toe, worden veel meer families gebroken door langdurige migratie en, vooral, wordt het draagvlak van de overlevingslandbouw ondergraven. Traditioneel blijft de vrouw de draaischijf van het kleine gezinsbedrijf, zeker bij de toenemende uithuizige arbeid van de man. Het verdwijnen van de kleineboerenlandbouw ondermijnt de positie van de vrouw, die vaak alleen nog terecht kan in nieuwe vormen van informele arbeid. Daarbij blijven in deze gebieden vaak nog sterke culturele en formele vormen van ongelijkheid bestaan. Zo is het aandeel van vrouwen op de betaalde arbeidsmarkt in de moslimlanden in het Midden-Oosten lager dan 10%.

5. Ziekte en dood

Sterfterisico's zijn voor 1800 heel vergelijkbaar. Het grootste risico vormen de eerste kinderjaren. Bij de geboorte is de levensverwachting dan ook laag (tot 35 jaar), bij het bereiken van de leeftijd van 20 jaar kun je gemiddeld nog 35 jaren extra tegemoetzien. Daarbij zijn er geregeld sterftepieken ten gevolge van ziekten en ontbering. Volwassenen op 45-jarige leeftijd zijn zo al vaak geconfronteerd met de dood: in de eerste plaats van de eigen ouders, van de meerderheid van broers en zussen, van de helft of meer van de eigen kinderen en heel vaak ook al van de partner.

In Europa verdwijnen vanaf de 18de eeuw de pieken in de mortaliteit en krijgt het verloop van de sterfte een meer vlak patroon. Dit is een gevolg van de geringere impact van bestaanscrisissen. De laatste Europese hongercrisissen zijn die van 1816-1817, 1846-1849 (aardappelziekte) en 1917/1918 (oorlog). Vooral de zuigelingensterfte neemt sterk af, een gevolg van verbeterde hygiënische omstandigheden: persoonlijke hygiëne (flessenvoeding), watervoorziening, riolering. Al in het midden van de 19de eeuw worden enorme investeringen gedaan om de dood te beheersen en dit zonder dat er enige wetenschappelijk gebaseerde zekerheid bestaat dat deze investeringen rendabel zouden zijn. Pas op het einde van de 19de eeuw – onder meer door de ontdekking van Robert Koch (1843-1910) en Louis Pasteur (1822-1895) – bieden de medische inzichten mogelijkheden om de mortaliteit op een wetenschappelijk onderbouwde wijze te beperken. In de 20ste eeuw daalt de mortaliteit ook buiten de westerse wereld. De cijfers zijn spectaculair: in India daalt het sterftecijfer van 50 op duizend inwoners per jaar in 1900 tot 27 promille in het midden van de eeuw en 15 promille in 1970.

Over de heel lange termijn neemt de gemiddelde levensverwachting bij de geboorte toe van ongeveer 20 jaar in het Neolithicum over 30/35 jaar in de pre-industriële landbouwbeschavingen tot 50 jaar in de westerse wereld in het begin van de 20ste eeuw. Een substantiële stijging van de levensverwachting zet zich in het Westen pas in het laatste kwart van de 19de eeuw in. Andere delen van de wereld volgen in de 20ste eeuw. Mondiale gemiddelden nemen toe van ongeveer 50 jaar in 1950 over 67 jaar in 2010 tot, naar schatting, 75 jaar in 2050. Naast een algemene verlenging van de levensduur is de meest bepalende factor hierin het terugdringen van de zuigelingen- en kindersterfte. In vroegere samenlevingen haalt in de regel de helft van de baby's de leeftijd van tien jaar niet.

Gemiddelde mortaliteitscijfers geven geen inzicht in het schoksgewijze verloop van de sterfte. Verantwoordelijk hiervoor zijn honger, ziekten, rampen en oorlog. Hoewel vaak natuurlijke oorzaken aan de basis liggen, zijn vele rampen ook van menselijke makelij. Het is bijzonder riskant om menselijke 'rampen' te inventariseren (wat doe je bijvoorbeeld met structurele factoren, zoals de hedendaagse ondervoeding?), laat staan om de menselijke tol te tellen. Daarbij verschilt de relatieve impact sterk. Met de dood van (naar heel ruwe schatting) 20 miljoen Indianen ten gevolge van de kolonisatie door de Europeanen in de 16de eeuw verdwijnt meer dan 90% van de oorspronkelijke bevolking. Caesars campagne tegen de Galliërs (1ste eeuw v.t.) eist waarschijnlijk meer dan 1 miljoen slachtoffers, een vierde van de Gallische bevolking. De 20 miljoen doden tijdens de Grote Sprong Voorwaarts van Mao (1959-1961), in absolute termen de grootste 'lokale' mortaliteitscrisis, vertegenwoordigen minder dan 4% van de bevolking van China. Niettegenstaande het verleden gekenmerkt wordt door vele grote mortaliteitscrisissen (de val van het Romeinse Rijk, de Mongoolse veroveringsoorlogen, de Afrikaanse slavenhandel, burgeroorlogen in China enz.) is de 20ste eeuw, zeker in absolute cijfers, de moorddadigste eeuw uit de menselijke geschiedenis. Ook wat oorlogsslachtoffers betreft, is de 20ste eeuw in de recente geschiedenis de absolute koploper.

	Totaal aantal oorlogsslachtoffers	Aantal op duizend mensen
16de eeuw	1,6 miljoen	3,2
17de eeuw	6,1 miljoen	11,2
18de eeuw	7,0 miljoen	9,7
19de eeuw	19,4 miljoen	16,2
20ste eeuw	109,7 miljoen	44,4

Daarnaast voert de vorige eeuw ook de lijst aan van genociden (geplande 'zuiveringen'): China (1958-61, 1966-69: 20 miljoen doden), Sovjet-Unie (1934-1939: 13 miljoen), Duitsland (1939-1945: 12 miljoen), Japan (1941-1944: 5 miljoen), Cambodja (1975-1979: 1,7 miljoen), Turkije (1915-1922: 1,5 miljoen), Rwanda (1994: 1 miljoen). Nogmaals, de cijfers zijn indicatief, maar niettemin indrukwekkend genoeg.

Sterven ten gevolge van voedselschaarste is niet alleen een kenmerk van de vroegere, niet-industriële samenlevingen. Schaarste is wel degelijk een structureel gegeven in land-bouwmaatschappijen, maar zelden geeft dit aanleiding tot massale sterfte. Hiertoe is een opeenvolging van oogstmislukkingen nodig, meestal het gevolg van een combinatie met ziekte en/of oorlog. Uit de geschiedenis blijkt ook dat hongersnoden geen rem zijn op de groei van een bevolking. Hongercrisissen waarin meer dan 10% van de bevolking sterft, zijn uitzonderingen (zoals de Ierse 'famine' in 1845-1848, met 1 miljoen doden, 1/8 van de bevolking). Elke oversterfte ten gevolge van een hongercrisis wordt snel gevolgd door een opmerkelijke toename van geboortes, waardoor het evenwicht zich snel herstelt en er zelfs vaak een nieuwe groei aftekent (het is immers het zwakste deel van de bevolking dat eerst overlijdt).

In de 19de eeuw is er massale sterfte ten gevolge van hongersnoden in Ierland (1845-1848, 1 miljoen), India (1876-1900, tussen 12 en 20 miljoen) en China (1876-1900, tussen 20 en 30 miljoen). De 20ste-eeuwse lijst wordt aangevoerd door de USSR (1921-22: 9 miljoen), Noordwest-China (1927: 3-6 miljoen), Oekraïne (1932-34: 2-8 miljoen), China (Henan) (1943: 5 miljoen), India (Bengalen) (1943: 2-3 miljoen), China (1958-1962: 15-25 miljoen), Noord-Korea (1995-99: 3 miljoen). Deze lijst geeft echter geen beeld van de werkelijke impact van ondervoeding, een dagdagelijkse realiteit in grote delen van Afrika. Met 25.000 overlijdens per dag komen we vandaag op 9 miljoen doden per jaar. Dit betekent elk jaar een hongersnood op megaschaal.

De grootste doder in de menselijke geschiedenis, ten minste in de landbouwsamenlevingen, zijn de infectieziekten. Bijna alle besmettelijke 'beschavingsziekten' (malaria, pokken, mazelen, cholera, pest enz.) heeft de mens overgekregen van de gedomesticeerde kuddedieren. Het overdragen van ziektekiemen op de mens heeft bijna altijd een verwoestend effect omdat er in het begin nog geen verworven immuniteit is. Gemiddeld duurt het vijf à zes generaties voordat ziektekiemen op een stabiele wijze door de mens worden verdragen. Intussen kan deze ziekte al verwoestend uitgehaald hebben. Dit verklaart ook dat er bij toenemende contacten tussen culturen en volkeren steeds een besmettingsrisico is, door het overdragen van ziektekiemen waarvoor er nog geen immuniteit is opgebouwd. Massale sterfte treedt bijgevolg vaker op in periodes van een meer intensieve menselijke interactie:

- de teloorgang van het West-Romeinse Rijk gaat samen met het uitbreken van diverse dodelijke epidemieën ten gevolge van de verspreiding van nieuwe microparasieten uit het Midden- en Verre Oosten (pokken, mazelen);

- de pestbacil was al lang endemisch bij diverse knaagdierpopulaties (Mongolië). Die werd overgebracht op de (zwarte) rat, die in de Middeleeuwen in de Europese steden 'ingeburgerd' geraakt. Via een beet van een geïnfecteerde rattenvlo geraakt de gezonde mens besmet met de heel dodelijke pest. In 1331 breekt een pestepidemie uit in China. Via de karavaanroutes bereikt de ziekte in 1346 de Krim aan de Zwarte Zee. Tussen 1347 en 1350 doodt de 'zwarte dood' naar schatting een derde van de Europese bevolking. Nadien duikt de pest nog vele malen op, om als epidemische ziekte in de late 17de eeuw te verdwijnen (toegenomen immuniteit en een betere hygiëne);

- de Europeanen brengen bij hun aankomst in Amerika besmettelijke ziekten als pokken, mazelen en tyfus mee, waartegen de inheemse bevolking geen weerstand heeft. In een eeuw tijd verliest het continent meer dan 90% van haar bevolking. De bevolking van de Caraïbische eilanden valt terug van 1 miljoen bij de aankomst van Columbus tot slechts enkele duizenden in 1650;

- de 19de-eeuwse verstedelijking stimuleert nieuwe epidemische ziekten. Cholera, veroorzaakt door een bacil in stilstaand water, is aanvankelijk endemisch in Bengalen. Bij een nieuwe uitbraak in 1817 worden de aanwezige Britse militairen besmet en kan de ziekte zich de volgende jaren over land en zee verspreiden. Pas met de uitbouw van waterbedelingssystemen en rioleringsnetwerken kan de verspreiding van de ziekte in de grote steden gestopt worden;

- in 1918-19 eist de Spaanse griep 20 tot 40 miljoen doden, ruimschoots meer dan de Eerste Wereldoorlog zelf. De griep is een wereldwijde pandemie, maar de meerderheid van de slachtoffers valt in Rusland en India;

- sinds de ontdekking van aids in de vroege jaren 1980 zijn al meer dan 25 miljoen mensen aan deze infectieziekte overleden (2 miljoen in 2009). Momenteel zijn 33 miljoen mensen met het hiv (Human Immunodeficiency Virus) besmet. 7% van de volwassen bevolking in sub-Sahara Afrika is drager van het virus.

6. Mobiliteit en migratie

Sinds het ontstaan van de menselijke soort en de verspreiding van de Homo sapiens zijn mensen mobiele wezen gebleven. De mondiale migratiegeschiedenis van de afgelopen tienduizenden jaren is een verhaal van divergentie en convergentie. Dit begint bij de verspreiding van de moderne mens over de hele wereld, een migratiebeweging die 100.000 jaar terug in Afrika begint. De uitwaaiering van de moderne mens uit Afrika gaat eerst richting oosten via de kustlijn van Zuidoost-Azië tot Australië (80.000-60.000 v.t.). Tussen 60.000 en 30.000 v.t. trekt de mens zowel naar Oost-Azië en via de Beringstraat naar Noord-Amerika, als naar Centraal-Azië en Europa. Zuid-Amerika wordt 20.000 jaar terug bevolkt, Micronesië 19.000 tot 9000 jaar terug en Polynesië 9000 tot 7000 jaar terug. Hoewel deze migratie aanvankelijk tot een proces leidt van grote divergentie in talen en culturen, zorgen toenemende contacten tussen Azië, Afrika, Europa en vanaf het einde van de 15de eeuw het Amerikaanse continent, langzaam maar zeker voor een proces van convergentie.

De convergentie begint vanaf 1000 v.t. als gevolg van het ontstaan van systematische handelsnetwerken over lange afstanden. Hierdoor groeit een netwerk van directe handelscontacten die grote delen van de wereld, met als belangrijkste uitzondering het Amerikaanse continent, met elkaar verknoopt. De zijderoutes verbinden China met de Middellandse Zee en Afrika, terwijl gespecialiseerde handelsdiaspora van Armeniërs en Wangara en later Joden permanente connecties tot stand brengen tussen de Middellandse Zee en de Indische Oceaan. Later spelen Vikingen een cruciale rol in de handel tussen Noord-, Oost- en Zuid-Europa. Hoewel hiervoor een relatief klein aantal handelaren verantwoordelijk is, raakt door deze geleidelijke uitbreiding en intensivering van handelsnetwerken aan het begin van de jaartelling een uitgestrekt gebied, van Japan tot de westkust van Afrika, met elkaar verbonden en kunnen we op een aantal terreinen spreken over een langzame convergentie. Deze netwerken breiden zich in de Europese Middeleeuwen verder uit door de grootschalige migratie van de 'paardenvolkeren' uit het Oosten, de Arabische expansie in Noord-Afrika en die van de Vikingen in West- en Oost-Europa. Tegelijkertijd nemen de contacten binnen Zuid- en Noord-Amerika toe. Als gevolg van die intensivering zien we een groei in de verspreiding over grote afstanden van mensen, maar vooral van goederen, kennis, technieken en ook ziekten (zoals de builenpest in de 14de eeuw). De enige resterende barrières op globale schaal zijn dan de Stille Oceaan en de Atlantische Oceaan, die ervoor zorgen dat Amerika en de meeste eilanden in de Pacific nog geïsoleerd blijven van de rest van de wereld.

In de periode 1400-1700 vergroot de schaal van de globale migratie. Onder meer door verbeteringen in maritieme technologie worden intercontinentale reizen mogelijk met verstrekkende economische, culturele en sociale gevolgen. Cruciaal is de 'ontdekking' van de Amerika's aan het einde van de 15de eeuw en het ronden van Kaap de Goede Hoop door Vasco da Gama. Portugese en Nederlandse handelaren komen zo in direct contact met Azië. Dit leidt niet alleen tot een toename van de handel en de verspreiding van nieuwe producten op mondiale schaal, het zorgt er ook voor dat er migratie op gang komt tussen de continenten. Hierbij gaat het zowel om vrije als gedwongen migratie. De bekendste en meest omvangrijke verplaatsing is die van miljoenen slaven vanuit West-Afrika naar het Caraïbische gebied, Brazilië en in mindere mate de zuidelijke staten van de latere Verenigde Staten: ongeveer 300.000 in de 16de eeuw, 1,9 miljoen in de zeventiende en bijna zeven miljoen in de 18de eeuw. Daarnaast stimuleert de *Columbian exchange* de migratie van miljoenen vrije en onvrije migranten uit Europa, in de eerste plaats uit Engeland en de Duitse staten. Een derde grote migratiestroom is die van Europeanen naar Azië, via de Portugese, Nederlandse en later Engelse handelskanalen. Daarnaast komen er migratiestromen op gang van Zuidoost-Azië naar Zuid- en Midden-Amerika en van Europeanen naar Siberië en Noord-Amerika (pels- en bonthandel). Recente studies schatten het aantal Europeanen dat het eigen land (al dan niet tijdelijk) verlaat per tienjaarlijkse periode op 2,3 miljoen in de 16de eeuw, 3,8 miljoen in de 17de eeuw en 4,7 miljoen in de 18de eeuw (goed voor respectievelijk en gemiddeld 2,7%, 3,9% en 3,5% van de totale bevolking per decade). De grote meerderheid zijn soldaten en zeelui, een minderheid trekt naar de kolonies. Zo vestigen zich tussen 1500 en 1650 jaarlijks 3000 tot 5000 Spanjaarden in de Nieuwe Wereld. Het gecumuleerde effect op de lange termijn is echter groot. Omstreeks 1800 wonen er 8,5 miljoen 'blanken' in het Amerikaanse continent. De migratie van Chinezen blijft in dezelfde periode vrij stabiel en wordt geschat op 4 miljoen per tienjaarlijkse periode, minder dan 2% van de totale bevolking.

De jaren tussen 1850 en 1930 worden getypeerd als de periode met de tot nu toe meest intensieve migratiestromen. Afgezien van de grootschalige arbeidsmigraties binnen Afrika, Europa en Amerika, wordt het aantal langeafstandmigranten op ongeveer 150 miljoen geschat. In de periode 1850-1900 is het aantal Europese migranten per tienjaarlijkse periode opgelopen tot 20 miljoen, of meer dan 6% van de totale bevolking. De grootste groep, meer dan 40%, verlaat nu wel het continent. Tientallen miljoenen Europeanen steken de Atlantische oceaan over om zich in Noord- en Zuid-Amerika te vestigen, terwijl vergelijkbare aantallen Chinezen en Indiërs werk vinden in respectievelijk Noord- en Zuidoost-Azië, onder meer in de mijnen van Mantsjoerije en de rubberplantages van Birma. De oorzaken van deze groei in de wereldwijde langeafstandmobiliteit zijn de transport- (stoomschip) en communicatie- (telegraaf, telefoon, post) revoluties, de expansie van koloniale rijken, met voorop het Britse imperium, en de totstandkoming van een geïntegreerde wereldmarkt. Het gevolg is dat kapitaal en arbeid op ongeëvenaarde schaal kunnen worden gemobiliseerd. In deze globale migratiegolf onderkennen we drie 'regionale' systemen: a/ de trans-Atlantische migraties vanuit Europa naar het westen (55-58 miljoen migranten), b/ migraties van Noordoost-Azië (China, Rusland) naar Oost-Siberië, Mantsjoerije, Japan (46-51 miljoen migranten), en c/ migraties vanuit India en Zuid-China naar Indonesië, Maleisië en Birma (48-52 miljoen migranten). In de periode 1850-1930 mobiliseren de drie belangrijke groeicentra met een arbeidstekort (Noord-Amerika, Noord-Azië en Zuidoost-Azië) bijna even grote groepen immigranten. Ze vertonen hierbij een opmerkelijke convergentie, met hoge aantallen in de jaren 1870, rond 1900 en aan het einde van de jaren 1920 en een terugval in het begin van de jaren 1890 en gedurende de Eerste Wereldoorlog.

Vanaf de jaren 1960 tekent zich een nieuwe periode van toenemende internationale migratie af. Ook nu zijn meerdere patronen zichtbaar, in de richting van de migratie (naar Europa, in Oost- en Zuid-Azië enz.) en naar de vorm (vrije en onvrije migratie). Deze nieuwe golf vindt echter plaats in een andere wereld, met meer mensen, met meer algemene welvaart, maar ook met meer welvaartsverschillen. Daarbij ontbeert de huidige globalisering de welhaast ongelimiteerde vrijheid van migratie in de periode 1850-1914. De capaciteit van de 20ste-eeuwse staat om menselijke mobiliteit te controleren is een nieuw fenomeen in de wereldgeschiedenis. Staten hebben na 1914 veel meer macht gekregen om migratie te controleren en te bepalen of en op welke voorwaarden migranten in hun territorium worden toegelaten. Een goed voorbeeld zijn de golfstaten in het Midden-Oosten, die vanaf de jaren 1970 miljoenen Aziatische migranten hebben gerekruteerd, maar hen slechts beperkte rechten hebben verleend en niet aarzelen om migranten te deporteren. In liberale democratieën is dit weliswaar veel lastiger gebleken, zoals de geschiedenis van de 'gastarbeid' in West-Europa aantoont, maar ook hier beïnvloedt de migratiecontrole van nationale staten in hoge mate de omvang, richting en selectiviteit van de migratie. Veel meer dan vroeger zijn migratiestromen 'illegaal', want niet door een staat erkend. Terwijl de migratiegolf tussen 1850 en 1914 een belangrijke motor was van economische groei en toenemende convergentie, lijken de migratiepatronen van vandaag eerder de verschillen en de divergentie te versterken. Niettemin blijft de nieuwe golf van economische globalisering nieuwe migratiestromen genereren, van arme naar rijke delen van de wereld. Nieuwe vormen van regulering en repressie lijken deze beweging nog moeilijk te kunnen stoppen.

3. Een natuurlijke wereld: ecologie, energie en groei

De *human journey*, de reis van de mensheid, vindt plaats in het spanningsveld tussen de mens en de natuurlijke omgeving. De reproductie van het menselijk leven gebeurt in omstandigheden die de mens niet zelf heeft gekozen. Meestal zijn die vijandig. Het zijn bijgevolg de groepen die zich het best aan de natuurlijke omstandigheden hebben aangepast, die kunnen overleven.

Tijdens veruit het langste deel van zijn 'reis' is de mens een mobiel, migrerend wezen, levend van wat de natuur kan opbrengen. Worden de omstandigheden ongunstig, geraken de voorraden uitgeput, dan trekken de menselijke zwervers naar een ander gebied. Omstreeks 10.000 jaar terug begint een van de belangrijkste, zo niet de belangrijkste overgang binnen de menselijke geschiedenis, die naar meer stabiele landbouwmaatschappijen. De succesrijkste volkeren in de meest vruchtbare gebieden bouwen een meer complexe sociale organisatie uit, met nieuwe elites, die elkaar vinden in nieuwe steden. De eerste kernen van een landbouwbeschaving ontstaan in de vlakten van zuidelijk Irak, het land van Sumer. Koningen regeren hier over een complex van stadstaten. Het oudste nog bekende literaire epos in de wereldgeschiedenis is dat van Gilgamesh, de (mythische) koning van de stad Uruk. Het verhaal dateert van omstreeks 2000 jaar voor onze jaartelling en is mogelijk nog veel ouder. Het Epos van Gilgamesh verhaalt onder meer de strijd tussen de oude en de nieuwe levenswijze, de strijd tussen natuur en cultuur. Zo brengt het verhaal een boodschap over de voor- en nadelen van de nieuwe beschaving.

De onderdanen van Uruk bewonderen de grote kracht, wijsheid en schoonheid van hun heerser, de halfgod Gilgamesh. De verhalen over zijn strijd tegen monsters, over de opbouw van wallen en tempels, over zijn grote reizen en glorierijke veroveringen vervullen de inwoners van Uruk met trots. De waan van Gilgamesh drijft hem echter steeds verder in zijn ambities, wat leidt tot onderdrukking van zijn volk, het sneuvelen van de zonen en het verleiden van de dochters.

> *In Uruk-de-Schaapsstal waart hij steeds rond,*
> *stoer doende als een wilde stier met opgeheven hoofd.*
> *De aanval van zijn wapen is onweerstaanbaar;*
> *zijn gezellen staan onophoudelijk onder zijn bevel.*
> *Steeds weer valt hij de jongemannen van Uruk lastig;*
> *Gilgamesh laat geen zoon over aan zijn vader.*
> *Dag en nacht wordt zijn onderdrukking vreselijker.*
> *En dat is dan Gilgamesh, de vorst van de talrijke mensheid!*
> *Hij is de herder van Uruk-de-Schaapsstal;*
> *maar Gilgamesh laat geen dochter over aan haar moeder!*

De bevolking beklaagt zich bij de goden, die besluiten om Gilgamesh een lesje te leren. Ze creëren Enkidu. Deze Enkidu is in kracht de gelijke van Gilgamesh, maar hij leeft in de wildernis tussen de dieren. Enkidu staat voor de kracht van de natuur, Gilgamesh voor die van de nieuwe beschaving. Door een droom ontdekt Gilgamesh Enkidu's bestaan. Hij verzint een list om Enkidu te lokken. Hij stuurt het meisje Samhat, 'zij die seksuele vreugde schenkt, ontvangt, en is', op hem af. Op een niet mis te verstane manier verleidt ze hem.

> *Samhat maakte haar lendendoek los*
> *en ontblootte haar geslacht; hij genoot van haar charmes.*
> *Zij gaf zich volledig en nam zijn levenskracht in zich op.*
> *Zij spreidde haar kleed uit en lag op haar;*
> *zij verrichtte aan hem de vrouwenkunst;*
> *zijn wellust liefkoosde en omarmde haar.*
> *Zes dagen, zeven nachten was Enkidu in bronst en bedreef de liefde met Samhat.*
> *Pas toen hij verzadigd was van haar charmes,*
> *keek hij om naar zijn kudde.*
> *Maar toen zij Enkidu zagen, renden ze weg;*
> *de hele kudde van de steppe wendde zich af.*

Enkidu had al zijn krachten verspild, zijn lichaam was slap,
zijn benen waren verlamd, terwijl de kudde wegvluchtte.
Enkidu was zwak en kon niet meer rennen als voorheen,
maar nu had hij inzicht en breed verstand!

Enkidu is nu geen wezen meer van de wildernis. Samhat neemt hem mee naar Uruk, waar hij Gilgamesh ontmoet. Enkidu durft zich als enige tegen Gilgamesh uit te spreken en de twee krachtpatsers worstelen met elkaar. Omdat ze even sterk zijn, komt er geen winnaar uit de strijd. De twee helden sluiten vriendschap en gedurende een groot deel van het verhaal zullen ze samen optrekken.

Gilgamesh staat in dit epos symbool voor de cultuur, maar tevens voor macht, autoriteit en hoogwaan. Voor de onderdanen gaan glorie en rijkdom ten koste van vrijheid. De nieuwe elites brengen roem over Uruk en Sumer, maar tegelijkertijd maken ze oude familie- en samenlevingsverbanden ondergeschikt aan een nieuwe sociale hiërarchie. Arbeid en inkomen worden via belastingen in dienst gesteld van de stad. Regels en wetten vervangen oude afspraken. De nieuwe stad, de nieuwe samenleving is geboren.

1. Een ecologische wereldgeschiedenis

In een grootschalig onderzoek uit het begin van de jaren 1990 werd geprobeerd om de impact van de menselijke geschiedenis op de natuur te meten. Voor tien sleutelmeters werd de totale impact van de mens tussen 10.000 v.t. en het midden van de jaren 1980 uitgetekend op een schaal van 100 (100 is dus de totale impact in 1985). Voor elke meter werd berekend wanneer 25%, 50% en 75% van de verandering werd bereikt.

Figuur 7. Door de mens veroorzaakte ecologische verandering, 10.000 v.t. tot het midden van de jaren 1980.

Soort verandering	Data van de kwartielen (in vergelijking met de niveaus van 1985)		
	25%	50%	75%
Ontbossing	1700	1850	1915
Diversiteit gewervelde landdieren	1790	1880	1910
Waterschaarste	1925	1955	1975
Bevolkingsgroei	1850	1950	1970
Koolstofuitstoot	1815	1920	1960
Sulfaatuitstoot	1940	1960	1970
Fosfaatuitstoot	1955	1975	1980
Nitrogeenuitstoot	1970	1975	1980
Looduitstoot	1920	1950	1965
Koolstoftetrachloride productie	1950	1960	1970

De bovenstaande tabel illustreert goed de enorme versnelling in het ecologische veranderingsproces. 50% betekent dat op dat moment (nog maar) de helft van de verandering ten opzichte van 1985 was bereikt. Voor zeven variabelen is er gedurende de periode 1945-1985 meer veranderd dan in de voorgaande 10.000 jaar, zoals waterschaarste, bevolkingsgroei en de uitstoot van sulfaat, fosfaat, nitrogeen en lood. Wat ontbossing, koolstofuitstoot en het uitsterven van gewervelde diersoorten betreft, is meer dan de helft van de toename gebeurd in de voorbije anderhalve eeuw. Zonder daar voetstoots rampscenario's aan te koppelen, is het wel duidelijk dat het enorme versnellingproces van de 20ste eeuw een uniek gegeven is in de menselijke geschiedenis en dat het nog altijd niet duidelijk is wat de langetermijngevolgen van deze versnelling (in tijd en in schaal) zullen zijn.

Het is niet verwonderlijk dat in deze tijden van turbulente veranderingen en stijgende onzekerheid over de draagkracht van het biosysteem heel wat 'wereldgeschiedenissen' worden verteld vanuit een ecologische invalshoek, vanuit het voortdurende spanningsveld tussen cultuur en natuur. Een aantal van de belangrijkste titels is opgenomen in de literatuurlijst achteraan. Sommige auteurs koppelen de opkomst, het succes en ook het verdwijnen van volkeren en beschavingen aan ecologische omgevingsfactoren (Diamond). Anderen bestuderen op welke actieve manier sommige volkeren/beschavingen hun ecologische systeem overgedragen hebben op andere culturen, vaak met desastreuze gevolgen (Crosby). Recente syntheses koppelen het verhaal van *'the rise of the West'* aan de overgang van een oud, op hernieuwbare zonne-energie gebaseerd biologisch regime naar een nieuw regime, dat gebruikmaakt van de fossiele energiebronnen (Marks).

In figuur 8 vat Jared Diamond (*Guns, germs and steel*) zijn ecologische visie op de wereldgeschiedenis samen. Vanuit de aanwezigheid en verspreiding van planten en dieren (basisfactoren) kom je via een schakel van oorzaak-gevolg (domesticatie, sedentaire samenlevingen, technologie) tot afgeleide factoren (paarden, wapens, schepen, staatsorganisatie, ziektes), die op hun beurt verklaren waarom sommige volkeren andere kunnen overheersen en waarom andere maatschappijen verdwijnen.

Figuur 8. Factoren die het ecologische-historische patroon in de wereldgeschiedenis bepalen.

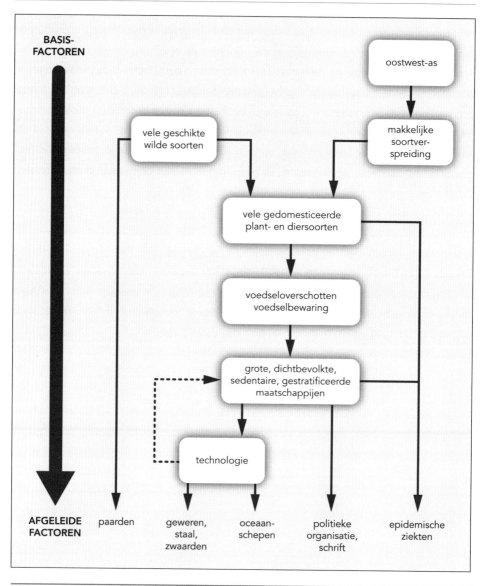

Verder vraagt hij zich af welke ecologische omstandigheden de divergerende ontwikkelingstrajecten van de mens op de vijf continenten mee hebben vormgegeven en meer in het bijzonder waarom Eurazië een voorsprong heeft kunnen opbouwen. Hij onderscheidt vier sets van verklaringen.

1/ Verschillen (per continent) in de aanwezigheid van planten en dieren geschikt voor domesticatie. Zo zijn er op het Amerikaanse continent door uitroeiing geen grote zoogdieren geschikt voor domesticatie meer aanwezig.

2/ Verschillen in de snelheid van diffusie en migratie. Diffusie en migratie gaan sneller in gebieden met gelijke klimaatzones (en dus op een oost-westas) en met relatief kleine ecologische en geografische barrières. De moeilijkheden zijn in Afrika en vooral in Amerika (beide op een noord-zuidas) veel groter.

3/ Verschillen in de interactie tussen continenten, waarbij Amerika en Australië lang afgesneden blijven.

4/ Verschillen in bevolkingsomvang. Waar grotere bevolkingsgroepen wonen, is er meer interactie, competitie en druk om te veranderen. Dat is vooral duidelijk in de kerngebieden in Eurazië.

Deze ecologische benadering voegt een essentiële dimensie toe aan het begrijpen van de menselijke reisweg. Het succes of falen van menselijke samenlevingsvormen moeten we niet alleen begrijpen vanuit (efficiënte of deficiënte) interne structuren, maar ook vanuit de interactie met de (vijandige) omgeving. Daar staat tegenover dat de ecologische benadering soms te veel de nadruk legt op de omgeving en te weinig op de 'handelende mens', het menselijke vermogen vooruit te denken en zich aan nieuwe situaties aan te passen. Dit determinisme, ook duidelijk in het malthusiaanse denken, wordt geparafraseerd in metaforen als *the tragedy of the commons* of *life boat ethics* (Garrett Hardin). De Amerikaanse bioloog gaat uit van een schijnbaar onoverbrugbare tegenstelling tussen individueel rationeel gedrag en collectief belang. Individueel winstdenken doet de collectieve goederen, de *commons* teniet (voedsel, lucht, water enz.). In zijn *life boat ethics* propageert hij een selectieve redding van de wereldbevolking, te verkiezen boven een te verwachten totale ondergang. Indien we immers iedereen willen binnenhalen op het beperkte aantal reddingssloepen die we ter beschikking hebben, zinken we met zijn allen. Dit extreme ecologische determinisme heeft niets meer te maken met wetenschappelijke observatie, maar met ideologie. Door sommigen ecofascisme genoemd (een minderheid bepaalt wat de meerderheid moet doen), berust deze visie op een aantal valse premissen, zoals het ontbreken van een collectieve vooruitziendheid en een losgeslagen fertiliteit.

In het vervolg van dit hoofdstuk gaan we in op de relatie tussen klimaat, energie, technische kennis en maatschappelijke groei.

2. Klimaatwijzigingen

De mens is in de eerste plaats een product van de natuur en van de door het klimaat bepaalde natuurlijke cycli. Klimaatwijzigingen zijn van alle tijden. Grote systematische veranderingen in het klimaat zijn het gevolg van de bewegingen van de grote continentale en oceanische aardkorsten en van de wijzigingen in de orbitale geometrie van de aarde. Op de lange termijn verandert de aarde zo van diepvriezer tot een superbroeikas, zoals tijdens het Krijt, 147-65 miljoen jaar terug. Door een geleidelijke afname van de atmosferische CO_2-concentraties dalen hierna de temperaturen, met het ontstaan van de ijskappen als gevolg (het Noordpoolijs verschijnt pas 2,7 miljoen jaar terug). Kortere bewegingen zijn die van de overgang van ijstijden naar interglacialen. In deze tussenperiodes ligt de gemiddelde temperatuur enkele graden hoger. Deze schommelingen worden veroorzaakt door kleine, periodieke wijzigingen in de baan van de aarde rond de zon. Dit heeft een impact op de zonnestraling en op de aanwezigheid van atmosferische gasconcentraties (zoals CO_2 en methaan). Momenteel verkeert de aarde sinds het einde van de laatste ijstijd ongeveer 15.000 jaar terug in een periode van relatieve warmte.

Klimaatveranderingen hebben een globale impact, vooral wanneer ze samengaan met maatschappelijke veranderingen. Zo veroorzaakt de temperatuursdaling tijdens het begin van de 'kleine ijstijd' in de 14de eeuw langere winters in het noorden (Europa, China) en grotere droogtes in het zuiden (Midden-Amerika en Centraal-Afrika). De uitbraak van de builenpest en het stopzetten van de Mongoolse expansie worden eveneens met deze klimaatverandering in verband gebracht. In het laatste kwart van de 19de eeuw ligt een specifieke klimaatswijziging, El Niño of de verstoring van de wind- en de regenpatronen, aan de basis van grootschalige hongersnoden. De impact hiervan is het grootst in Azië (China en India), Afrika en Zuid-Amerika, regio's die door de koloniale overheersing sterk zijn verzwakt. Ontbossing, plantage-economieën en grote migratiebewegingen hebben de ecologische en economische draagkracht van de landbouwsamenlevingen ondergraven. De koloniale regimes reageren laat of helemaal niet. 30 tot 50 miljoen mensen zijn het slachtoffer van de hongersnoden tussen 1875 en 1900.

Veel recenter zijn de antropogene, door de mens aangestuurde klimaatswijzigingen. De voorbije 400.000 jaar is de CO_2-concentratie in de atmosfeer relatief stabiel gebleven, schommelend tussen 180 en 280 ppm (deeltjes per miljoen). Tussen 1800 en 2000 is de aanwezigheid van dit broeikasgas opgelopen tot 380 ppm, een ongekende stijging in de recente geschiedenis van de aarde. Het is in de eerste plaats de snelheid van de toename, vooral na 1960, die zorgen baart. De belangrijkste oorzaken zijn de verbranding van fossiele brandstoffen en de ontbossing. Het recente klimaatrapport van de Verenigde

Naties (*Intergovernmental Panel on Climat Change*, steunend op het werk van 2500 wetenschappers) bevestigt nogmaals de grote menselijke verantwoordelijkheid. De toename van broeikasgassen is met 90% zekerheid toe te schrijven aan de menselijke activiteit. Hiermee is het verzet van de klimaatsceptici een achterhoedegevecht geworden.

De toename van atmosferische broeikasconcentraties (CO_2, methaangas, stikstofmonoxide e.a.) zorgt voor een globale opwarming van de aarde. Onderzoek naar het verloop van de gemiddelde temperatuur op het noordelijke halfrond tijdens de voorbije 1000 tot 2000 jaar bevestigt het ongewone karakter van de recente opwarming. Gemiddelde temperaturen op het noordelijke halfrond gedurende de tweede helft van de 20ste eeuw zijn heel waarschijnlijk hoger dan in enige andere 50-jarige periode in de laatste 500 jaar en waarschijnlijk de hoogste in ten minste de voorbije 1300 jaar. Terwijl de temperatuurvariaties in de voorbije 700 jaar in belangrijke mate toegeschreven kunnen worden aan vulkaanerupties en variaties in de zonne-intensiteit, zijn het in de 20ste eeuw vooral menselijke effecten die bijdragen tot de opwarming. De wereldgemiddelde temperatuur is de afgelopen 100 jaar tussen de 0,56 °C en 0,92 °C gestegen. De stijging is over de wereld niet gelijk verdeeld: grote landmassa's en de poolgebieden warmen sneller op, de oceanen en tropen minder snel. Klimaatmodellen waarin menselijke invloeden niet zijn meegenomen, kunnen de waargenomen stijging niet verklaren. Tot het einde van deze eeuw wordt een verdere wereldgemiddelde temperatuurstijging verwacht tussen 1,1 °C en 6,4 °C (t.o.v. 1990). De grote bandbreedte wordt veroorzaakt door de onzekerheden in de uitstoot van broeikasgassen en onzekerheid over de terugkoppelingen in het klimaatsysteem, die het effect daarvan kunnen versterken of verzwakken. De poolgebieden warmen in die projecties het snelst op, woestijnen en grote landmassa's worden ook sneller warmer dan gemiddeld. De gevolgen zijn bekend: veranderend weerpatroon (neerslag, droogte), smelten van de ijskappen, stijging van de zeespiegel. Aangenomen wordt dat bij een verdere stijging van de gemiddelde temperatuur met 2 °C de gevolgen niet meer omkeerbaar zijn.

De verantwoordelijkheid voor de opwarming is niet gelijk verdeeld. Met 5% van de wereldbevolking zijn de Verenigde Staten in de periode 1900-2000 verantwoordelijk voor 30% van de koolstofemissies. Europa neemt 22% op zich, tegenover slechts 7% voor China en 2% voor India. De huidige emissies per capita zijn hier nog altijd 50 tot 80% lager dan het mondiale gemiddelde.

3. Energie

In de loop van de geschiedenis lijkt vrijwel iedere toename in beheersing van de natuur gepaard te zijn gegaan met een grotere afhankelijkheid van die natuur. Zo stelt de Nederlandse socioloog Goudsblom dat, naarmate het vermogen van de mens om vuur te beheersen groter werd, de levenswijze van deze mens steeds meer op de beschikbaarheid van vuur werd ingesteld. Daardoor werd hij meer afhankelijk van het vuur en van de sociale organisatie en de psychische discipline om het vuur te kunnen controleren en gebruiken. De afhankelijkheid nam toe door de tijd heen: bescherming tegen koude en duisternis, het maken of verbeteren van gereedschap, het verwerken van voedsel, het ontginnen van gronden. Volgens Goudsblom werden de menselijke gemeenschappen door het beheersen van het vuur productiever en weerbaarder, en kantelde zo de machtsbalans tussen de hominiden en hun grootste vijanden, de katachtige roofdieren, in het voordeel van de eersten. Zo groeide onze soort enkele honderdduizenden jaren terug uit tot een ecologisch dominante soort, die (in nog beperkte mate) de omgeving naar zijn hand kon zetten. Gewapend met deze kennis kon de latere Homo sapiens met meer verfijnde technische middelen en hechtere sociale afspraken alle continenten koloniseren.

In een natuurwetenschappelijke zin kan de wereldgeschiedenis omschreven worden als de voortdurende zoektocht naar en controle over steeds grotere energiestromen. De biosfeer van onze planeet kan zo worden beschouwd als één groot zonne-energiesysteem. De diverse planten- en diersoorten zijn allemaal, naar gelang van de kenmerken van hun stofwisselingssysteem, ingeschakeld in de energiestroom die de zon als bron heeft (fotosynthese, vertering biomassa enz.). In de geschiedenis van de mens onderscheiden we twee energieregimes. Tot de 19de eeuw is zonne-energie veruit de belangrijkste energievorm. Paleolithische jager-verzamelaars (tot 10.000 jaar terug) gebruiken de zonne-energie door een niet-gecontroleerde (extensieve) extractie van biomassa uit de omgeving (zonne-energie via de fotosynthese opgeslagen in de plantaardige massa, die dan via biologische reconversie of verbranding arbeid en warmte oplevert). De hoeveelheid beschikbare energie is begrensd. Bijgevolg moet het overleven afgestemd worden op het wisselende aanbod ervan: een grote mobiliteit, een beperking van de fertiliteit. De belangrijkste technologische doorbraak is de beheersing van het vuur, waarmee de mens zijn dieet van plantaardig en dierlijk voedsel aanzienlijk heeft kunnen vergroten. De jager-verzamelaars zijn ook verantwoordelijk voor het uitsterven van een aantal (meestal grote) diersoorten, voor een prehistorische 'overkill'. Zo verdwijnt tussen 17.000 en 12.000 v.t. op het Amerikaanse continent 73% van alle grote diersoorten (zwaarder dan 44 kg). Door een verbetering van de jachtwapens worden sommige soorten op enkele honderden jaren tijd uitgemoord.

Landbouwsamenlevingen veranderen grondig de verhouding tot de zonne-energie en het proces van fotosynthese. Via landbouw en veeteelt kunnen veel grotere hoeveelheden bio-energie gewonnen worden. Met de gecontroleerde teelt van dieren en planten slaagt de mens erin een deel van de zonne-energie te monopoliseren voor de eigen behoeften en zo de verhouding met de natuurlijke omgeving voorgoed te veranderen. Meer hiërarchische samenlevingen organiseren en verdelen de energieproductie en -consumptie, waarbij het succes in belangrijke mate afhangt van de wijze waarop ze het aanbod aan energie via natuur en landbouw in overeenstemming kunnen brengen met de vraag. Dit gebeurt onder meer door de verbetering van de landbouw, het inzetten van dierlijke kracht en het gebruik van eenvoudige technieken zoals landbouwtuigen, molens en de smeedkunst. De landbouwersgemeenschappen maken gebruik van het zonne-energiesysteem door een gecontroleerde (intensieve) extractie van biomassa via de landbouw. De afhankelijkheid van de zonne-energie maakt dat de groeikracht van boerensamenlevingen ook aan grenzen is gebonden. De beschikbare energie is afhankelijk van de oppervlakte; de bebouwing en bewoning is kleinschalig en gespreid. Dit neemt niet weg dat door overexploitatie (kleinschalige) ecologische rampen mogelijk zijn, onder meer door bodemerosie en ontbossing. Vaak kan een verband gelegd worden met sterk hiërarchisch gestructureerde samenlevingen, waarin machtsperspectieven (op korte termijn) belangrijker zijn dan economische draagkracht (op lange termijn). Een voorbeeld van deze spanning is de Mayacultuur, die in de periode tussen 600 en 800 n.t. in Midden-Amerika een grote bloei kent. De vele steden worden bevoorraad door een intensief bedreven landbouw met een ingenieuze en productieve akkerbouw (verhoogde akkers in natte gebieden, terrasbouw in de ontboste heuvels). De groeiende toplaag van priesters, bestuurders en soldaten, en de groei van de steden verhoogt de druk op de landbouw, met bodemerosie, slibafzetting en verdere ontbossing tot gevolg. De druk op de landbouwers neemt toe, de opbrengsten gaan achteruit. In enkele decennia tijd stort de Mayasamenleving in, sterftecijfers nemen snel toe, de steden worden verlaten. Pas meer dan 1000 jaar later worden de overwoekerde akkers en steden teruggevonden.

Landbouwsamenlevingen enten zich op een biologisch regime van steeds hernieuwbare energie, gereguleerd door de zonnecycli. Deze cycli begrenzen ook de expansiemogelijkheden van deze samenlevingen. De industriële samenleving vanaf de 19de eeuw is gebouwd op een heel ander biologisch regime of energiesysteem, met als basis fossiele brandstoffen (steenkool in de 19de eeuw, olie, gas en ook uranium in de 20ste eeuw). De groeiversnelling steunt op een uitputting van de grote reserves minerale zonne-energie, miljoenen jaren lang opgeslagen in de aardbodem. De technologische revoluties die hierop volgen ontketenen vroeger ongeziene krachten die ingezet worden in de productie en het transport, en later in de huishoudens. Met stoom via de verbranding van steenkool (stoommachines, stoomtreinen en stoomschepen), gevolgd door energie uit olie en gas, uit elektriciteit en later nucleaire kracht, volgen de energierevoluties in de voorbije twee eeuwen elkaar snel op. Die maken veel grotere concentraties van arbeidsprocessen en bevolking mogelijk. De veel intensievere exploitatie doet tegelijk het risico op uitputting van grondstoffen en de verstoring van het mondiale ecosysteem sterk toenemen. Neem je de totale energieproductie op aarde (totale energie van het zonlicht dat via fotosynthese omgezet wordt in plantaardig materiaal), dan consumeren de jager-verzamelaars hiervan slechts gemiddeld 0,1%. In boerensamenlevingen loopt dat op tot 5%, in de industriële en postindustriële wereld tot 40%. Als een van de miljoenen levende soorten op deze aarde consumeert de mens bijna de helft van alle zonne-energie.

Figuur 9. Energieconsumptie per capita in historisch perspectief (energie-eenheden = 1000 calorieën per dag).

	Voedsel (met inbegrip van veevoeder)	Privé en handel	Industrie en landbouw	Transport	Totaal per capita	Wereld-bevolking (milj.)	Totaal
Technologische maatschappij (2000)	10	66	91	63	230	6.000	1.380.000
Industriële maatschappij (1850)	7	32	24	14	77	1.600	123.200
Ontwikkelde landbouw (1.000 v.t.)	6	12	7	1	26	250	6.500
Vroege landbouw (5.000 v.t.)	4	4	4		12	50	600
Jagers (10.000 v.t.)	3	2			5	6	30
Protomensen	2				2	n.v.t.	n.v.t.

Deze tabel geeft de groei aan van de energieconsumptie per capita. Deze neemt toe van 5000 calorieën per persoon per dag bij de jager-verzamelaars, over 26.000 calorieën in volwassen landbouwsamenlevingen tot 230.000 calorieën vandaag, 46 maal meer dan de oudste voorouders. Al onze energiebehoeften zijn gestegen, vooral door de groei van productie en handel en door het toenemende comfort. Brengen we de toename van de wereldbevolking mee in rekening, dan is de dagelijkse energiebehoefte vandaag 46.000 maal groter dan vóór de neolithische revolutie en 200 maal groter dan ten tijde van land-bouwsamenlevingen. In de 20ste eeuw neemt de energieconsumptie per capita toe met de factor vijf. In dezelfde periode is de totale energiebehoefte negentien maal toegeno-men. Tot de 19de eeuw komt meer dan 90% van alle energie uit de biomassa (in de eer-ste plaats hout, houtskool, turf). In 1850 is dat nog 80%, in 2000 minder dan 20%. Steenkool is tot het midden van de 20ste eeuw de belangrijkste alternatieve energiebron. Momenteel komt de overgrote meerderheid van onze energie (85%) uit niet-hernieuw-bare bronnen (fossiele brandstoffen: olie, steenkool, gas). De heerschappij over deze energiebronnen is een van de conflictgebieden van de 21ste eeuw.

Tijdens het overgrote deel van zijn geschiedenis is de mens voor de energieproductie afhankelijk van menselijke en dierlijke spierkracht. Terwijl de mens goed is voor een gemiddelde energieproductie van 100 watt, kan een trekdier het drie- tot zesvoudige voortbrengen (dat laatste wanneer het dier efficiënter wordt ingespannen). De eerste belangrijke investeringen gebeuren dan ook in het meer efficiënt inschakelen van dier-lijke kracht in het landbouwbedrijf. De vroegste vormen van een meer grootschalige mechanische energieproductie gebeuren via water- en windmolens. Zij brengen 5000 tot 10.000 watt voort (periode 1000-1800). De doorbraak in de mechanische energievoor-ziening vindt plaats in de 19de eeuw, met stoommachines (van 20.000 watt voor de eer-ste machines van James Watt tot 100.000 watt per machine na 1800) en later met gas-turbines, ontploffingsmotoren en nucleaire *powerplants*. De overgang van dierlijke naar mechanische energiebronnen verloopt niet geleidelijk of gefaseerd. In 1900 wordt 60% van alle energie nog altijd opgewekt met menselijke en dierlijke arbeid. Een eeuw later is dat nog maar enkele procenten.

De grote verschuivingen in energieproductie en -consumptie verhullen heel verschillen-de evoluties op regionale schaal. Vernieuwingen in de energietechnologie zijn in de eer-ste plaats lokale en regionale processen. In China onder de Han-dynastie (200 v.t.-200 n.t.) wordt belangrijke vooruitgang geboekt in de kennis van de steenkool- en gasont-ginning, in de productie van ijzer en staal, en worden de ploeg en het gareel van het trek-dier verbeterd. Tijdens de eerste eeuwen van de islambeschaving (8ste-10de eeuw) wordt de kennis over zeilschepen en irrigatie- en windmolens verbeterd. Middeleeuws Europa (na de 12de eeuw) neemt de kennis van de Chinese, Indische en Arabische beschavingen over en verbetert het gebruik van kinetische energie in water- en windmolens. Molens worden op alle economische domeinen ingezet: irrigatie, malen van graan en oliezaden, vollen van kleding, energie bij de ijzerproductie enz. De machtige zeevarende natie uit de 17de eeuw, Holland, is gebouwd op maritieme technologie en het intensieve gebruik van molens. De belangrijkste brandstof is turf. De Britse industriële revolutie en de Engelse heerschappij in de 19de eeuw is mee gebouwd op de stoommachine en de hoogoventechnologie. Basisbrandstoffen zijn steenkool en cokes. Wat turf is voor Holland en steenkool voor Groot-Brittannië, is olie voor de Verenigde Staten, later aangevuld met elektriciteit en nucleaire energie. In 1900 herbergen Europa en de Verenigde Staten 30% van de wereldbevolking, maar ze consumeren 95% van de fossiele brandstoffen. In 2000 zijn de verhoudingen 20% van de bevolking en 70% van de brandstoffen.

De impact van een hogere energieconsumptie, per capita en in het totaal, op de wereldgeschiedenis mag dan al duidelijk zijn, ondubbelzinnig is hij zeker niet. Enerzijds kan worden gewezen op het verband tussen een groter energieaanbod en een grotere productie (landbouw, industrie), een hogere bevolkingsgroei, meer urbanisatie en meer transport. Daarnaast worden potentiële destructieve krachten groter, meest duidelijk in een toenemende militaire slagkracht, verhoogt het risico van ecologische degradatie (uitroeiing dieren, ontbossing, uitputting fossiele brandstoffen, vervuiling) en blijft de ongelijkheid heel groot. Momenteel gebruikt 10% van de wereldbevolking bijna de helft van alle beschikbare energie. Hier staat tegenover dat het vraagstuk van de energieconversie de wereldgeschiedenis niet determineert. Mensen en samenlevingen maken keuzes volgens de behoefte en de mogelijkheden van gebruik en controle. In tegenstelling tot Groot-Brittannië zette China zijn kennis over de energetische kracht van stoom niet om in een industrieel productieproces. Landbouw is niet overal het voorwerp van mechanisering en schaalvergroting, en vaak wordt nog altijd gekozen voor menselijke en dierlijke spierkracht.

4. Kennis en technologie

De relatie tussen technologie en de omgeving heeft mee de menselijke geschiedenis richting gegeven. Met het verschijnen van de moderne mens is de biologische evolutie niet meer de belangrijkste motor van veranderingen, wel het gebruik van hulpmiddelen –

kennis, communicatie, werktuigen – om de natuurlijke omgeving te bemeesteren. Nieuwe kennis en technologieën verleggen de grenzen van het menselijke kunnen, maar tegelijk hebben ze een ongeëvenaarde en vaak desastreuze impact op de leefwereld. De accumulatie van technologische kennis maakt de ongeziene expansie van de menselijke soort mogelijk, ook op plaatsen waar overleven vroeger niet kon. De 'domesticatie' van het vuur en de verbetering van hulpmiddelen op het gebied van voeding, woning en kleding zijn een gevolg van collectieve leerprocessen die aan latere generaties worden doorgegeven. Hierdoor worden ook de vroege menselijke gemeenschappen afhankelijk van de kennis en hulpmiddelen om de natuurlijke omgeving te exploiteren. De overgang naar landbouw is een gedecentraliseerd en geleidelijk proces dat samengaat met de versnelde adaptatie van nieuwe technologieën. De belangrijkste zijn de fabricage van landbouwwerktuigen zoals ploegen, pottenbakken, de vroege metaalbewerking en de watercontrole. Succesvolle landbouwmaatschappijen slagen erin voor lange termijn de toevoer van zoet water te verzekeren, vaak via de aanleg van irrigatienetwerken. In deze streken ontwikkelen zich sneller meer gecentraliseerde besturen, zoals in de delta van de Nijl, van de Tigris en de Eufraat, en van de Gele en Yangze rivier. Samen met de landbouw verandert de geleidelijke ontwikkeling van de metaalbewerking op vele plaatsen in de wereld de relatie tussen mens en natuur als nooit tevoren. Metallurgie wijzigt het wezen van het natuurlijke basisproduct. De metalen voorwerpen maken landbouw, maar ook jacht en oorlog veel efficiënter (koper, brons en ijzer) en leveren de rijkdom van de nieuwe elites (zilver en goud). Het ontginnen en smelten van metalen laat grootschalige littekens na in de natuur, van de mijnbouw tot de ontbossing. Door de groeiende vraag naar houtskool wordt al voor het einde van het eerste millenium n.t. in grote delen van Europa en China de houtschaarste steeds nijpender. Het antwoord op deze schaarste, steenkool en de ontwikkeling van de technologie van de cokes, is de basis van de industriële revolutie vele eeuwen later.

Ook wat wetenschappelijke en technologische kennis betreft, vertoont de wereld voor 1500 veel meer gelijkenissen dan verschillen. Technologische kennis ontstaat overal als een product van collectief of sociaal leren. Deze cumulatieve kennis maakt het mogelijk om de opbrengsten van de productiefactoren land, kapitaal en arbeid te verhogen, om met minder input meer output te creëren. Sociaal leren veronderstelt de omzetting van kennis in overdraagbare vormen, of zogenaamde externe geheugensystemen. De oudste vormen van leren bestaan uit nabootsen en kopiëren. De ontwikkeling van taalsystemen maakt een meer gestructureerd doorgeven van kennis mogelijk. Zonder externe geheugensystemen blijft de capaciteit hiervan beperkt. De ontwikkeling van grafische voorstellingen enkele tienduizenden jaren terug en van het schrift enkele duizenden jaren geleden maakt de vermenigvuldiging van kennis en het doorgeven ervan, buiten het biologische geheugen, mogelijk. De formalisering van systemen van opslag en transmissie versnelt de kennisaccumulatie: een vermenigvuldiging van boeken en tijdschriften, de ontwikkeling van classificatiesystemen zoals bibliotheken, instellingen van onderwijs en onderzoek, en recent de massieve groei van digitale opslagcapaciteiten. De vermenigvuldiging van kennis is dus in de eerste plaats een sociaal proces. Individueel zijn we niet verstandiger dan onze jagende voorouders, we kunnen nu wel beschikken over meer geaccumuleerde en overgeërfde kennis, het resultaat van collectief en sociaal leren.

Het overleven van agrarische beschavingen is afhankelijk van het ontwikkelen, bewaren en doorgeven van kennis (collectief leren). Historici onderscheiden tien 'technological complexes' of 'toolkits' waarbinnen in elke beschaving nieuwe kennis wordt gegenereerd en opgeslagen: wapentechnologie, textielproductie, schriftdragers (zoals papier), pyrotechniek (het beheersen van het vuur), watermanagement (zoals irrigatie), bureaucratische organisatie (schrijven en tellen), het gebruik van dierlijke trekkracht (zoals garelen), maritieme technologie, wiskunde (inclusief kosmologie en cartografie) en landbouwtechnieken. Het proces van innovatie en diffusie van kennis gebeurt vooral via het proces van collectief leren binnen de sociale netwerken. Op vele plaatsen wordt door de eeuwen heen een grote vooruitgang geboekt in de architectuur, de scheepsbouw en zeevaart, de militaire organisatie, de industriële productie en de landbouw. Deze vooruitgang gebeurt heel verspreid en opvallend traag. Zo duurt het vaak meerdere eeuwen voordat elementaire technologische vernieuwingen zoals de klok of de kruiwagen zich over Eurazië verspreiden. Er is dus geen technologisch epicentrum, technologische vernieuwing gebeurt niet rechtlijnig, maar met sprongen. Wel komen vele vernieuwingen uit het Oosten. China levert een grote bijdrage in onder meer de cartografie, de zeevaart (kompas, zeilschepen), de irrigatie en kanalenbouw, de oorlogsvoering (buskruit), de drukkunst en de ambachtelijke productie van onder meer porselein, papier, textiel en zijde. India ontwikkelt vergevorderde technieken in de productie van katoenen stoffen. De islamwereld neemt het voortouw in de productie van specerijen en in de hout- en tapijtproductie. Ook gegeerd zijn de Russische pelzen, Japanse zwaarden en gouden en ivoren producten uit Afrika. Europa ontwikkelt nieuwe technieken in de landbouw, de wolnijverheid, de glasblazerij en het brouwproces. Deze producten liggen mee aan de basis van het intensieve Euraziatische handelssysteem.

Tot de 18de eeuw groeien en bloeien op uiteenlopende plaatsen centra van wetenschappelijke en technologische vooruitgang. Geen enkele kan voor lange tijd een dominante positie innemen. Deze premoderne wetenschappelijke tradities delen een aantal basiskenmerken. Ten eerste passen ze zich in een dominante filosofische en religieuze wereldvisie in. Het verwerven van wetenschappelijke kennis moet mee het metafysische geloofsstelsel onderbouwen. In vele gevallen staat dit nieuwe inzichten niet in de weg, maar daar waar er risico bestaat op een conflict, wordt gekozen voor de heersende religieuze en politieke orde. Op termijn loopt wetenschappelijke vooruitgang zo vaak vast in bewegingen die orthodoxie stellen boven innovatie. Ten tweede maken premoderne wetenschappen bijna altijd een verschil tussen wiskundige en natuurwetenschappen. De eerste houden zich bezig met getallenkunde en geometrie, maar worden zowel in de Griekse, middeleeuws-Europese, als Arabische en Chinese wereld niet nuttig beschouwd voor de kennis van het concrete universum. Natuurwetenschappen en theologie buigen zich over de werking van natuur en mens. Experiment en mathematische berekeningen vinden elkaar nog weinig. De echte vooruitgang wordt gezocht in logica en argumentatie, met de wortels in het filosofische en theologische wereldbeeld. Mathematische redeneringen kunnen de inzichten afgeleid van het dominante wereldbeeld niet bevragen, laat staan uitdagen. Samengevat probeert elke beschaving tot enkele eeuwen terug wetenschappelijke kennis en filosofisch-religieuze legitimatie te verzoenen. Dit gebeurt door deze orde te respecteren. In de eerste plaats zijn traditie (het verleden en de voorvaderen als verantwoording), en religie en openbaring (heilige teksten als verantwoording) de belangrijke wortels van kennis. Dan volgt rede, kennis verworven via logische bewijsvoering of deductie, en ten slotte, als laatste, observatie en experiment.

Daardoor ontwikkelen zich diverse wetenschappelijke tradities in de wereld voor 1500, met heel directe observaties van hemel en aarde, en vele inzichten in de werking van de natuur. De wereldgeschiedenis spreekt de nog altijd populaire visie tegen dat moderne wetenschap zou zijn ontstaan in Europa, als rechtstreekse erfgenamen van de Griekse traditie uit de periode van de 500 tot 200 v.t. Het Griekse denken is in grote mate schatplichtig aan kennis opgebouwd in vroegere Egyptische, Babylonische en Indische samenlevingen. Vele regels uit de wiskunde, zoals het getallenstelsel, hebben Indische en Arabische wortels. De negende-eeuwse Iraakse wiskundige Al-Khwarizmi legt met zijn werk over *al-jabr* mee de fundamenten van de moderne kennis van de *algebra*. Wetenschappelijke kennis is omstreeks 1500 vooral geconcentreerd buiten Europa, in de eerste plaats in de moslimrijken die zich uitstrekken van Spanje in het westen tot centraal Azië in het oosten. Zonder de hier verzamelde en opgebouwde kennis van wiskunde, natuurwetenschappen, geografie en astronomie, samengebracht in de *lingua franca* van die tijd, het Arabisch, zou de moderne wetenschap niet mogelijk zijn geweest. In Egypte en Noord-Afrika worden de eerste universiteiten als centra van kennis en onderzoek opgericht. In de universiteit van Al-Karaouine in het Marokkaanse Fez studeren islam- en christelijke geleerden (zoals de latere paus Sylvester II, die het Arabische getallenstelsel introduceert in Europa). De boekproductie is nergens zo groot als in de islamwereld. De hoofdstad van islamitisch Spanje, Cordoba, heeft meer dan 70 bibliotheken, waarvan de grootste meer dan 400.000 manuscripten bevat.

De groeiende fricties en onenigheden in de islamitische wereld en de strijd tegen externe aanvallers zoals de Mongolen en de christelijke kruisvaarders remmen de ontwikkeling van wetenschap en cultuur na 1000 n.t. af, hoewel de belangrijkste centra van wetenschappelijke kennis zich hier nog een hele tijd blijven bevinden. In de 16de eeuw vormen zich drie grote moslimrijken, het Ottomaanse Rijk in het westen, het Rijk van de Safaviden in Iran en centraal-Azië, en het Mogol Rijk in India. In de drie rijken verstrakt het regime, wat zich vertaalt in minder tolerantie en meer nadruk op orthodoxie. Innovatie maakt plaats voor stabiliteit, of negatiever, verstarring.

Het Europese wetenschappelijke denken maakt tussen 200 en 1400 n.t. weinig vooruitgang. Een groot deel van de kennis opgebouwd in de Grieks-Romeinse wereld gaat zelfs verloren. Tussen 1500 en 1800 doet er zich een ware ommekeer voor, met een verschuiving van het wetenschappelijke kenniscentrum naar Europa. In de tijd waarin de islamitische innovaties sterk afnemen, ontwikkelt zich in Europa een nieuw wetenschappelijk klimaat. Het teruggrijpen naar de 'klassieke traditie' betekent in feite een ontsnapping uit de vastgelegde aristoteliaanse denkbeelden over geografie, anatomie en astronomie. Vele van de nieuwe denkbeelden, denk aan die van Copernicus en Galileo, botsten op de represailles van de beschermers van het dominante, inflexibele religieuze wereldbeeld. Vanaf de 17de eeuw komen er echter steeds meer barsten in deze structuur van afscherming. De competitieve Europese samenleving genereert diverse nieuwe ruimtes voor vrij onderzoek, waarbij steeds opnieuw wordt afgestapt van de onfeilbare autoriteit van klassieke, Griekse of christelijke teksten. Met andere woorden, wetenschappelijke kennis wordt niet meer verantwoord door in de eerste plaats te verwijzen naar traditie of openbaring, maar door gebruik te maken van de rede en, vooral, van observatie en experiment. Dit geeft ruimte aan nieuwe kennissystemen, die in de eerste plaats geënt zijn op rationalisme (zie Descartes) en empiricisme (zie the Royal Society of London met wetenschappers als Bacon en Newton). Vooral het feit dat er geen centrale politieke structuur meer is die de vernieuwingen kan moduleren, afblokken of zelfs terugdraaien, is nieuw in de wereldgeschiedenis. Dat dit nieuwe wetenschappelijke denken hand in hand gaat met belangrijke technologische doorbraken zoals de grootschalige toepassing van de stoomkracht, geeft de wereldgeschiedenis mee een nieuwe richting na 1750.

De in 18de-eeuws Engeland ontwikkelde hoogoventechnologie gebaseerd op cokesverbranding geeft de metaalproductie, de mijnbouw en de techniek van de stoommachine een ongeziene boost. Nieuwe materialen en productietechnieken zijn de basis van de Engelse industriële revolutie die door economische en ook politiek-imperialistische expansie in de 19de eeuw een globale dimensie krijgt. Stoomkracht maakt nieuwe, massieve stromen van energie vrij en revolutioniseert de mijnbouw, de fabrieksproductie en het transport. Na 1850 ontsluiten treinen en stoomschepen grote delen van de wereld voor Europese belangen. De snelle modernisering van de militaire slagkracht vergroot de verschillen tussen het Westen en het niet-Westen nog meer. Deze laatste gebieden staan vooral garant voor de aanvoer van voedsel (granen en vlees) en van nieuwe basisproducten zoals palmolie en rubber.

In de 20ste eeuw 'industrialiseren' ook de huishoudens, in de eerste plaats dankzij de westerse consumptierevolutie (elektriciteit, auto's en andere gebruikswaren). De groeiende impact van de steeds sneller op elkaar volgende golven van technologische vernieuwing wordt nu ook duidelijk in de toenemende milieuproblemen. Dit 'ecologisch imperialisme' heeft een heel grote impact op de kwaliteit van het leven (biodiversiteit), de lucht, het water en het klimaat (opwarming). De op de ontginning van fossiele energiebronnen gebaseerde groeicyclus loopt in het begin van de 21ste eeuw duidelijk op zijn grenzen.

5. Grenzen aan de groei?

Landbouwsamenlevingen moeten om te kunnen overleven permanent rekening houden met de ecologische grenzen waarbinnen ze functioneren. Het verleggen van die grenzen gebeurt langzaam, in de eerste plaats door technologische innovaties (planten en dieren, werktuigen, technieken van ontginning en bemesting enz.). Worden de grenzen te bruusk overschreden, dan volgen overbevolking, degradatie van de gronden, ontbossing en uitroeiing van diersoorten. Uitgezonderd de extinctie van grote zoogdieren en lokale ontbossing, blijven de effecten hiervan beperkt. Met de intensivering van contacten over de hele wereld na 1500 versnellen de processen van ecologische verandering. Het Europese 'ecologische imperialisme' introduceert nieuwe dieren, planten en micro-organismen in de 'nieuwe werelden', vaak met een desastreus gevolg voor de lokale bevolkingen. Daarnaast worden gronden in beslag genomen, vernietigen plantage-economieën lokale ecosystemen en worden bossen ontgonnen.

Tegelijkertijd breken tijden aan van ongeziene economische expansie. De impact van deze groei meten, is niet eenvoudig. De meest gebruikte meter is het bnp, het *bruto nationaal product*. Het bnp meet de totale waarde van goederen en diensten die gedurende een jaar binnen een land worden geproduceerd. Economische verhoudingen tussen landen worden meestal uitgedrukt in bnp (totaal en per capita). Dit rekenmodel vertoont echter grote tekortkomingen. Het bnp is een slechte indicator om de reële economische welvaart van een nationale economie aan te geven. In het bnp-model staat monetaire toegevoegde waarde voorop, terwijl sociale en ecologische waarden, die niet direct in geld vertaald kunnen worden, buiten beschouwing blijven. Het bnp telt alle formele economische activiteiten bij elkaar op, zonder onderscheid te maken tussen positieve en negatieve bedrijvigheden. Volgens het bnp worden we bijvoorbeeld rijker van alle kosten die een kettingbotsing of een olieramp met zich meebrengen. Anderzijds negeert het bnp een heel scala van activiteiten die de welvaart wel stimuleren, maar die niet tot de formele economie behoren. Reproductieve, verzorgende taken die voor alle samenlevingen van essentieel belang zijn en waarop de 'productieve' economische functies gebaseerd zijn, worden genegeerd. Hetzelfde geldt voor de milieudiensten die ecosystemen gratis leveren, zoals zuiver water, propere lucht, een stabiel klimaat, nutriëntrecyclage. Bnp-cijfers veronachtzamen ook de wijze waarop de nationale inkomens verdeeld worden. Een land met hoge groeicijfers waarvan de vruchten een kleine minderheid toekomen, zal goed scoren in het bnp-klassement, ook al kan de sociale ongelijkheid er heel groot zijn.

Het nationale bnp-denken voedt de idee dat globale economische groei de enige uitweg is voor de armoede in de wereld. Studies wijzen echter uit dat het doorsijpeleffect van economische groei op het mondiale vlak heel klein is. Bovendien betreft het vaak economische groei die enorme milieukosten met zich meebrengen die de armsten ook nog eens disproportioneel treffen. Ongeveer 80% van de totale milieu-impact wordt veroorzaakt door de 25% rijksten van de wereldbevolking.

Het principe van ecologische duurzaamheid vereist anderzijds dat de totale biofysische schaal van de wereldeconomie niet verder mag groeien, gezien het feit dat de mondiale draagkracht vandaag al wordt overschreden. Wetenschappers hebben voor dit scenario (mondiale rechtvaardigheid + ecologische duurzaamheid) berekend dat de doorstroom van materialen en energie door de westerse economie met een factor 10 zal moeten dalen (90% minder dus). Dit wetenschappelijke gegeven valt moeilijk te verzoenen met de eindeloze bnp-groei in de rijke landen. Voor het meten van de nationale en mondiale welvaart is een ander rekenmodel nodig, een model dat meer doet dan het louter in overweging nemen van monetaire transacties. Het is nodig te werken met een set van indicatoren die de verschillende dimensies van een duurzame ontwikkeling benadrukken: reële economische welvaart, ecologische duurzaamheid, menselijke welvaart en subjectief welzijn. Een voorbeeld is de *Ecologische Voetafdruk*. De Ecologische Voetafdruk meet het verbruik door de mens van de natuurlijke hulpbronnen en wordt uitgedrukt in globale hectaren. Een globale hectare meet de biologisch productieve ruimte, bestaande uit het gebruik van bebouwde gronden, bossen, visgronden en brandstoffen. Tussen 1961 en 2007 is de ecologische voetafdruk van de mensheid aangegroeid met 150%, sneller dan de bevolking in dezelfde periode (+120%). De voetafdruk voor energie, waarin fossiele brandstoffen de belangrijkste rol spelen, is in deze periode zelfs gestegen met bijna 700%. De totale voetafdruk neemt in 1961 de helft van de planeet in beslag. In de jaren 1970 en 1980 overstijgt dit de 100% en in 2007 bedraagt de mondiale voetafdruk 150% van de jaarlijkse draagkracht van de aarde. Dit betekent dat momenteel de impact van bebouwing, ontginning, productie en consumptie de draagkracht van de aarde overtreft met ongeveer de helft. Bovendien is de verdeling over de wereld heel ongelijk. Houden we rekening met de huidige wereldbevolking en de beschikbare reserves, dan is er per persoon 1,8 hectare beschikbaar. Momenteel is het mondiale gemiddelde verbruik 2,7 hectare. De gemiddelde inwoner van India gebruikt de helft van de beschikbare ruimte, terwijl de Noord-Amerikaan met 8 hectaren meer dan vier maal het duurzame gemiddelde overtreft. De gemiddelde Europeaan consumeert tweemaal zoveel als het stuk waar ze recht op hebben. Mochten de inwoners van de niet-westerse wereld hetzelfde consumptiepatroon hanteren als een inwoner van het rijke Noorden, dan hebben we vijf extra planeten nodig.

De huidige wereldeconomie is een economie van onbetaalde kosten. Ecologische schade, natuurlijke degradatie, grenzen aan minerale en fossiele grondstoffen zijn zelden of nooit berekend in de prijzen die we betalen. De overgang van een oud (zonne-energie) naar een nieuw (fossiele energie) biologisch regime heeft de druk op de ecologische draagkracht van de aarde sterk opgevoerd. Momenteel is 24% van alle zoogdieren met uitsterven bedreigd. Voor vogels is dat 11%, reptielen 4%, amfibieën 3%, vissen 3% en planten 10%. Gezien de snelheid van uitsterven steeds toeneemt, zal in een latere wereldhistorische analyse de korte periode van vandaag (enkele eeuwen) als een echte fase van massa-extinctie worden geboekstaafd. Dit is maar één aanwijzing van het feit dat de huidige maatschappelijke organisatie begrensd is in haar groeimogelijkheden. De snel opgebouwde ecologische schuld kan dus worden vertaald als een overgebruik van het mondiale ecosysteem. De regionale impact is zoals gezegd ongelijk. Die ongelijkheid wordt nog versterkt door de asymmetrische ecologische ruil. De groei van het door Europa aangestuurde wereldsysteem creëert ongelijke zones, waarbij kernlanden de niet-hernieuwbare rijkdommen kunnen importeren en onder meer door de mijnbouw en plantagelandbouw de ecologische degradatie exporteren. Met andere woorden: de opbrengsten van de groei vloeien in onevenredige mate naar de rijke kernlanden, de schadelijke gevolgen van de groei wegen onevenredig op perifere gebieden.

Het besef dat de groei zoals we die nu kennen, eindig is, is een gevolg van een meer volledige kijk op de oorzaken en gevolgen van economische groei. Kosten die vroeger nooit werden 'betaald', zoals vervuiling, degradatie, verlies van grondstoffen, worden nu wel meer en meer 'geïnterioriseerd' (en dus in het kostenplaatje opgenomen). Om een volledige kosten-batenanalyse te maken van ons productiesysteem en om de duurzaamheid ervan te kunnen voorspellen, moeten alle kosten bekend zijn, inclusief ontginning, vervoer, energie en afval. Ten gevolge hiervan zal de prijs van de goederen drastisch stijgen. Het aanvaarden van deze premisse betekent dat er ooit, in een niet al te verre toekomst, fundamentele keuzes moeten worden gemaakt in verband met ons economische groeimodel. De vraag is hoeveel vertraging of contractie ons economisch kapitalistisch model kan dragen. Een 'ecologische' variant op het kapitalisme veronderstelt een druk op groeicijfers en, vooral, veel meer controle en regulering. Hiermee wordt niet alleen het primaat van de hedendaagse economische organisatie, het individuele winstprincipe, ter discussie gesteld, deze ecologische grenzen zetten eveneens het ideaal van een grotere gelijkheid onder druk. Een van de stichtingsmythes van onze hedendaagse samenleving is juist dat, door een deelname aan de consumptiemarkt, een grotere gelijkheid mogelijk is. Een aftoppen van de groei blokkeert in de eerste plaats de toetreding van nieuwe consumenten. Een grotere 'apartheid' tussen Noord en Zuid is dan het gevolg, een kloof die alleen in stand kan worden gehouden door een grotere controle en repressie (ecototalitarisme). Een alternatief is een meer eerlijke verdeling van de baten (nu voor het merendeel in het Noorden) en de kosten (nu voor het merendeel in het Zuiden), en de ontwikkeling van meer regionaal gecoördineerde en gecontroleerde productiesystemen.

4.

Een agrarische wereld: boeren, landbouw en voeding

In de jaren 1950 wordt in het Victoriameer, een van de meren van de Grote Slenkvallei in Oost-Afrika, een nieuwe vis uitgezet, de nijlbaars. De bedoeling is het opstarten van een commerciële visserij. De introductie van deze roofvis heeft echter een catastrofaal effect op het lokale visbestand. Vele honderden plaatselijke soorten zijn nu in het meer uitgestorven. Hoewel de nijlbaars (of victoriabaars) op korte termijn wel nuttig is voor de grote visbedrijven, zijn op langere termijn de nadelen veel groter. De vis verstoort het ecologische evenwicht in het meer, het meer wordt overbevist en de lokale gemeenschappen rond het meer worden ontwricht. Hoewel de industriële visserij miljoenen exportdollars opbrengt, wordt vele kleine vissers hun traditionele inkomen ontnomen. Daarbij stijgt voor het drogen van de vis de vraag naar brandhout, met ontbossing en erosie tot gevolg.

Het verhaal van de victoriabaars is exemplarisch voor de huidige mondiale voedselver-houdingen. Een grote vraag vanuit het Westen naar graatvrije visfilet stimuleert een bloeiende exportindustrie aan de oevers van het Afrikaanse Victoriameer. Deze uitvoer transformeert de lokale samenlevingen en verstoort het ecologische evenwicht met ont-worteling, migratie, armoede en zelfs honger tot gevolg. De vis kan dan ook symbool staan voor de scheve ruilverhoudingen, zoals prachtig in beeld gebracht in de documen-taire *Darwin's Nightmare* (Hupert Sauper, 2004). De met diepgevroren visfilets volgela-den vrachtvliegtuigen zijn in hun heenvlucht leeg, behalve wanneer ze voedselhulp of (illegale) wapens vervoeren.

Naast zuurstof en water is voedsel een van de weinige dingen die ieder mens elke dag nodig heeft. Tegenover deze simpele constatering staat een duizelingwekkend complex verhaal van zoeken, proberen en uitwisselen, van experiment, geloof en mystiek, van verdeling, macht en ongelijkheid. Binnen onze gezamenlijke geschiedenis is het dagelijks voedsel een weerspiegeling van de interne en externe, de lokale en mondiale verhoudingen. Het gebruik van land, de exploitatie van de rijkdommen, de verdeling van de opbrengsten, dit alles zijn exponenten van de wijze waarop de mensen hun samenlevingen hebben opgebouwd. Daarom is voedsel ook identiteit en multiculturaliteit, voedsel is wat de wereld is. Wereldgeschiedenis is een geschiedenis van voeding en landbouw. Deze geschiedenis krijgt vorm via acht 'revoluties', acht grote transities: 1) de ontwikkeling van de kennis van het koken van voedsel, 2) de 'ritualisering' van het voedingsproces, 3) de herdersrevolutie en de domesticatie van vee, 4) de akkerbouwrevolutie, 5) het gebruik van voedsel als onderdeel van de sociale stratificatie, 6) de verspreiding van voedselgewassen, 7) de vermenging van voedselgewassen op grote schaal (*Columbian exchange*) en 8) de industrialisering van de voedselketen (agro-industrie). Wat de mondiale verspreiding van landbouw en voedselproductie betreft, zijn drie van deze scharniermomenten cruciaal: de landbouwrevoluties tijdens het Neolithicum, de 'uitwisseling' van landbouwgewassen tijdens de Europese expansie en de globalisering van het landbouw- en voedselvraagstuk vandaag.

1. De mens wordt boer

De wetenschap heeft het oude zelfbeeld van de mens de voorbije eeuwen al een aantal keren doen wankelen. Astronomie leerde ons dat de aarde niet het centrum is van het heelal; biologie toonde aan dat de mens geen door God geschapen wezen is, maar de uitkomst van een heel lange evolutie; paleontologen wezen op de onvoorspelbaarheid van deze evolutie, de mens als een 'schitterend ongeluk'. Recent plaatsen archeologen en andere wetenschappers nieuwe vraagstekens bij het verhaal van de menselijke vooruitgang. De introductie van de landbouw, de belangrijkste stap in de menselijke reis tot nu toe, is lang niet altijd een verhaal van succes. Sommige wetenschappers noemen het zelfs een catastrofe, want samen met de landbouw introduceren we sociale repressie en seksuele ongelijkheid, despotisme en niet te vergeten, een lange reeks van dodelijke ziektes. Wat dan met de spectaculaire toename van de voedselvoorraad, van de productiviteit en van de bevolking; wat met het ontstaan van beschavingen en cultuur; wat met de stijging van de levensstandaard? De vraag naar de gevolgen op lange termijn neemt niet weg dat de overgang naar landbouwsystemen geen 'logische' stap is in de geschiedenis van de mens. Recent onderzoek wijst uit dat de jager-verzamelaarsculturen een meer gevarieerd voedselpakket hebben en over meer vrije tijd beschikken dan de boerenmaatschappijen. Naar schatting hebben jager-verzamelaars op weekbasis 15 tot 20 uur nodig om hun voedselvoorraad veilig te stellen, beduidend minder dan een boerenfamilie. Een prehistorische jager op groot wild heeft een calorieopbrengst per arbeidsuur die heel wat hoger is dan een vroege boer. De maaltijden van deze volkeren zijn ook meer gevarieerd en bevatten meer proteïnen. De dreiging van voedselschaarste en honger is ook minder groot, door de grote variatie in het voedsel (elke groep eet minstens enkele tientallen wilde planten) en de grote mobiliteit. De vroege boerensamenlevingen zijn afhankelijk van een heel beperkt aanbod aan planten, hebben een dieet dat voornamelijk gebaseerd is op zetmeel en zijn daardoor veel kwetsbaarder voor schaarste. Bovendien staan ze door de meer intensieve contacten met dieren en door de lagere mobiliteit veel meer bloot aan de verspreiding van parasieten en besmettelijke ziektes. Onderzoek naar skeletten bevestigt dit. Jager-verzamelaars zijn in de regel groter dan hun opvolgers, de boeren (de lengte neemt pas opnieuw substantieel toe in de laatste eeuwen). De boeren vertonen veel meer letsels ten gevolge van ziekte en ondervoeding. Daarnaast valt de levensverwachting in een eerste fase terug, bijvoorbeeld in een door archeologen onderzochte indiaanse gemeenschap in Noord-Amerika van 27 naar 19 jaar.

Niet alleen moet voor eenzelfde calorieopbrengst langer en harder gewerkt worden, daarbij ontstaan door de verdeling van het landbouwwerk belangrijke genderverschillen en bij de verdeling van de opbrengsten grote sociale verschillen. Zodra de overgang gemaakt is, kunnen boerensamenlevingen wel veel meer voedsel voortbrengen en veel meer mensen (het honderd- tot duizendvoudige) ondersteunen per oppervlakte-eenheid. Dat gebeurt tegen een hoge prijs: een slechtere gezondheid, een grotere kwetsbaarheid en een grotere sociale en seksuele ongelijkheid. We mogen echter niet vergeten dat de 'levensstandaard' in de jager-verzamelaarsculturen ook een hoge sociale prijs eist: een grote spreiding van de geboortes (maximaal om de drie/vier jaar), infanticide en het uitstoten van minder mobiele leden (ouderen, zwakkeren).

De kernvraag blijft daarom: waarom schakelt een aantal menselijke gemeenschappen, onafhankelijk van elkaar op diverse plaatsen in de wereld en in ongeveer dezelfde periode, over van de lange tijd zo succesvolle strategie van jagen-verzamelen naar een bestaan als herder en boer? Waarom gebeurt dat niet 20.000 jaar vroeger of 10.000 jaar later? Vijf factoren spelen hier mee.

1/ Een groeiende schaarste in het aanbod van wilde gewassen en dieren. Paleolithische jagers hebben op vele plaatsen in de wereld zoogdieren en vogels uitgeroeid, een gevolg van een langzame, maar zekere bevolkingsgroei en betere jachttechnieken.

Met name in Noord- en Zuid-Amerika verdwijnen de grote zoogdieren, maar ook elders (mammoet, moa) verdwijnt een deel van het traditionele wild.

2/ Klimaatsveranderingen, vanaf 16.000 jaar terug, ten gevolge van de opwarming na de laatste ijstijd en het terugtrekken van de ijsvelden. Nieuwe gewassen (zoals wilde granen) krijgen zo meer kans.

3/ Technologische kennis, opgebouwd tijdens het verzamelen-jagen, maar onontbeerlijk voor de landbouw: oogsten (sikkels, manden), bewerken (vuur), bewaren (bewaarputten).

4/ Een (langzame) bevolkingsgroei, die met het ontstaan van landbouwculturen versnelt. Het betreft hier dus een proces van actie/reactie, waarbij er al snel geen weg meer terug is.

5/ Het numerieke en fysieke overwicht van landbouwers- en herdersculturen, waardoor jager-verzamelaarsgroepen zich moeten aanpassen, onderwerpen of steeds verder terugtrekken (tot in geografisch of ecologisch afgeschermde gebieden, zoals indiaanse volkeren in Californië, Khoisan in het Kaapgebied en de Aboriginals in Australië).

2. Het ontstaan en de verspreiding van de landbouw

Tijdens het overgrote deel van zijn geschiedenis is de mens jager-verzamelaar geweest. Dit staat in schril contrast met de looptijd van onze landbouwsamenleving (een goede 10.000 jaar) en vooral van de industriële en postindustriële samenleving (twee eeuwen). Waar vinden eerst de grote veranderingen plaats?

Keren we terug naar de wereld ongeveer 13.000 jaar terug, vóór het ontstaan van de eerste landbouwmaatschappijen. Nieuwe volkeren trekken door het Amerikaanse continent, waarmee, op een aantal eilandgroepen en afgelegen plaatsen, de kolonisatie van de wereld door de mens bijna is volbracht. Wat zou een fictieve waarnemer op dat moment kunnen voorspellen over de toekomst van de menselijke geschiedenis? Wat zouden de kolonisatiepatronen van dat moment hem vertellen? Ten eerste zou die waarnemer wijzen op de grote voorsprong van het Afrikaanse continent. Hier gaat de menselijke geschiedenis het verst terug en is ook de genetische diversiteit tussen de volkeren het grootst. Daar staat tegenover dat de laatste nieuwkomer (Amerika) mogelijk meer dynamiek aan de dag kan leggen. De kolonisatie van Amerika duurt maar duizend jaar en het continent is groter en vanuit ecologisch standpunt meer divers dan Afrika. Eurazië heeft dan weer het voordeel het grootste continent te zijn, met een al lange menselijke traditie en enkele voor die tijd hoog ontwikkelde gemeenschappen van jager-verzamelaars. Australië/Oceanië komt niet echt in beeld wegens te ver afgelegen en meestal te onherbergzaam. De menselijke kolonisatie verloopt er traag. Waar zou de menselijke ontwikkeling eerst in een nieuwe versnelling komen? De waarnemer zou slechts een gok kunnen doen, omdat er voor elk van de drie grote continenten, Afrika, Amerika en Eurazië goede argumenten kunnen worden gegeven.

Het ontstaan van de landbouw is geen 'natuurlijk', onvermijdelijk onderdeel van een groot moderniseringsproces. Na de klimaatsverandering met het einde van de ijstijden vanaf 12.000 v.t. wijzigt het patroon in de vestiging van de mens en in de verspreiding van (groot) wild en van planten. Vanaf 8000 jaar v.t. begint de mens in alle continenten, Australië uitgezonderd, te experimenteren met het domesticeren van gewassen en dieren. Via een langzaam proces van leren en (zaad)selectie slagen de eerste landbouwvolkeren erin enkele grassen te veredelen, later gevolgd door fruit, olijven en groenten als erwten en bonen. De zogenaamde 'neolithische landbouwrevolutie' bestaat uit een keten van meerdere regionale revoluties. In ten minste vier regio's komen tussen acht- en tienduizend jaar terug onafhankelijk van elkaar vormen van landbouw tot ontwikkeling:
- het Midden-Oosten, de 'vruchtbare halve maan' van de Middellandse Zeekust tot het plateau van Anatolië en de alluviale vlakten van Irak; alle op brood gebaseerde beschavingen hebben hun belangrijkste producten aan deze regio te danken (tarwe, gerst);
- het Verre Oosten, met de valleien van de Gele Rivier en de Yangze (rijst, gierst, sojabonen, yamwortels);
- Midden-Amerika, het gebied rond het huidige Mexico (maïs, bonen, pompoenen, amarant, tomaten);
- de Andes in Zuid-Amerika (aardappelen, pompoenen, pinda's).

Naast deze vier grote zones zijn er kleinere kerngebieden in tropisch Zuidoost-Azië, Ethiopië, het Amazonegebied en het oostelijk deel van Noord-Amerika, met gewassen als banaan, koffie, maniok, sorghum en zonnebloem. De impact van deze omwenteling is enorm. De zeven miljard mensen van vandaag voeden zich nog steeds met de gewassen van een stuk of tien volkeren in de prehistorie. Ondanks eeuwen van wetenschappelijke vooruitgang is er sinds die tijd niet één nieuw gewas aan het basisdieet toegevoegd.

Op de meeste plaatsen is de landbouw van meet af aan 'gemengd', op basis van een combinatie van akkerbouw en veeteelt. In het Midden-Oosten worden onder meer geiten, schapen, ezels en ganzen gedomesticeerd, in Zuid-Europa runderen en varkens, in Centraal-Azië paarden en kamelen, in het Verre Oosten varkens, kippen en waterbuffels, in Amerika lama's, alpaca's, cavia's en kalkoenen. Het vee wordt gebruikt voor de mest, voor de draag- en trekkracht, voor de wol en de huiden en als bron van proteïnen. De gunstige positie van het Euraziatische continent is duidelijk. In totaal komen hier 72 soorten zoogdieren in aanmerking voor domesticatie. In sub-Sahara Afrika zijn dat er 51, in Amerika 24 en in Australië slechts één. Van de veertien 'grote' diersoorten die vóór de 20ste eeuw door de mens werden gedomesticeerd, komen er twaalf uit de regio van het Midden-Oosten tot China (schapen, geiten, runderen, varkens, paarden, kamelen, ezels, rendieren, waterbuffels, yaks). De lama en de alpaca zijn de enige uitzonderingen. Het proces van domesticatie is er een van *trial and error*. Van de honderdduizenden planten op de wereld is slechts een klein percentage voor de mensen eetbaar. Daarvan worden er enkele honderden min of meer gedomesticeerd. Amper een dozijn hiervan zorgt voor 80% van de oogsten in de hedendaagse wereld: granen (tarwe, rogge, rijst, gerst, sorghum), peulvruchten (sojaboon), knol- en wortelgewassen (aardappel, maniok, zoete aardappel), suikergewassen (suikerriet, suikerbiet) en fruit (banaan). Hetzelfde geldt voor het vee. Van de 148 grote zoogdiersoorten worden er uiteindelijk veertien getemd voor veeteelt. De andere soorten zijn minder of niet geschikt (carnivoren, moeilijke kweek en trage groeitijd, solitair levende dieren).

De nieuwe gewassen en veesoorten zien allemaal het levenslicht in de periode 8000-3000 v.t. Hierna verspreiden ze zich over grote delen van de aarde. Het bevolkingsplafond van vijf tot maximaal tien miljoen wordt doorbroken en omstreeks 4000 v.t., na vijfduizend jaar landbouw, maar nog vóór de periode van de grote beschavingen, is de wereldbevolking al toegenomen tot 60/70 miljoen. Lange tijd leven de landbouwgemeenschappen samen met de rondtrekkende groepen van jager-verzamelaars, vissers en herders. De overgang van plukker en jager naar boer en herder verloopt daarbij heel gradueel. Recent onderzoek wijst uit dat de landbouw in Europa zich verspreidt vanaf 7000 v.t. via ingeweken en zich verspreidende boerengemeenschappen. Deze 'melkdrinkers' hebben een fysische en technologische voorsprong op de oorspronkelijke groepen van jagers-verzamelaars en nemen hun plaats in. De Turkse plaats *Catal Hüyük*, tussen 7000 en 5500 v.t. de grootste nederzetting in de 'vruchtbare halve maan' en door sommigen de eerste stad genoemd, telt 5000 inwoners, is slechts dertien hectaren groot en de bewoners zijn voor hun eiwitbehoefte nog grotendeels afhankelijk van de jacht. In bepaalde delen (noordelijk en oostelijk Afrika, centraal Azië) blijven herdersvolkeren dominant. Vanuit deze herdersgemeenschappen groeien eveneens soms machtige militaire rijken (Arabieren met de kameel, Mongolen met het paard).

3. De 'Columbian exchange'

In diverse delen van de wereld groeien landbouwsamenlevingen uit tot grote beschavingen. In Eurazië en Noord-Afrika is er al duizenden jaren lang een uitwisseling van gedomesticeerde planten en dieren. De grote versnelling in de mondiale contacten vanaf 1500 brengt deze uitwisseling in een nieuwe versnelling. Deze zogenaamde 'Colombiaanse uitwisseling' of *Columbian exchange* markeert een belangrijke verschuiving in de mondiale geschiedenis van de ecologie, landbouw en samenleving. De uitdrukking (van A. Crosby) verwijst naar de grootschalige migratie van landbouwgewassen, veesoorten, ziekten en culturen tussen de 'Oude Wereld' en de 'Nieuwe Wereld' na 1492.

Deze migratie van dieren- en plantensoorten heeft een moeilijk te overschatten invloed op het leven in Europa, Amerika, Afrika en Azië. Gewassen die mensen vroeger nooit hebben gezien, worden (op termijn) volksvoedsel: tarwe en rijst in Amerika, aardappel en tomaat in Europa, maïs en zoete aardappel in Afrika en Azië. Slechts weinig menselijke samenlevingen worden niet door deze grootschalige ecologische uitwisseling beïnvloed. Geen keuken ter wereld is sindsdien dezelfde gebleven.

Het eerste Europese exportproduct, het paard, verandert het bestaan van vele Amerindiaanse stammen op de *Great Plains*. Later worden deze vlakten een 'graanschuur' van Europese tarwe. Koffie, bananen en suikerriet, van oorsprong uit Azië, worden intensief verbouwde gewassen op Latijns-Amerikaanse plantages. Omgekeerd ondersteunen de nieuwe gewassen maatschappelijke veranderingen in andere delen van de wereld. De bescheiden aardappel, afstammeling van een wild en giftig knolgewas in de hoge Andes, wordt het goedkope en calorierijke basisvoedsel voor de werkende klasse in industrialiserend Europa. Tegelijk maakt het knolgewas een versnelde bevolkingsgroei mogelijk. De afhankelijkheid wordt zo groot, dat de laatste Europese hongersnood in 1845-1848 wordt veroorzaakt door de mislukking van de aardappeloogst (1 miljoen doden in Ierland, enkele honderdduizenden in continentaal Europa).

Met het nieuwe contact tussen de Oude en de Nieuwe Wereld worden ook ziekten uitgewisseld. Doordat vooral de Oude Wereld van oudsher veel epidemieën kent (en er een grote immuniteit tegen heeft opgebouwd), is het effect van deze bacteriologische migratie vooral verwoestend in de Nieuwe Wereld (met de daar onbekende ziekten als pokken, mazelen, cholera, tyfus en tuberculose). Amerika 'schenkt' de rest van de wereld een nieuwe vorm van syfilis.

Sinds de 16de eeuw worden ook de handelsstromen steeds mondialer. Producten die we dragen en eten worden gemaakt door mensen die we nooit zullen kennen. Het verhaal van de 'goederenketens' (*commodity chains*) vertelt heel goed op welke wijze die 'moderne wereld' wordt geschapen via een netwerk van transacties over de hele aardbol. De eerste massagoederen die op dergelijke wijze worden verhandeld, zijn landbouwproducten. Zo kan de geschiedenis van de moderne wereld ook worden verteld als een 'geschiedenis in acht glazen', acht glazen met populaire dranken die het verhaal vertellen van een wereld van toenemende connectie en interactie.

a/ Bier. Een rechtstreeks product van de domesticatie van granen in de eerste landbouwsamenlevingen in Mesopotamië en Egypte. In de stedelijke gemeenschappen is bier voor heel lange tijd de volksdrank bij uitstek, omdat de kwaliteit van het water onbetrouwbaar is. In de 20ste eeuw wordt bier een echte mondiale drank.

b/ Wijn. Wijn symboliseert de Griekse en Romeinse culturen en is lange tijd de drank van de elites in het Westen. Later wordt wijn een deel van de globale handel en zo een onderdeel van de 'verwestersing' van niet-Europese elites.

c/ Sterke dranken. Het distillatieproces is een Arabische inventie. Vele varianten van sterke dranken verspreiden zich met de Europese expansie, in de eerste plaats de op suikerriet gebaseerde rum.

d/ Koffie. Koffiehuizen populariseren deze exotische drank, in Europa geïntroduceerd door de Arabieren, eerst bij de elites. Vanaf de 19de eeuw vervangt koffie bier als volksdrank. Samen met thee en chocolade is koffie verantwoordelijk voor een verhoogde vraag naar een ander 'exotisch' product, suiker.

e/ Thee. Door de Britten en Hollanders uit het Oosten ingevoerd, wordt deze drank vanaf de 18de eeuw eveneens populair in brede kringen.

f/ Cacao. Cacaobomen zijn inheems in Midden- en Zuid-Amerika en worden vanaf de 17de/18de eeuw aangeplant in Zuid-Azië en Afrika. In de 18de eeuw wordt ook chocolade in Europa een echte volksdrank.

g/ Coca. Zoals vele andere populaire dranken is Coca Cola ontstaan als een medische drank (met extracten van de coke- en kolaplanten). Als 'nationale drank' van de Verenigde Staten staat cola symbool voor de 20ste eeuw: amerikanisering, consumentisme, globalisering.

h/ Water. Tot voor kort een 'gemeenschappelijk', niet-commercieel goed, is flessenwater nu de snelst groeiende commerciële drank van vandaag. Daarbij zal de huidige eeuw ook in het teken staan van de strijd om drinkbaar water, als algemeen, voor iedereen beschikbaar goed en als een nieuwe bron van winst.

Het verhaal van een expanderend wereldsysteem vanaf de 16de eeuw kan worden verteld met de geschiedenis van één landbouwproduct, (riet)suiker. Met de expansie van het Arabische imperium vanaf de 7de eeuw begint de verspreiding van rietsuiker als zoetstof. Vanwege haar status als duur luxeproduct is er veel belangstelling voor een eigen suikerproductie. Er worden suikerplantages opgezet nabij de Perzische Golf en op enkele eilanden in de Middellandse Zee, maar het proces van teelt en verwerking blijft moeilijk en arbeidsintensief. Vanaf de 14de-15de eeuw groeit de Europese belangstelling voor suiker, met nieuwe plantages in Spanje en Portugal. De plant en de kennis reizen mee met de eerste Portugese kolonisten, eerst naar de Atlantische eilanden (Sao Thomé), vervolgens naar Zuid-Amerika (Brazilië) en de Caraïben. De ervaring met zwarte slaven-arbeid op de eilanden voor Afrika ligt aan de basis van het succesvolle plantagesysteem: zwarte arbeid, witte suiker. Het enorme succes van het product, de grote winsten en de overname van de handel door Hollanders, Britten en Fransen maken van de suiker een geïntegreerd productie- en handelssysteem, dat drie continenten verbindt in één globale trans-Atlantische economie. Suiker wordt in de 18de eeuw een product voor massaconsumptie door de popularisering van rum (op basis van rietsuiker) en van koffie, thee en cacao (bittere dranken die moeten worden gezoet). Suiker is zo het bindmiddel in twee soorten driehoekshandel die het trans-Atlantische systeem van de 16de tot de 19de eeuw ondersteunen:

- zwarte slaven uit Afrika naar de Amerikaanse plantages, plantageproducten als suiker en tabak naar Europa en afgewerkte producten als ijzerwaren en kleding van Europa naar Afrika;
- slaven van Afrika naar de Caraïbische eilanden, melasse (suikerstroop als bijproduct) naar Nieuw Engeland, rum naar Afrika.

De plantages telen het suikerriet en verwerken de suiker en zijn bijgevolg heel arbeidsintensief. Ze zijn als afnemers van 'vreemde' arbeid en als leveranciers van nieuwe mondiale producten de centrale schakel in een nieuw globaliserend handels- en arbeidssysteem. Daarbij weerspiegelt dit handelsnetwerk de contouren van het nieuwe wereldsysteem: combinatie van handel en nijverheid, kern-periferie relaties (teelt en basisverwerking in de periferie, afwerking en verkoop in de kern; in de kern kunnen de grootste winsten worden gemaakt: verfijning van de suiker, verpakking, verkoop), geweld en repressie en een extreem hoge ongelijkheid. In 1773 bezoekt J.H. Bernadin de Saint Pierre, een Frans reiziger, de 'suikereilanden'. Hij beschrijft het trans-Atlantische handelsnetwerk als volgt: 'Ik weet niet of koffie en suiker noodzakelijk zijn voor het geluk van Europa, maar ik weet wel dat deze producten verantwoordelijk zijn voor het ongeluk van twee andere delen van de wereld: Amerika is ontvolkt om het land te kunnen hebben om de gewassen te planten, Afrika is ontvolkt om de mensen te kunnen hebben om dat land te bewerken'.

De *Columbian exchange*, een vroeger ongezien proces van ecologische interactie en uitwisseling, heeft de mondiale verhoudingen grondig gewijzigd en de moderne wereld van vandaag mee vormgegeven.

4. Landbouw en voeding vandaag: the big escape of the big trap?

Schaarste, ondervoeding en honger lijken structurele kenmerken te zijn van de agrarische, pre-industriële samenlevingen (vervat in de metafoor van de zeven vette en de zeven magere jaren). In de 19de eeuw kan Europa uit deze 'malthusiaanse' val van een onevenwicht tussen bevolking en levensmiddelen ontsnappen door een sterke groei van de voedselproductie en door het op lange termijn garanderen van de voedselzekerheid. Aan de basis van deze 'grote ontsnapping' of *big escape* liggen een verhoogde productie en productiviteit (mechanisering, kunstmatige meststoffen), een verdere mondialisering van de voedselproductie (massale invoer in Europa van granen en vlees dankzij de nieuwe stoomscheepvaart en nieuwe koeltechnieken) en de groei van een agro-industrie (de industriële verwerking van eetwaren, vooral groenten en vlees). Bij deze opvatting van de *big escape* als een Europees succesverhaal kunnen echter enkele fundamentele bedenkingen worden gemaakt.

1/ Honger is geen catastrofale of fatale onvermijdelijkheid in landbouwsamenlevingen. Er is zeker vaak schaarste en onzekerheid, maar die is in de regel meer het gevolg van menselijk ingrijpen (oorlog, plundering, taxatie) dan van natuurlijke omstandigheden. Daarbij zijn de hongercrisissen in deze samenlevingen in tijd en plaats beperkt (van korte duur en kleinschalig). De oversterfte ten gevolge van hongersnoden wordt meestal snel opgevangen (een hausse in de geboorten), uitgezonderd bij een volledige ineenstorting van de samenleving.

2/ Het Europese succesverhaal steunt gedeeltelijk op een transformatie van de eigen landbouw na 1850. Akkers brengen meer op, boeren worden productiever, de landbouw wordt volledig geïntegreerd in de marktsector. Daar staat tegenover dat, ondanks dit succes, Europa zijn snelgroeiende bevolking niet volledig zelf meer kan voeden. De invoer van granen en vlees neemt in de tweede helft van de 19de eeuw heel sterk toe (de *agricultural invasion* vanuit de 'Nieuwe Wereld' en Rusland). Groot-Brittannië, onbetwiste leider onder de industriële naties, moet in 1900 70% van zijn granen en 40% van zijn vlees invoeren. Het zich industrialiserende Europa wordt in sterke mate gevoed door niet-Europese boeren.

3/ Ondanks het economische succesverhaal kampt Europa in de 19de eeuw met een structurele overbevolking. Die kan in belangrijke mate 'geëxporteerd' worden naar de Nieuwe Wereld. In de 19de eeuw verlaten tussen 40 en 50 miljoen Europeanen het Oude Continent richting 'nieuwe werelden'.

4/ De onderwerping en integratie van grote gebieden in Afrika en Azië in Europese imperia gaan soms samen met een catastrofale ineenstorting van de plaatselijke samenlevingen. De Congolese kroonkolonie van Leopold II verliest naar schatting twee tot vier miljoen inwoners, vooral door honger (gedwongen rubberoogsten). In Brits India volgen op het einde van de 19de eeuw grote hongersnoden elkaar op, met tientallen miljoenen slachtoffers.

Europa's *big escape* is dus in belangrijke mate mogelijk gemaakt doordat het continent in de 19de eeuw het kerngebied uitmaakt van het wereldsysteem en daardoor goedkoop en zonder veel belemmeringen voedsel kan invoeren en bevolkingsoverschot kan uitvoeren. De voorbeeldfunctie van Europa voor de rest van de wereld gaat dus maar beperkt op. Veel kan worden geleerd op het gebied van het productiever maken van de landbouw. Niettegenstaande een aantal successen (zoals de enorme toename in de rijstproductie), waren en zijn verschillen in bodem en klimaat vaak grote struikelblokken in het imiteren van nieuwe technieken. Daarbij staat het hedendaagse Zuiden in een heel andere positie dan Europa in de 19de eeuw. Het kan geenszins op eenzelfde (goedkope) wijze voedseltekorten invoeren en arbeidsoverschotten afstoten.

Honger en ondervoeding blijven endemisch in de hedendaagse wereld. Dit heeft minder te maken met het overleven van de vroegere landbouwsamenlevingen, dan met de schaalvergrotingen, de scheve handelsverhoudingen en de nieuwe onzekerheden in de nieuwe globale economische orde. In absolute termen is er geen voedseltekort. Tussen 1950 en 2000 groeit de bevolking aan met de factor 2,4 en de landbouwproductie met de factor 2,6. Dit betekent een toename van het aanbod calorieën per persoon met 22% (van 2280 cal. per dag naar 2800 cal. per dag). Het aantal ondervoede mensen daalt echter niet: 580 miljoen in 1980, 840 miljoen in 1990, 820 miljoen in 2000, 925 in 2010. De verdeling is wel meer regionaal afgetekend. De grote regio's met een structurele ondervoeding zijn Centraal-Azië, een deel van Latijns-Amerika en vooral sub-Sahara Afrika. China, met een zesde van de wereldbevolking, is het grootste succesverhaal: de gemiddelde voorraad calorieën per persoon stijgt tussen 1960 en 2000 met 66%, tegenover 21% in India en 7% in Afrika. De verspreiding van consumptiepatronen gebeurt ook ongelijk. Producten en modellen gepromoot door grote westerse distributeurs verdringen op vele plaatsen het lokale aanbod.

De grootste dreiging gaat uit van een afname van de voedselzekerheid. De productie en verdeling van voedsel gebeurt meer en meer door geïntegreerde, op kapitalistische leest geschoeide, exportgerichte bedrijven en ketens. Vier vijfde van de landen met een hoge ondervoeding onder kinderen zijn nettovoedselexporteurs. De familiale boerenlandbouw, de belangrijkste buffer tegen grootschalige honger, verdwijnt snel. Dit gebeurt onder meer door een grootschalige dumping door Europa en de Verenigde Staten van goedkoop voedsel op de wereldmarkt. De werking van een hedendaagse handelsdriehoek, die van de soja en de melk, illustreert de globale verhoudingen. In Brazilië verliezen miljoenen boeren hun bedrijf aan grote agro-industriële groepen, die alles zetten op de exportproductie van soja. Deze soja komt in Noord-Amerika en Europa terecht als goedkoop voedsel voor koeien en kippen. De landbouwoverschotten worden gedumpt in Afrikaanse landen als Senegal, onder meer in de vorm van goedkoop melkpoeder. Deze invoer vernietigt daar de kleine veehouders en stimuleert daarmee de ineenstorting van het platteland en de trek naar de steden, en verder overzee.

Door die dumping worden prijzen veel wispelturiger en verliezen de kleine boeren afzetmogelijkheden. Mexico is als geliefkoosd afzetgebied voor Amerikaanse overschotten een treffend voorbeeld. Tussen 1994 en 2004 krimpt de Mexicaanse veestapel in met 30%, terwijl de invoer van vlees aangroeit met 113%. De waarde van maïs daalt met 64%, van tarwe met 54%, van bonen met 46% en van soja met 68%. In deze jaren daalt de plattelandsbevolking in Mexico met 20%. 3,7 miljoen kleine boeren gaan failliet, 1,5 miljoen moeten hun grond verlaten. Velen onder hen beproeven hun geluk in de Verenigde Staten. Sinds 2007 zitten de prijzen van het basisvoedsel opnieuw in de lift. Gemiddeld zijn de wereldprijzen voor voedsel in 2011 2,5 maal duurder dan tien jaar terug. Een groeiende vraag, misoogsten, speculatie en de productie van biobrandstoffen ontwrichten de voedselmarkt en veroorzaken nieuwe golven van voedselrellen. Een verdere ongebreidelde liberalisering van de wereldhandel van landbouwproducten kan deze processen alleen maar versnellen.

5. Het einde van de boerensamenlevingen?

Tot de tweede helft van de 19de eeuw is de productie en consumptie van voedsel lokaal verankerd. Vervoer over lange afstanden is technisch onmogelijk of te duur, enkele luxeproducten zoals wijn uitgezonderd. Producten, technieken en markten zijn onderdeel van lokale kennisketens, beheerd en doorgegeven door de familiale boerenbedrijven. Na 1850 komt hierin een eerste breuk door de koppeling van aanbod buiten Europa aan een groeiende Europese vraag. Hieraan wordt tegemoetgekomen door een enorme uitbreiding van het landbouwareaal in de neo-Europa's (de 'nieuwe wereld'), de sterke groei van de landbouwproductiviteit (mechanisering, nieuwe meststoffen) en de nieuwe transportmogelijkheden (scheepvaart) en de hieraan verbonden daling van de transportkosten. Een tweede omwenteling in globaliserende voedselketens vindt plaats na het midden van de 20ste eeuw, aangestuurd door een verwetenschappelijking in de productie (technologische innovaties in de productie: synthetische meststoffen, en bewaring:

invriezen, inblikken) en door de groeiende impact van de agro-industrie. Toegevoegde meststoffen maken monoculturen mogelijk en de verbouwing van het land en de teelt van vee worden meer en meer gescheiden van de productie van het dagelijkse voedsel. In het begin van de 21ste eeuw staan we voor een derde omwenteling in het mondiale voedselregime. De doorbraak van de biotechnologie (genetisch gemodificeerde teelten) en een verdere monopolisering van de voedselproductie door verticaal geïntegreerde multinationale bedrijven dringen de lokale voedselsystemen en de kleine boerenlandbouw verder terug. De stijgende output voedt de sterk stijgende wereldbevolking. De loskoppeling van het merendeel van de wereldbevolking van de voedselproductie brengt ook nieuwe risico's met zich mee. Het probleem van de ondervoede *'bottom billion'* blijft onopgelost en de voedselzekerheid staat door de wispelturige markten en de stijgende prijzen sterk onder druk.

Tot nu toe zijn boerensamenlevingen de belangrijkste overlevingsnetwerken voor de wereldbevolking. De kleine boerenlandbouw staat nog altijd in voor de helft van de wereldvoedselproductie. Het begin van de 21ste eeuw betekent echter een keerpunt. Voor het eerst sinds de landbouwrevoluties ongeveer 10.000 jaar terug wordt het deel van de mondiale bevolking dat rechtstreeks van landbouwopbrengsten leeft, een minderheid. Woont in 1950 nog zeven op tien wereldburgers op het platteland, dan valt dat in 2010 terug tot minder dan de helft. Het aandeel van de eigenlijke landbouwbevolking loopt in dezelfde periode terug van 65% tot 40%. In 2030 zal amper nog een kwart van de wereldbevolking zijn hoofdinkomen uit de landbouw halen. Op dat moment is in geen enkel continent de dorpsbevolking nog in de meerderheid, zoals de volgende tabel aantoont.

Figuur 10. Plattelandsbevolking tussen 1950 en 2030

Totale Bevolking (miljard)		Plattelandsbevolking Wereld %	(miljard)	Afrika	Azië	Mid.- Z-Am.	Noord Am.	Europa
1950	**2,53**	**71%**	**(1,80)**	**86%**	**83%**	**59%**	**36%**	**49%**
1970	3,69	64%	(2,35)	76%	77%	43%	26%	37%
1990	5,29	57%	(3,03)	68%	68%	30%	25%	30%
2000	**6,12**	**53%**	**(3,27)**	**64%**	**63%**	**24%**	**21%**	**29%**
2010	6,91	49%	(3,42)	60%	58%	20%	18%	27%
2030	**8,31**	**41%**	**(3,41)**	**50%**	**47%**	**15%**	**13%**	**22%**

De impact van deze ommekeer kan niet worden overschat. Niet alleen concentreert de mondiale voedselbevoorrading zich meer en meer in lange, internationale en erg kwetsbare ketens, beheerd door grote kapitaalkrachtige groepen, tegelijk wordt de familielandbouw, de aloude overlevingsbasis die het (kleine) boerenbedrijf kan bieden, voor een snelgroeiende meerderheid van de mensheid onbereikbaar. Zo valt ook voor het mondiale economische systeem een goedkope arbeidsreserve weg en daarmee een van de fundamenten onder de wereldwijde economische expansie van de voorbije eeuwen. De gevolgen van deze ommekeer vormen zonder twijfel enkele van de grootste uitdagingen van de nog jonge 21ste eeuw. Hierbij denken we aan de enorme verstedelijking en de vermenigvuldiging van de megasteden met meer dan tien miljoen inwoners (30 in 2025, waarvan de helft in Azië), de aangroei van *slums* (een zesde van de wereldbevolking leeft vandaag in stedelijke sloppenwijken), de spanningen tussen ecologie en landbouw (zoals het vraagstuk van de biobrandstoffen goed weergeeft), de impact van een groeiende levensstandaard (met als gevolg een hogere vleesconsumptie, zoals in het hedendaagse China) en de gevolgen voor de regionale en mondiale inkomensverdelingen (onder meer ten gevolge van de stijgende prijzen van landbouwproducten en van de precaire leefomstandigheden in de grote steden). De teloorgang van de kleine boerenlandbouw bedreigt lokale en regionale vormen van voedselbevoorrading, het gemeenschappelijke bezit, de gemeenschappelijke kennis van planten en dieren, en de noodzakelijke biodiversiteit. Meer en meer wordt duidelijk dat het dagelijkse voedsel niet zomaar kan worden onderworpen aan de wetten van de mondiale vrije markt, maar bescherming moet kunnen genieten met het oog op een regionale voedselzekerheid.

5. Een politieke wereld: bestuur en heersers

Van de 8ste tot de 11de eeuw n.t. groeit en bloeit in West-Afrika het rijk van Ghana. Dit rijk wordt gedomineerd door de Soninke, die in een uitgestrekte regio (het hedendaagse Mauritanië en Mali) diverse volkeren en steden onder één bestuur samenbrengen. Zelf noemen de Soninke hun rijk Wagadou, land van de herders. De *Ghana* (koning-krijgsheer) resideert in de hoofdstad Kumbi Saleh aan de grens met de Sahara. De stad, met op haar hoogtepunt 30.000 inwoners, is gebouwd rond een koninklijk omwald centrum. Het rijk is groot geworden als handelscentrum en is onderdeel van een groter commercieel systeem, waarin de trans-Saharahandel met de Arabieren (en Berbers) een centrale rol speelt. De belangrijkste handelswaren zijn goud en ivoor uit het zuiden en zout uit het noorden. Door een groeiende rijkdom en macht kan de invloed van het koninkrijk via een tribuutsysteem worden vergroot. De islam is er geen staatsgodsdienst, maar wordt wel gedoogd. Zo is Ghana in de 11de eeuw een van de sterkste en welvarendste rijken in de toenmalige wereld. Vanaf deze periode komt het echter in een verval door een combinatie van factoren: een oprukkende woestijn en groeiende problemen van voedselvoorziening, een terugval in de handel en de *jihad* van de vanuit het noorden oprukkende islamitische Almovariden.

Wat is de kracht van het politieke organisatiemodel van het oude Ghana? Het rijk wordt centraal geleid, met aan het hoofd een dynastiek geslacht. De controle is buiten de omgeving van de hoofdstad indirect. Verder afgelegen steden en volkeren bekennen zich tot het rijk door het betalen van tribuut, maar beschikken over een grote zelfstandigheid. Gouverneurs staan in voor de contacten met het centrum. De controle is efficiënt, zoals ook het belastingsysteem. Zo kan het multi-etnische rijk worden samengehouden. De legitimiteit en cohesie kan maar worden gewaarborgd dankzij het economische succes. Dit steunt enerzijds op een goed ontwikkeld landbouwsysteem, met centraal de veeteelt. Anderzijds onttrekt Ghana veel rijkdom uit de bloeiende trans-Saharahandel, in versnelling gekomen door de introductie van de kameel in de eerste eeuwen van de jaartelling. Ghana bezit zelf geen goud- of zoutvelden, maar organiseert en beschermt de handel tussen zuid en noord. De sterke band met dit externe handelssysteem is ook de oorzaak van het verval. Wanneer het rijk de controle hierop verliest, verdwijnt ook de interne cohesie.

De Soninke kunnen het koninkrijk Ghana uitbouwen zoals dit op vele andere plaatsen is gebeurd: door de integratie van vele kleinere eenheden in een nieuw, groter organisatiemodel. Dit model heeft maar kans op slagen door de introductie van nieuwe vormen van controle en taxatie en door de integratie in een breder regionaal systeem. Tegelijk is dit vaak de zwakte van dit bestuurlijke model. Hoe kunnen we dit binnen de wereldgeschiedenis verklaren?

De kennis van het verleden werd lange tijd gedomineerd door het politieke verhaal. Geschiedenis was immers een instrument van de heersers, het historische verhaal bracht het relaas van de groei en het succes van het eigen rijk of de eigen staat. Met de opkomst van de nationale geschiedschrijving in de 19de eeuw werd de natiestaat de belangrijkste analyse-eenheid en het politieke verleden van die staat de dominante verhaallijn. Een studie van de politieke systemen in de wereldgeschiedenis kan echter niet uitgaan van de staat als het enige of zelfs voornaamste maatschappelijke organisatiemodel. Niet alleen bestaan er voor en naast de staat andere politieke beheerssystemen, staten waren en zijn ook een onderdeel van bredere maatschappelijke structuren. In dit deel analyseren we de organisatie van de territoriale macht en van diverse systemen van politiek bestuur. We gaan op zoek naar de maatschappelijke dynamiek achter de opkomst, het succes en het verdwijnen van politieke organisatiemodellen. Een onderscheid naar schaal deelt de politieke systemen die we in de wereldgeschiedenis hebben gekend, op in minisystemen, rijken, staten en een interstatensysteem.

1. Minisystemen

Minisystemen organiseren een bevolking op kleinschalige basis, tot maximaal enkele duizenden mensen. Typerend is dat in minisystemen de cultureel-etnische, de economische en de politieke eenheid samenvallen. Door de geschiedenis heen hebben er diverse types van minisystemen bestaan: clans of families (*bands*), stammen (*tribes*) en *chief-*

doms. Een *clan* (*of familie*) bestaat uit hoogstens enkele tientallen leden, in de regel aan elkaar verwant. Deze kleine, maar autonome groepen zijn het belangrijkste samenlevingsmodel bij de nomadische jager-verzamelaars en tot 10.000-12.000 jaar terug alomtegenwoordig. Clans hebben geen vaste verblijfplaats, geen vaste arbeidsdeling (tussen man en vrouw) en geen sociale hiërarchie. Formele instituties zijn er onbekend, leiderschap is informeel, eigendom gemeenschappelijk en ruil reciproque, op basis van wederkerigheid. De clan of familie is het samenlevingsmodel dat we overgeërfd hebben van onze vroegste voorouders en dat tot de komst van meer sedentaire samenlevingen het meest succesvol het overleven van de menselijke soort garandeerde.

Het verbeteren van de technieken van jacht en pluk en de eerste vormen van sedentarisatie brengen meerdere clans samen in een *stam*. Een beperking van de mobiliteit vereist een grotere controle over het beschikbare grondgebied en de aanwezige rijkdommen. Enkele honderden mensen wonen en werken samen in één nederzetting (of een groep van kleine dorpen). Het bestuur is nog altijd informeel, weliswaar met aanduiding van een chef (of *big man*). Controle (politiek) en ruil (economie) gebeuren nog altijd op basis van wederkerigheid.

Belangrijke veranderingen treden pas op met een verdere schaalvergroting in het bestuurlijke model, de zogenaamde *chiefdoms*. Deze meer gecentraliseerde samenlevingsvorm ontstaat eerst in de vroege landbouwgebieden zoals in het Midden-Oosten (5000-6000 v.t.) en Midden- en Zuid-Amerika (1000 v.t.). Een chiefdom, dat tot enkele duizenden mensen kan groeperen, wordt geleid door een erfelijke chef (koning). Het beslissingsniveau verschuift naar een centraal gezag en eigendomsrechten komen meer en meer toe aan een elite. De samenleving wordt meer sociaal opgedeeld en arbeid wordt meer gespecialiseerd. Er ontstaan aparte sociale en economische groepen met ongelijke rechten, zoals boeren, ambachtslui, krijgers, priesters en bestuurders. De bestuurders herverdelen niet meer op basis van wederkerigheid, maar op basis van tribuut (belastingen). Zij bepalen de regels en wetten en monopoliseren de controle op de uitoefening ervan. Het gezag wordt in toenemende mate ondersteund door een verering, ritualisering en ideologisering van het leiderschap.

De overgang van clans en stammen naar meer gecentraliseerde bestuursvormen gebeurt heel geleidelijk. Vroege vormen van chiefdom combineren nog een wederkerige met een meer centralistische besluitvorming. Later kunnen ze uitgroeien tot meer complexe systemen (zoals stadstaten), of tot een kleptocratie. Dit vereist een sterkere controle op de onderdanen, een meer efficiënte afroming van de economische opbrengsten, een betere legitimering van het gezag (ideologie) en een beter afdwingen van het geweldmonopolie. Door deze aanzet naar 'modern' bestuur wordt deze maatschappelijke organisatie ook een 'protostaat' genoemd. Die vinden we terug tot in de 20ste eeuw.

2. Rijken

Ongeveer 6000-5000 jaar terug ontstaan, onafhankelijk van elkaar, grotere bestuurseenheden in de rivierdelta's van de Nijl (Egypte), de Tigris en de Eufraat (Mesopotamië, Sumerië), de Indus (Harappa) en de Gele Rivier (China, Shang-dynastie). Vanaf 3000 jaar terug groeien er grotere politieke machtscentra in Midden-Amerika en de Andes, vanaf 1500 jaar terug in West-Afrika (zoals Ghana). Ze worden in de literatuur 'rijken' of *empires* genoemd, ook wel 'beschavingen' (zie voor de discussie hierover, deel 6). Rijken groeien vanuit een centrum en onderwerpen gradueel steeds verder afgelegen gebieden. Deze rijken hebben een grote actieradius en controleren enkele tienduizenden tot enkele miljoenen onderdanen. Het centrale bestuur wordt ondersteund met een eigen bureaucratie (meestal met het gebruik van schrift), met een geformaliseerde wetgeving, met een dwingend retributiesysteem en met een staatsreligie. Deze rijken combineren een politieke en economische eenheid. De economische organisatie (altijd op basis van een succesvol landbouwsysteem, een ambachtelijke productie en een intern en extern commercieel netwerk) ontwikkelt zich in symbiose met meer grootschalige politieke structuren. Een val van een rijk betekent daarom ook altijd een ineenstorting van de economie. In tegenstelling tot de minisystemen is er geen cultureel-etnische eenheid meer. Rijken worden uitgebouwd binnen politieke en territoriale grenszones, niet meer op basis van de vroegere verwantschapsbanden. Rijken verenigen bijgevolg volkeren van diverse etnie.

In de wereldgeschiedenis worden minisystemen geleidelijk, maar ongelijk vervangen door meer complexe bestuurssystemen. Dit leidt tot een aantal essentiële vragen. Ten eerste, waarom ontstaan er op bepaalde plaatsen in de wereld in bepaalde periodes meer grootschalige bestuurssystemen? Waarom elders niet? Ten tweede, waarom zijn bepaalde rijken meer succesvol dan andere?

De overgang van kleine naar grotere politieke beheerssystemen is geen natuurlijke gang van zaken. Daarvoor zijn de verschillen in tijd en plaats te groot. Daarom moeten we de voorwaarden waardoor of de omstandigheden waarbinnen rijken ontstaan analyseren. De geschiedenis leert dat er vijf noodzakelijke voorwaarden zijn. Ze moeten in één geheel worden gezien. Ontstentenis van een of meerdere van de factoren verklaart vaak het falen van regionale *empire-building*.

1/ Een bevolkingsgroei. Rijken kunnen maar ontstaan waar een bevolkingsminimum is overschreden en de territoriale groei niet wordt beperkt door te enge natuurlijke grenzen. Met andere woorden, er moet een voldoende 'kritische massa' zijn om de economische onderbouw van een rijk te kunnen dragen. De meeste grote rijken komen dan ook tot stand in Eurazië, waar meer dan drie kwart van de wereldbevolking leeft en werkt.

2/ Een meer efficiënte en gecontroleerde landbouw. De organisatie van de voedselproductie is een primordiale taak van elke maatschappelijke organisatievorm. Bij een groei van de schaal is er behoefte aan een betere arbeidsverdeling en aan meer economische specialisatie en meer controle. Tegelijk zijn vaak grotere en centraal te dragen investeringen nodig. Een populaire theorie over het ontstaan van grotere politieke eenheden verwijst naar grootschalige irrigatieprojecten zoals in Mesopotamië, Noord-China en Midden-Amerika. De samenwerking om die op touw te zetten zou een meer centraal bestuur genoodzaakt hebben.

3/ Conflictbeheersing en bescherming tegen externe bedreiging. Ook hier speelt het voordeel van de schaal, waarbij grotere bevolkingsgroepen efficiënter beschermd worden door een centraal geleid militair apparaat.

4/ De overgang van een reciproque, wederkerig ruilsysteem naar een redistributief, verdelend systeem. Wederkerigheid kan alleen bij kleinschalige ruil, terwijl meer grootschalige transacties behoefte hebben aan een gecontroleerd systeem van inning en verdeling. Dit gaat samen met de ontwikkeling van systemen van registratie en codering, waaruit op meerdere plaatsen in de wereld het schrift ontstaat: Mesopotamië en Egypte ongeveer 3000 v.t., China ongeveer 1300 v.t., Midden-Amerika ongeveer 600 v.t.

5/ Betere interne en externe communicatie, waardoor mensen, goederen en informatie sneller kunnen worden uitgewisseld. Succesvolle rijken beschikken altijd over een goed uitgebouwde verkeersinfrastructuur en een handelsnetwerk.

Rijken komen en gaan, sommigen noemen wereldgeschiedenis dan ook een 'kerkhof van rijken'. Tussen 3000 v.t. en 1800 n.t. telt de wereld een zestigtal megarijken met een uitgestrektheid van minstens één miljoen vierkante kilometer. Uitgezonderd het Incarijk ontwikkelen ze zich allemaal in Eurazië, van de Afrikaanse en Europese Atlantische kusten tot de Chinese zee. Ze doen dat echter niet op dezelfde manier. China met zijn vruchtbare riviervlakten is de regio met veruit de meest continue opeenvolging van rijken. Het meest uitgestrekte territoriale rijk in de wereldgeschiedenis is echter opgebouwd door een nomadenvolk, de Mongolen, maar is slechts van korte duur (13de eeuw n.t.). Waarom zijn sommige rijken meer succesvol in het overleven dan andere? Juist is dat alle rijken regionale systemen zijn, binnen regionale economische en ecologische grenzen. Wat zijn dan de verschillen?

De oudste rijken vinden we terug in *Sumerië* (Mesopotamië), waar vanaf 4000-3000 v.t. zich een conglomeratie vormt van min of meer onafhankelijke stadstaten. Deze regio is op dat moment gebonden aan één ecosysteem, een laagland dat erg kwetsbaar is voor overstromingen en droogte. Het succes van de waterbeheersing bepaalt bijgevolg het succes van het rijk van Sumer. Het water van de Tigris en de Eufraat brengt ook grote hoeveelheden slib en zout aan. Door de irrigatietechnieken blijft naast het slib ook veel zout achter op de velden. Op termijn vermindert hierdoor de vruchtbaarheid van de velden, totdat omstreeks 2000 v.t. alleen zoutpannen overblijven. De vruchtbare velden in het Tweestromenland worden herleid tot een dorre vlakte met alleen nog kleine dorpen. Het politieke centrum in de regio verschuift naar het noorden, naar de nieuwe machtscentra Babylon en Assyrië. De bevolking van Sumer kon de ecologische flessenhals die ze zelf in het leven had geroepen, niet afwenden.

Andere voorbeelden van imploderende rijken of beschavingen zijn de Midden-Amerikaanse rijken van Teotihuacan (in de buurt van het huidige Mexico-City) en van de Maya's in noordelijk Centraal-Amerika. Ten tijde van Rome is *Teotihuacan* de grootste stad van het Amerikaanse continent en met een oppervlakte tot 30km^2 en met meer dan 150.000 inwoners een van de grootste in de toenmalige wereld. Deze stad wordt gevoed door een intensief landbouwsysteem met terrasbouw, irrigatie en bevloeiing. In de 6de eeuw n.t. wordt deze stad door haar bevolking verlaten. De *Mayabeschaving*, gebouwd op een centraal bestuurd systeem van stadstaten, beleeft haar hoogtepunt iets later en komt snel in verval vanaf de 8ste eeuw n.t. Door de toenemende druk op de natuurlijke rijkdommen moeten de bossen steeds verder wijken en wordt het wild schaarser. Wanneer de gronden door erosie hun vruchtbaarheid verliezen, nemen ook de interne spanningen toe, tussen steden en tussen sociale groepen. Door overbevolking, agrarische malaise en interne twisten gaan de twee rijken helemaal ten onder.

Het lot van Teotihuacan en de Maya's kan worden vergeleken met dat van de *Romeinen*. Een machtig rijk valt in een tweetal eeuwen uit elkaar door een te grote druk op de interne cohesie en op de ecologische hulpbronnen. Het uitbreidende Romeinse rijk wordt steeds moeilijker beheersbaar, de bevoorrading wordt steeds moeizamer. Een van de oorzaken is de massieve ontbossing van het Middellandse Zeegebied. Overbegrazing en erosie verminderen de vruchtbaarheid van de akkers. Granen en andere voedingswaren moeten van steeds verder worden aangevoerd (Noord-Afrika, Midden-Oosten). De erfenis van Rome valt toe aan Byzantium.

In de vier gevallen begint de destabilisatie van het rijk op het hoogtepunt, het moment dat het uiterste wordt gevraagd van de sociale cohesie en de ecologische hulpmiddelen. Op deze druk is geen duurzaam antwoord gevonden. De rijken zijn verdwenen, nazaten van de Sumeriërs, Maya's en Romeinen bevolken nog de regio's die ooit tot de belangrijkste centra van de toenmalige wereld behoorden.

De rijken van Egypte en China hebben een ander traject afgelegd. Zij lijken niet onder-uitgehaald te zijn door een interne implosie en een ecologische degradatie. *Egypte* leeft als 'geschenk van de Nijl' van de beslibte landbouwgronden rond de Nijl. De landbouw-methoden zijn conservatief, met als gevolg minder verzilting. De bevolking groeit opval-lend traag aan. Het duurt drieduizend jaar, van het begin van het oude rijk tot aan het begin van onze jaartelling, om de bevolking te laten groeien van twee tot zes miljoen. Hierna blijft dit inwonerstal constant tot de 19de eeuw, wanneer nieuwe irrigatietech-nieken worden ingezet. Zo wordt het maximale draagvermogen van het ecologische sys-teem nooit langdurig overschreden. Evenals Egypte is *China* meer dan evenredig begif-tigd door de natuur. De diepe vruchtbare gronden zijn niet kwetsbaar voor erosie. De landbouw kan de territoriale expansie en de groeiende bevolking voeden zonder zich-zelf uit te putten. In beide gevallen wordt de politieke geschiedenis geschreven als een opeenvolging van dynastieën. De opkomst en het verval van deze dynastieën heeft de rij-ken van Egypte en China niet onderuitgehaald, dankzij een beheersing van de interne spanningen en de ecologische druk.

3. Staten en het interstatensysteem

Staten concentreren politieke macht zoals geen enkel systeem dat voordien kon. Daar staat tegenover dat de omvang van het politieke territorium zelden of nooit nog samen-valt met een cultureel-etnische eenheid (zoals in minisystemen) of economische grenzen (zoals in rijken). De *locus* van de formele politieke macht in de wereld na 1500, een tijd waarin een nieuw mondiaal economisch systeem ontstaat, verschuift naar de territoriale staat. Staten bestaan uit een set van instituties die de soevereine macht uitoefenen over een welbepaald gebied. Die soevereiniteit is de emanatie van de publieke macht. De 'moderne' staat ontstaat in Europa in de lange 16de eeuw, met Bourgondië, Frankrijk en Engeland als vroege vormen van territoriale staten. Rijken met een sterk gedecentrali-seerd bestuur zoals het Habsburgse Rijk, het Russische Rijk en het Ottomaanse Rijk ver-liezen invloed en macht.

Meer dan in een rijk, waar tribuutrelaties het centrale bindmiddel zijn, bouwt een staat zijn controle uit in een afgebakend territorium. Om een territoriale soevereiniteit te bereiken moet een staat binnen die grenzen een monopolie kunnen afdwingen van macht, controle en geweld. Dit vereist een grotere administratieve capaciteit en een cen-tralisatie van kennis, om middelen (via belastingen) en mensen (bijvoorbeeld via ver-plichte legerdienst) te mobiliseren. Met deze middelen voorziet een staat in drie soorten publieke goederen: bescherming, fysieke (transport) en sociale (onderwijs, zorgsector) infrastructuur. Omgekeerd legitimeert een staat zich meer in abstracte vorm via deze diensten en minder met een leider, koning of keizer. In 17de-eeuws Engeland wordt de macht van de koning ingeperkt via een parlement waar alle vermogende sociale groepen deel van uitmaken. Een meer afdwingbaar sociaal-juridisch systeem regelt de verhoudingen tussen sociale groepen en tussen het individu en de staat. Mee bepalend voor deze veranderende verhouding tussen burger en staat is de nieuwe vorm van politieke revolutie, zoals de 18de-eeuwse Amerikaanse en Franse revoluties, en de Haïtiaanse revolutie, die begint als een slavenopstand. De 'emancipatie' van het individu wordt afgedwongen via de toekenning van rechten (en niet meer vanuit de via geboorte toegekende plaats in een groep). Burgerschap wordt de centrale legitimering van de staat, het garandeert aanspraken op de bescherming door en voorzieningen van de staat. Door politieke strijd verwerven in de 19de en 20ste eeuw steeds meer bevolkingsgroepen volle burgerrechten (arbeiders, vrouwen, etnische en religieuze groepen). Tegelijkertijd wordt burgerschap, het lidmaatschap van een staat, steeds meer exclusief. Uitsluiting betekent het verlies van rechten, 'geen papieren' bekent illegaliteit.

De groei van de staat in de wereld na 1600 is geen rechtlijnig verhaal. Tot het einde van de 18de eeuw blijft de staat als politiek organisatiemodel beperkt tot het Europese grondgebied. De *territoriale staat* bakent het eigen grondgebied af en definieert hierbinnen exclusieve plichten en rechten. Het is maar in de 19de eeuw dat door de steeds grotere impact van de staat op het dagelijkse leven het verband wordt gelegd met een 'nationale identiteit'. In een *natiestaat* valt de politieke ruimte samen met een culturele, linguïstische en soms ook een homogeen etnische ruime. Dit impliceert de 'inventie' van een eigen idioom, een eigen geschiedenis, een eigen collectieve identiteit. Nationalisme is in de eerste plaats een wervende kracht; vandaag is slechts een kleine minderheid van de landen een echte natiestaat. Vanuit de 19de-eeuwse 'sociale kwestie' (de groeiende spanning tussen interne sociale groepen) groeit de 20ste-eeuwse *sociale of welvaartsstaat*. Deze staat vermenigvuldigt de herverdelende, beschermende en verzorgende functies. Burgers dragen meer bij tot de financiering van de staat, maar krijgen ook meer politieke en sociale rechten. De overheid wordt een actieve bemiddelaar in economische (keynesianisme) en sociale zaken (sociale verzekeringssysteem). Tot het begin van de 20ste eeuw onttrekt en herverdeelt de staat in de regel maximaal 10% van het bruto binnenlands product, de waarde van alle in het land geproduceerde goederen en diensten. In de tweede helft van de 20ste eeuw loopt dit op tot de helft. De *neoliberale staat* vanaf het einde van de 20ste eeuw wil deze trend van steeds grotere inmenging ombuigen. De overheid trekt zich uit een aantal maatschappelijke velden terug ten voordele van de 'markt', regulering wordt afgebouwd, een aantal publieke goederen wordt geprivatiseerd.

Het nieuwe staatsmodel verspreidt zich in de 19de en 20ste eeuw over de wereld. Bekend zijn de nationale revoluties in 19de-eeuws Latijns-Amerika (Bolivar) en 20ste-eeuws Azië (Ghandi in India) en Afrika (Nkrumah in Ghana). Een schoolvoorbeeld van de 'vervelling' van een rijk in een staat is het Ottomaanse Rijk. Dit eens zo machtige rijk strekt zich uit over drie continenten, van de Kaspische Zee en de Perzische Golf tot Boedapest en Algiers. Het rijk verzwakt fel in de 18de en 19de eeuw, vooral door groeiende interne sociale en etnische spanningen. Na Wereldoorlog Een verliest het rijk het grootste deel van de gecontroleerde gebieden en bouwen 'Jonge Turken' naar het voorbeeld van de Europese staten in het Aziatische kernland een moderne Turkse staat uit, inclusief een proces van secularisering (Turkije wordt de eerst seculaire moslimstaat) en een sterk Turks nationalisme (met de ontkenning van de rechten van niet-Turkse bevolkingsgroepen). In andere delen van de wereld loopt het staatsvormingsproces heel wat moeizamer. In wat soms falende staten wordt genoemd, ontbreekt vaak door economische achterstand, oorlog of corruptie voldoende infrastructurele capaciteit om een volwaardige staat op te bouwen.

Een nog niet beantwoorde vraag is waarom in de steeds meer eengemaakte economische wereld na 1500 het vroegere model van grote rijken steeds minder succesvol is, om in de 20ste eeuw geheel te verdwijnen. In 2010 telt de wereld 193 internationaal erkende onafhankelijke staten (lid van de Verenigde Naties), waarvan de meeste veel kleiner zijn dan de vroegere rijken. Twee factoren staan hier centraal: economische veranderingen en internationale competitie.

Het is in het territoriaal versnipperde feodale Europa – omstreeks 1500 bestaan hier meer dan duizend verschillende politieke entiteiten, van alle mogelijke maten en gewichten – dat de nieuwe, sterkere, maar ook competitieve staatkundige eenheden ontstaan. In schaal zijn ze kleiner dan de rijken, maar ze kunnen wel meer middelen mobiliseren, onder meer uit de bloeiende stedelijke en later internationale handelseconomie. Ze (her)tekenen letterlijk de grenzen en voeden voor eeuwen een bijna permanent conflict op het Europese grondgebied. De nieuwe, meer compacte staat is op twee vlakken succesvol. Ten eerste is ze succesvoller in de nieuwe internationaliserende kapitalistische wereldeconomie. Die wordt niet aangestuurd door een centraal commandocentrum, maar door een amalgaam van samenwerkende, maar ook competitieve staten. Ze reguleren interne en externe arbeids- en productieverhoudingen, op een wijze waarop de internationale mobiliteit van kapitaal en goederen en de internationale competitie gewaarborgd blijven (er is zoals in een rijk geen centrale macht meer die dit kan afblokken). Het succes van de Hollandse en later Britse staat toont aan dat deze politieke centra territoriaal niet uitgestrekt hoeven te zijn, maar wel efficiënt georganiseerd, militair sterk en internationaal competitief. Engeland kan op het einde van de 18de eeuw al 18% van het bruto binnenlands product mobiliseren, in de eerste plaats voor de uitbouw van het militaire apparaat en de Royal Navy. Dit is veel meer dan eender welk ander land ter wereld, inclusief China. Ook het militaire beslag op de burgers groeit enorm. Frankrijk mobiliseert tot de 17de eeuw legers met enkele tienduizenden mannen. In de 18de eeuw loopt dit op tot 450.000, Napoleon rekruteert omstreeks 1800 een leger van 700.000 soldaten en het Franse leger tijdens de Eerste Wereldoorlog telt 8,6 miljoen soldaten.

Dit economische en militaire succes van het nieuwe staatsmodel maakt het superieur aan de minder coherent georganiseerde rijken. De machtsconsolidatie binnen het model van de staat werkt ook als een tweesnijdend zwaard. De toenemende controle over de onderdanen maakt van hen ook burgers en geeft hen zo de middelen – via de boekdrukkunst of de nieuwe sociale media bijvoorbeeld – voor communicatie, kennis en verzet. Verschillen krijgen betekenis, groepen kunnen zich informeren en organiseren, en creëren uiteenlopende vormen van klassenbewustzijn of nationalisme. Dit voedt in de 19de en 20ste eeuw op een ongeziene wijze een lange reeks 'nationale revoluties'. Die beroepen zich steeds opnieuw op de staat om hun rechten op te eisen en te consolideren.

De territoriale actieradius van een moderne staat wordt beperkt door haar mogelijkheden van interne mobilisatie en controle. Daarbij werken deze staten niet onafhankelijk van elkaar, maar in een geïntegreerd model, een *interstatensysteem*. Dit wordt gestuurd door een politiek-militaire machtsbalans en de fluctuaties binnen de economische wereldmarkt. De groei van de staat is niet denkbaar zonder deze nieuwe internationale economische en politieke context. De Vrede van Westfalen in 1648 legt de nieuwe internationale politieke orde in Europa vast. Dit is het eerste verdrag dat het internationaal recht definieert: soevereine territoriale staten moeten in beginsel elkaars grenzen en huishouding respecteren. Het internationale evenwicht steunt op de idee van non-interventie. Territorium en soevereiniteit garanderen een wederzijdse legitimering. De politieke constellatie binnen een interstatensysteem verschilt grondig van de vroegere maatschappelijke systemen. De politieke eenheden, de staten, staan veel meer dan vroeger in een afhankelijke relatie tot elkaar. Bovendien wordt hun rol mee bepaald door hun plaats in het overkoepelende economische systeem dat in de 15de-16de eeuw in Europa ontstaat en van daaruit, in fasen, de wereld omspant. Met andere woorden: de op- en neergang van staten kan niet (meer) worden verklaard door interne oorzaken alleen, maar eerder door spanningen op het internationaal-politieke en economische gebied. Doordat de economie in belangrijke mate is losgekoppeld van een politieke eenheid, staat of valt een economisch systeem niet meer met de op- en neergang van een staat.

Dit internationale systeem sluit geen competitie en conflict uit, integendeel. Na elke grootschalige strijd (na 1648, na 1815 of na 1945) komt de internationale politieke orde er echter sterker uit. De machtsverhoudingen tussen de staten zijn ook ongelijk. Sterke staten bevinden zich in economisch welvarende delen (de kern), terwijl zwakke staten zich altijd in de meer achtergestelde gebieden bevinden (periferie). Deze landen zitten bijna altijd ook internationaal-politiek in een zwakkere positie.

Na 1945 wordt het politieke interstatensysteem geconsolideerd in een formele internationale organisatie, de Verenigde Naties. Hoewel vanaf de crisis van de jaren 1970 de neoliberale kritiek op de staatsmacht en het discours over een groeiende globale identiteitsvorming (universele rechten, wereldburgerschap) aanzwelt, blijft de nationale staat veruit de belangrijkste politieke actor op het internationale schaakbord. De discussies over de val van het imperium van de Sovjet-Unie, over de toekomst van de Europese Unie, over het controleren van transnationale migratie, over veranderende globale machtsverhoudingen (China) en over sociale revoluties (de 'Arabische lente') worden nog altijd hoofdzakelijk gevoerd binnen het model van de nationale staat.

4. Hegemonie en imperium

Staten groeien dus in een internationaal systeem. Het nieuwe interstatensysteem hertekent het mondiale geopolitieke model en wordt gekenmerkt door opeenvolgende hegemonische cycli (in de kern) en nieuwe vormen van imperiumbouw (buiten de kern). Een hegemonie brengt economische, politieke en ideologische superioriteit in één staat samen. De cycli in deze combinatie van formele en morele macht tekenen het interstatensysteem sinds de 16de eeuw. Na een initiële fase, met als sturende machten de Italiaanse stadstaten Genua en Venetië (15de-16de eeuw), volgen de cycli van de Verenigde Provinciën (hegemonie midden 17de-midden 18de eeuw), Groot-Brittannië (hegemonie 19de eeuw) en de Verenigde Staten (hegemonie tweede helft 20ste eeuw) elkaar op. In de tussenfasen is er strijd binnen de kern van het mondiale systeem. De doorbraak volgt altijd op een 'wereldoorlog': de Tachtigjarige Oorlog, bezegeld met de Vrede van Westfalen in 1648, de Frans-Britse oorlogen, beëindigd op de slagvelden van Waterloo (1815) en de 20ste-eeuwse wereldoorlogen tussen 1914 en 1945.

Een korte vergelijking van de Amerikaanse met de Britse hegemonie illustreert de gelijkenissen en verschillen binnen de opeenvolgende cycli in het interstatensysteem. Beide staten veroveren de eerste positie na een strijd met de naaste concurrent, Frankrijk voor Engeland, Duitsland voor de Verenigde Staten. De basis van de economische kracht van beide landen wordt gelegd tijdens de voorgaande fase, waarin ze in de schaduw van de sterkste natie van dat moment hun economische macht kunnen uitbouwen. Op deze wijze groeien ze uit, eerst tot geduchte rivalen, daarna tot economische machtscentra die ook in schaal hun voorgangers overtreffen (Groot-Brittannië boven de Verenigde Provinciën, de Verenigde Staten boven Groot-Brittannië). De politieke autoriteit verwerven ze beide door aan het hoofd van een alliantie van staten de internationale orde te herstellen, na de directe rivaal militair te hebben verslagen.

Een eerste opvallend verschil betreft de organisatie van deze internationale politieke orde. De 'Pax Americana' wordt veel strikter, directer geleid, vooral via een netwerk van internationale organisaties. De Britse hegemonie (Pax Brittanica) werkt eerder volgens het principe van *primus inter pares*. Daarnaast bouwt Engeland zijn macht uit via een eigen imperium, terwijl de Verenigde Staten de kampioenen worden van de dekolonisatie en de soevereiniteit van de naties. Ten tweede wordt ook de economische wereldorde anders ingevuld. De vrijhandel, onvoorwaardelijk toegepast door de Britten tot de jaren 1930, is voor de Amerikanen maar een middel om buitenlandse markten te openen. Daarnaast zorgt de multinationalisering van de handel na de Tweede Wereldoorlog voor een nieuw fenomeen: de directe grensoverschrijdende investeringen die binnen de firma blijven. Die overtreffen vandaag de waarde van de totale wereldhandel tussen naties.

Figuur 11. Periodes van stabiliteit (hegemonie) en instabiliteit (wereldconflicten) tijdens de Britse en Amerikaanse cyclus.

	Britse cyclus	Amerikaanse cyclus
Opkomst hegemonie	eeuwwisseling 18-19de eeuw rivaliteit met Frankrijk eerste industriële revolutie	eeuwwisseling 19de-20ste eeuw rivaliteit met Duitsland tweede industriële revolutie
Doorbraak hegemonie	eerste helft 19de eeuw militaire en commerciële overwinning	eerste helft 20ste eeuw militaire en commerciële overwinning
Hoogtepunt hegemonie	derde kwart 19de eeuw vrijhandel Londen financieel centrum	derde kwart 20ste eeuw Bretton-Woodssysteem New York financieel centrum
Neergang hegemonie	vanaf laatste kwart 19de eeuw internationale competitie en groeiende rivaliteit imperialisme (VS en Duitsland)	vanaf laatste kwart 20ste eeuw internationale competitie groeiende rivaliteit neoliberalisme (Japan en China)

In de tweede helft van de 20ste eeuw zien we het ontstaan van supranationale politieke organisaties zoals de Verenigde Naties. Daarnaast versterkt de samenwerking tussen staten binnen systemen van regionale integratie zoals de Europese Unie (De Europese Economische Gemeenschap, 1958) en de ASEAN (The Association of Southeast Asian Nations, 1967). Beide vormen van interactie zijn internationaal, dus tussen staten als primaire politieke eenheden. De vraag is in hoeverre deze samenwerking de staten zal vervangen. Het is niet duidelijk of deze supranationale of internationale systemen de belangrijkste politieke arena's worden in de 21ste eeuw. Beleven we een nieuwe cyclus van strijd en hegemonie in het interstatensysteem? Wie wordt dan de nieuwe hegemon en binnen welke wereldorde? Versnippert het politieke systeem, met regionale blokken als opponenten? Of stevenen we af op een nieuwe, ditmaal globale *Empire*, een multimodaal bestuurssysteem zonder een echte kern? Wat is hierin nog de rol van de staat als politieke machtscontainer? Blijft die sterk of verdampt die onder een verdere economische globalisering? Of worden wereldsteden nieuwe machtscentra, als schakels in een globaal economisch en sociaal netwerk?

Zoals eerder gedefinieerd, zijn rijken grote politieke eenheden met overlappende etnische en geografische grenzen. Ze vormen een economisch blok gecontroleerd door een politiek centrum. Ten gevolge van de graduele incorporatie in een kapitalistisch wereldsysteem desintegreren deze rijken. De koloniale imperia die door Europese staten sinds de 16de eeuw worden opgebouwd, hebben een fundamenteel ander karakter. Ze overspannen zeeën en continenten en zijn geen geografisch afgebakende eenheden. Ze functioneren in een wereld met een veel grotere, meer globale economische en later ook politieke interdependentie. Ze creëren en continueren de periferie van het expanderende wereldsysteem, regio's die buiten de belangrijkste beslissingscentra vallen en vooral dienstig zijn in het leveren van goedkope arbeid en grondstoffen. Het proces van politieke integratie van deze gebieden noemen we imperialisme. Imperialisme staat voor de politieke en territoriale dominantie van de periferie door kernstaten. Sinds de 16de eeuw bestendigt en herkneedt imperialisme de relaties tussen kern en periferie. We maken een onderscheid tussen formele en informele vormen van imperialisme.

De formele politieke controle door kernstaten over delen van de periferie is een centraal kenmerk van de groei van het nieuwe wereldsysteem sinds de 16de eeuw. Via de formele imperialistische controle worden externe gebieden geïntegreerd in het globaliserende kapitalistische productiemodel, in de eerste plaats voor de levering van arbeid en grondstoffen. Tussen 1500 en 1900 komen bijna alle delen van de wereld gedurende een bepaalde periode onder rechtstreeks gezag van een beperkt aantal Europese kernlanden.

De uitzondering is de Aziatische zone van Japan/Korea/China over Perzië tot het huidige Turkije. In de 19de en 20ste eeuw kunnen de Europese staten echter ook hier heel sterk hun invloed laten gelden.

Figuur 12. De geografie van de Europese politieke controle over de periferie.

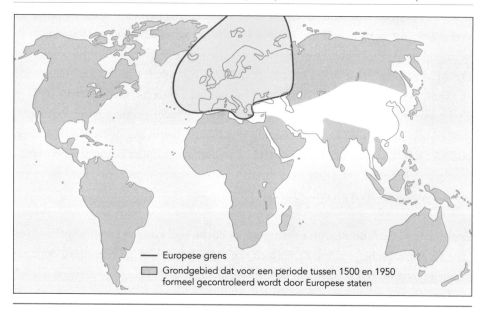

— Europese grens
☐ Grondgebied dat voor een periode tussen 1500 en 1950 formeel gecontroleerd wordt door Europese staten

Figuur 13 laat de twee cycli zien van koloniale expansie en contractie. De eerste cyclus betreft vooral de opkomst en neergang van koloniale imperia in Noord- en Zuid-Amerika, de tweede in Azië en Afrika. De eerste bereikt zijn top in het midden van de 18de eeuw met meer dan 120 kolonies onder Europees bestuur. De snelle dekolonisatie, vooral in het Amerikaanse continent, doet het aantal kolonies in de vroege 19de eeuw terugvallen tot minder dan de helft. De tweede golf bereikt zijn top in het laatste kwart van de 19de eeuw. Vanaf het midden van de 20ste eeuw volgt de snelle dekolonisatie. Het aantal imperialistische kernstaten beperkt zich tot dertien, waarvan vijf grote: Spanje, Portugal en de Nederlanden in cyclus 1, Groot-Brittannië en Frankrijk in cycli 1 en 2. De grondvesten van de Spaanse en Portugese imperia worden gelegd in de 16de eeuw, ze worden bijna volledig ontmanteld in de 18de en 19de eeuw. Groot-Brittannië en Frankrijk zijn actief vanaf de 17de eeuw en breiden hun koloniale actieradius nog sterk uit in de 19de eeuw. Het Britse 'empire' is het grootste ooit: omstreeks 1900 wordt ongeveer een kwart van het land en de wereldbevolking bestuurd door de Britten.

Figuur 13. De twee lange golven van koloniale expansie en contractie, 1500-1975.

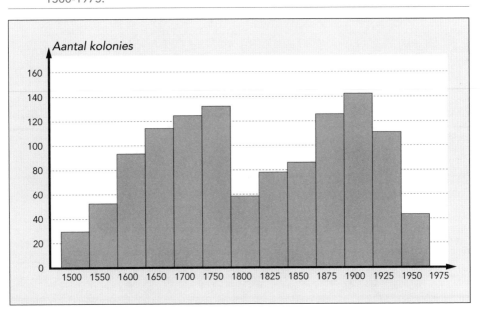

De invloed van de kern op landen en streken in de periferie wordt niet alleen vertaald in formele dominantie. De onrechtstreekse invloed van de drie hegemonische machten van de voorbij vierhonderd jaar, de Verenigde Provinciën, Groot-Brittannië en de Verenigde Staten snijdt vaak veel dieper. De dominantie van de maritieme handel door de Nederlanders en de Britten vergroot sterk hun invloedsfeer, maar wordt nergens formeel politiek vastgelegd. De Verenigde Staten onderbouwen hun grote mondiale macht in de 20ste eeuw niet met een formeel koloniaal imperium, het imperialisme is hier informeel. De ongelijkheid in politieke, militaire en economische machtsverhoudingen verplicht grote delen van de wereld om zich in te passen in een wereld die werkt volgens spelregels die ze zelf niet mee hebben opgesteld. Onevenwichtige ruilrelaties tussen zones met hoge lonen en zones met lage lonen doen de afhankelijkheid van de perifere gebieden nog toenemen. Naast de zachte dwang hanteren de Verenigde Staten ook vaak de harde macht. Ze zijn vandaag nog militaire aanwezig in meer dan 150 landen en hebben militaire basissen in meer dan 50 landen. Sinds de Tweede Wereldoorlog voeren ze meer dan 40 militaire interventies uit met uiteenlopende argumenten. De meest recente zijn die in Irak en Afghanistan onder de vlag van de 'war on terror'. Deze acties beogen geen directe controle op lange termijn, wel de bescherming/uitbreiding van de politieke en economische invloed.

6.

Een goddelijke wereld: cultuur, beschavingen en religies

Duizend jaar lang, van 600 tot 1600 n.t., is de islamwereld een van de meest dynamische en expansieve wereldbeschavingen. Ontstaan bij de nomadische volkeren in de woestijnen van het Arabische schiereiland, ligt de jongste van de wereldgodsdiensten aan de basis van een machtig rijk dat zich uitstrekt van India tot Spanje. In haar groei incorporeert de islambeschaving heel uiteenlopende tradities, van Arabische, Perzische, Turkse, Grieks-Romeinse, Zuid-Aziatische en Afrikaanse origine. De expansie bemoeilijkt echter een centraal bestuur en de islamwereld valt uiteen in diverse politieke eenheden. Dit verhindert geenszins de verdere expansie van de islam, ver buiten de grenzen van het oorspronkelijke Arabische rijk. Niettegenstaande het bestaan van sterke godsdienstige meningsverschillen, blijft de gedeelde religieuze cultuur een machtige verbindende kracht in wat door sommigen 'de eerste globale beschaving' (in een Euraziatische context) wordt genoemd. Wat maakt deze culturele kracht zo sterk? Ten eerste zijn er de alomtegenwoordige netwerken van het geloof. Zij voeden een algemeen gedeeld engagement, met dezelfde teksten, dezelfde praktijen, eenzelfde taal, samengeknoopt tot een waar kosmopolitisch web met een grote verbondenheid. Ten tweede verbinden intense netwerken van ruil van goederen, kennis en technologie de diverse regio's en politieke entiteiten. Moslimhandelaars, inzonderheid Arabieren en Perzen, worden dominante spelers in de uitgebreide Euraziatische netwerken, gesteund door nieuwe technieken in bankieren en bedrijfsvoering. Technische innovaties verspreiden snel, onder meer in waterbeheersing, oorlogsvoering en transport. Ten derde groeit in deze wereld een sterke culturele vernieuwing, in literatuur, poëzie, wetenschappen, geneeskunde en filosofie. Deze drievoudige verbondenheid geeft de islambeschaving een grote interne coherentie, over regionale grenzen heen. Dit geeft aan dat beschaving als cultureel concept een eigen draagwijdte heeft. Hoe kunnen we dit invullen?

Beschavingen of culturen geven zichzelf betekenis door het opbouwen en onderhouden van herinneringen, van een eigen 'collectief geheugen'. In zijn oudste en meest verspreide vorm gebeurt dit door het doorgeven van orale tradities. In meer sedentaire bevolkingsgroepen worden deze tradities over de eigen gemeenschap vaak geritualiseerd en gemonopoliseerd door erkende 'verhalenvertellers' (zoals de 'griot' in West-Afrika). Meer complexe en hiërarchische samenlevingsvormen ontwikkelen meer formele vormen van doorgeven van cultureel geheugen. Het meest complexe betekenissysteem is misschien wel de geschreven tekst. Lange tijd blijft de kennis van het schrift beperkt tot een kleine elite, wat het medium uiterst geschikt maakt voor het over lange tijd canoniseren van de eigen verhalen. Voor een brede verspreiding is het veel minder aangewezen. Hierin treedt pas een verandering op bij de veralgemening van het drukproces en later van de massamedia. Monumenten en architectuur behoren tot de meest krachtige en gepolitiseerde uitingen van collectief geheugen, gaande van de indrukwekkende piramides langs de Nijl tot stenen gedenkcultuur in de hedendaagse hoofdsteden. Instituties zoals kerken en later wetenschappelijke instellingen houden zich bezig met het vertalen, sommigen zeggen uitvinden, van het verleden en met de verspreiding ervan. De culturele transmissie gebeurt in complexe samenlevingen meer en meer door specialisten zoals priesters, leerkrachten, academici en kunstenaars. Regimes hebben door de tijd heen veel inspanningen gedaan om deze constructie en transmissie van het geheugen, en bij uitbreiding de bewaarders ervan, te controleren. Het is pas sinds enkele eeuwen dat de intellectuele en culturele productie vrijer kan gebeuren. Toenemende contacten, eerst op de snelheid van het paard of van de wind, nu op die van het licht, leiden tot meer beïnvloeding en uitwisseling van culturele betekenissystemen. Dit gebeurt lang niet altijd op een gelijke basis, zoals de koloniale ervaring leert. Het hardhandig opdringen van Europese waardepatronen heeft geleid tot een zogenaamde 'kolonisering van het geheugen', waarbij de eigen (in dit geval vooral Afrikaanse) tradities werden uitgevaagd (Afrikanen als *people without history*). Daartegenover hebben nieuwe vormen van culturele expressie en interactie, van dans en taal tot het Internet, ruimtes gecreëerd voor bewegingen van kritiek en verzet. Technieken van reclame en propaganda worden nu gebruikt door voor- en tegenstanders van de hedendaagse samenleving.

Culturele betekenisgeving staat centraal in de opbouw van culturen en beschavingen. Dat maakt dat het gebruik van de concepten cultuur en beschaving bijzonder omstreden is. Zo heeft het begrip beschaving meer dan één betekenis. De definitie in het *Groot Woordenboek der Nederlandse Taal van van Dale* brengt twee invullingen samen: 'toestand van beschaafdheid, van maatschappelijke, geestelijke of zedelijke ontwikkeling, hetzij in het algemeen, of zoals hij door tijd en plaats bepaald is'. Enerzijds wordt dus verwezen naar een algemene menselijke gedragscode, naar een hoge (hoogste?) vorm van menselijke samenleving. Beschaving verwijst naar eenheid en is enkelvoudig en inclusief. Anderzijds staat beschaving voor een context- en cultuurgebonden begrip. De nadruk ligt op het verschil. We spreken van beschavingen in het meervoud. Beschaving is hier een exclusief begrip.

Deze schizofrene houding tegenover het concept 'beschaving' vinden we ook terug in het verleden en in de studie van het verleden. Ofwel wordt verwezen naar een algemene ontwikkeling, met de focus (meestal) op vooruitgang. Vaak gaat dit samen met een evolutionair denken, met het conceptualiseren van de geschiedenis als een opeenvolging van fasen. Ofwel worden vooral verschillen benadrukt, vertaald als een onderscheid in ruimtelijke en, vooral, culturele termen. Er bestaan meerdere beschavingen en het behoren tot een bepaalde beschaving hangt af van cultuurgebonden (en vaak plaatsgebonden) patronen. Kunnen de uiteenlopende concepten geïntegreerd worden in één globaal verhaal? In dit hoofdstuk bekijken we de pogingen tot invulling van het begrip 'beschaving' in zijn enkelvoudige en meervoudige betekenis. We toetsen deze inzichten aan het vraagstuk van een 'westerse beschaving'. Ten slotte kijken we naar de rol van religie in dit verhaal.

1. Beschaving in het enkelvoud en het meervoud

De term 'civilization/civilisation/civilisatie' is afgeleid van het Latijnse *civis, citizen, citoyen,* burger, inwoner van een *civitas,* stad. De term 'beschaving' in het enkelvoud krijgt zijn 'moderne' betekenis in de 18de eeuw, onder invloed van het werk van de Franse verlichte filosofen. Van het substantief 'civilisation' wordt het (actieve) werkwoord 'civiliser' afgeleid. Het werkwoord wijst op een proces (aanleren van kennis, normen), het zelfstandig naamwoord geeft het einddoel weer, beschaving als hoogste trap in de menselijke geschiedenis.

Door de historische kijk op het proces van beschaven draagt het concept een tweedeling in zich. Beschaafd staat tegenover niet-beschaafd, barbaars. Deze dichotomie situeert zich hier niet zozeer ruimtelijk (verschillen tussen groepen), maar in de tijd (verschillen tussen periodes). Beschaving, ontwikkeling neemt toe in de tijd. Daarbij kunnen alle volkeren opgenomen worden in het beschavingsproces. Beschaving is dus een inclusief concept. Dit concept van ontwikkeling, vooruitgang ligt aan de basis van het moderniseringsdenken, dat in de 19de en 20ste eeuw de superioriteit van het Westen mee legitimeert en ondersteunt. Het uitgangspunt is dat alle volkeren tot een hogere trap van welstand en beschaving kunnen komen als ze zich aan de westerse ontwikkelingspatronen aanpassen. Zo vervangt de term 'modernisering' die van 'beschaving'. Dit laatste concept wordt in de 19de eeuw al te veel beladen met racistische connotaties en voor-oordelen. Niet beschaafd wordt gekoppeld aan raseigen of etnische kenmerken, mense-lijke verschillen worden gepercipieerd in termen van achterlijk.

Een tweede oorzaak voor de tanende populariteit van het concept 'beschaving' is de strikte connotatie met cultuur. Meer recent wordt die koppeling verbroken door te bena-drukken dat er ten eerste culturen kunnen bestaan zonder een beschaving te zijn ('pri-mitiever', kleinschaliger) en ten tweede dat beschaving niet gelijk is aan een hogere cul-tuur (of ethiek). Hogere materiële welvaart kan samengaan met meer geweld of met dic-tatuur. Dit alles maakt dat in de tweede helft van de 20ste eeuw het inclusieve bescha-vingsconcept veel aan populariteit heeft ingeboet. Nu verwijst men eerder naar algeme-ne, neutrale termen als mensheid, menselijkheid, menselijke waarden en menselijke waardigheid.

Beschaving als een meervoudig concept verdringt in de 19de eeuw de algemene idee van een inclusieve civilisatie. Beschavingen zijn al langer een ordenend principe in de analy-se van de wereld en haar geschiedenis, maar in de 19de-eeuwse westerse wereldvisie wordt beschaving als analyse-instrument snel heel populair. Via het uittekenen van een set karakteristieken van een menselijk collectief wordt de wereld en haar geschiedenis een optelsom van een reeks van beschavingen. Beschavingen zijn historische samenle-vingsvormen, met een ontstaan, een groei, een bloei en een neergang. De wereldgeschie-denis is dus niet één proces van beschaving, maar een opeenvolging (of cyclus) van beschavingen.

Tekst- en leerboeken over wereldgeschiedenis hanteren veelvuldig het beschavingscon-cept om het historische verhaal mee vorm te geven. Zelf blijven ze schaars met informa-tie over de wijze waarop ze het concept invulling geven. Samenvattend is hun invalshoek de volgende. Beschavingen (*civilizations*) zijn vormen van maatschappelijke organisatie die zich kenmerken door hun grote actieradius, zowel in plaats als in tijd. Ze overkoe-pelen kleinere maatschappijvormen zoals 'culturen'. Ze komen pas tot stand wanneer menselijke groepen zich hebben kunnen sedentariseren. Noodzakelijke voorwaarden voor de ontwikkeling van een beschaving zijn: een permanent agrarische surplus, eco-nomische specialisatie (ambachten, diensten, handel), sociale differentiatie (niet-agrari-sche elites), culturele en religieuze hiërarchie, politieke machtsconcentratie, de ontwik-keling van steden (*civitas*), van een ambtelijke bureaucratie en, meestal, van schrift, de ontwikkeling van nieuwe technologieën voor landbouw, productie, wapens, en de uit-bouw van contacten en netwerken met andere groepen (langeafstandshandel).

Beschaving valt hier dus samen met het in het vorige hoofdstuk gedefinieerde rijk (*empire*), hoewel de politieke en culturele actieradius niet altijd gelijk is (zoals het voorbeeld van de islambeschaving aangeeft). De opkomst van beschavingen betekent een nieuwe versnelling in de menselijke geschiedenis en daarom is het zinvol het concept als een analyse-instrument te gebruiken. Dit op voorwaarde dat beschaving voldoende 'gehistoriseerd' wordt, geanalyseerd wordt als een culturele samenlevingsvorm die ooit is ontstaan (samen met de eerste rijken) en ooit is verdwenen (met de opkomst van een mondiale economie, mondiale religies en het interstatensysteem).

In de overzichtswerken wereldgeschiedenis wordt vooral gefocust op zogenaamde 'wereldbeschavingen' met een grote historische nalatenschap. Samenvattend schetsen ze het volgende beeld.

a) Het ontstaan van vroege beschavingen, gegroeid uit de eerste landbouwculturen (de vier grote valleibeschavingen; tot 500 v.t.):

- Vallei van de Tigris en de Eufraat (Mesopotamië);

- Nijlvallei;

- Indusvallei;

- Valleien van de Gele Rivier (Hwang He) en de Yangtze.

Soms inclusief de vroege beschavingen van Midden-Amerika en de Andes (afhankelijk van de vraag wat wereldbeschavingen zijn).

b) De grote 'klassieke' beschavingen:

- gegroeid vanuit de 'vruchtbare sikkel': Perzië;

- Griekenland, de Hellenistische wereld, het Romeinse Imperium;

- China (Han);

- India (Mauryan);

- Midden-Amerika (Olmeken).

Soms inclusief Afrika met Ghana (4de-11de eeuw), Mali (12de-15de eeuw) en het Songhai-rijk (15de-16de eeuw).

c) 'Postklassieke' beschavingen:

- de islambeschaving;

- Byzantium en Orthodox Europa;

- China (Tang en Song);

- het Mongoolse Imperium;

- Midden-Amerika (Tolteken, Azteken) en de Andes (Inca's).

d) De wereld na 1500.

Er is geen melding meer van 'beschavingen', nog wel van 'rijken' (Ottomaans, Chinees, Mogol bv.). Er wordt gewerkt met begrippen als 'een (beginnende) trans-Atlantische economie', 'wereldeconomie', 'statensysteem' enz.

Over de 'grote' beschavingen bestaat een grote eensgezindheid. Moeilijker heeft men het met de beschavingen in Midden- en Zuid-Amerika en, vooral, Afrika. De auteurs zien hier een onafhankelijk beschavingsproces, maar vragen zich af of deze kernen vergelijkbaar zijn met de 'wereldbeschavingen' die de wereldgeschiedenis zo sterk hebben beïnvloed. Daarom blijft de vraag open: wat is nu juist een (grote) 'wereldbeschaving'? Nog problematischer wordt het wanneer de kaap van het jaartal 1500 wordt genomen. Plots verdwijnt de term 'beschaving' uit het vocabularium. Voldoen de 'moderne' samenlevingen niet meer aan het criterium? Zitten we opnieuw in een 'hogere' fase van ontwikkeling? Is de opkomst van het Westen niet verenigbaar met 'beschaving'? Hoe sluit dit aan bij de notie van een 'westerse beschaving' (zie verder)? Recente tekstboeken lijken meer afstand te nemen van het concept 'beschaving/*civilization*' als ordenend principe Zij spreken over rijken/*empires*, samenlevingen/*societies*, werelden/*worlds* en focussen meer op grenzen, contacten, keerpunten en transities.

Samengevat, bij het definiëren van beschaving als een in plaats en tijd bepaalde, goed afgelijnde, exclusieve maatschappijvorm kan een aantal vragen worden gesteld.

a/ Hoe komen we tot een goede, werkbare definitie van beschaving? Wat zijn de noodzakelijke voorwaarden op het gebied van ruimte (omvang), tijd (levensduur), coherentie (economische, politieke, culturele bindmiddelen) en impact (op latere beschavingen)?

b/ Hoe passen we beschavingen in een verhaal in dat de nadruk legt op interactie en interconnectie (wereldgeschiedenis)? Beschavingen als afwisselende cycli is een achterhaald beeld.

c/ Wat doen we met het begrip 'beschaving' in de hedendaagse wereld? Kan het historische concept nog worden gebruikt, of zitten we nu in een andere wereld?

Sommige wereldhistorici zoals Bruze Mazlish pleiten er dan ook voor om het concept volledig te verlaten: 'Civilization is one of those great Stonehenge figures looming over our mental landscape. Like its adjacent figure, culture, it is one of the major concepts invented and constructed in the eighteenth century and subsequently elaborated in the course of the development of the social sciences. In the new millennium, it has become a fetish. In the new time-space we have entered, it should not only be "deconstructed" but taken down' (Mazlish, 2004).

2. Civilisations sont des continuités (Fernand Braudel)

Beschavingen zijn dus niet eeuwig, noch is dat het concept. Voor de helderheid beperken we het concept 'beschaving' tot de periode vanaf de eerste succesvolle landbouwsamenlevingen tot de expansie van het moderne, globaliserende wereldsysteem vanaf de 16de eeuw. Beschavingen als onderscheiden samenlevingsvormen worden 'herkend' dankzij een fysieke (bevolking, economie, militair) en een culturele expansie (normen, legitimatie, taal). Ze moeten bijgevolg voldoende 'groot' zijn, in ruimte (uitgebreid), in tijd (langdurig) en in samenstelling (coherentie). Daarnaast moeten ze zichzelf definië-ren als coherente samenlevingsvormen. Succesvolle beschavingen zijn daarom ook altijd zichtbaar via een eigen zingeving en een eigen materiële productie. Het culturele bind-middel is essentieel. Binnen een min of meer coherent cultureel systeem kan er een opeenvolging, een afwisseling zijn van economische en politieke systemen.

De Franse historicus Fernand Braudel (*Grammaire des Civilisations*, 1963) definieert beschavingen als vier overlappende (maar daarom niet altijd in plaats en tijd gelijke) ruimtes of arena's.

a/ Beschavingen zijn fysieke, ecologische ruimtes ('*espaces*'). Dit zijn de ruimtes die de mens binnen zijn natuurlijke omgeving heeft gecreëerd. Die ruimtes worden ener-zijds gedefinieerd door de natuurlijke omstandigheden (zeeën, wateren, bergen, vlaktes, klimaat, fauna en flora enz.), anderzijds door de keuzes die de mensen heb-ben gemaakt om binnen die omstandigheden een samenleving op te bouwen (vorm van landbouw, keuze van gewassen, nederzettingstypen (dorpen), infrastructuur enz.).

b/ Beschavingen zijn culturele ruimtes. Binnen de materiële nederzettingsvormen ont-wikkelen zich specifieke culturele standaarden, patronen zoals 'collectieve mentali-teiten' en religies.

c/ Beschavingen zijn sociale ruimtes. Sociale patronen bepalen het type van samenle-ving. Binnen al deze samenlevingsvormen ontwikkelen zich sociale groepen en soci-ale verhoudingen (hiërarchie, ongelijkheid). Steden zijn de centra van macht.

d/ Beschavingen zijn economische ruimtes. Elke beschaving moet rijkdom, surplus creëren om te overleven. De basis is altijd de landbouw. Hierop ontwikkelen zich meestal systemen van industriële productie en van handel.

De grenzen van deze ruimtes of arena's zijn geenszins absoluut. Patronen, vooral van cul-turele aard, worden evenzeer gevormd door interactie met andere culturen/beschavin-gen. Een beschaving groeit dus in interactie met de buurvolkeren/culturen/beschavin-gen. Deze vier ruimtes vormen één geheel, ze functioneren niet los van elkaar. Een beschaving verbindt deze vier ruimtes en geeft er een continuïteit aan. 'Civilisations sont des continuités', zegt Braudel. Beschavingen hebben daarom ook altijd een verleden, dat mee bepaalt welke weg een beschaving aflegt. Beschavingen bestaan daarom ook omdat ze zichzelf definiëren als een zichzelf overlevend samenlevingspatroon. Beschavingen hebben altijd een eigen zingeving, meestal in dichotomie met de 'buitenwereld'.

Hoewel de vier ruimtes/arena's met elkaar zijn verbonden, elkaar overlappen, vallen ze geenszins geheel samen. De tijdsdimensie binnen deze ruimtes is niet gelijk. Fysieke ruimtes en culturele ruimtes veranderen veel trager dan sociale en economische ruimtes. Volgens Braudel overleven beschavingen dus cycli in de sociale, politieke en economische patronen. Dit geldt echter niet voor het culturele draagvlak. Braudel legt daarom de nadruk op culturele waardepatronen als onderbouw van beschavingen. Zij zijn veel tijdsbestendiger dan de meer grillige politieke of economische cycli. 'De beschaving is de grootvader, de patriarch van de wereldgeschiedenis. Religieuze waarden vormen het hart van elke beschaving', schrijft Braudel. Beschavingen zijn ook eindig. Ze verdwijnen wanneer het culturele draagvlak wordt ondermijnd (interne spanningen), door wijzigingen in de fysische omgeving (klimaat, ecologie) of door conflicten met andere volkeren (externe spanningen).

3. Beschavingen in conflict

In 1996 publiceert de Amerikaanse politieke wetenschapper Samuel Huntington *The Clash of Civilizations and the Remaking of World Order*. Dit opgemerkte boek wil een analyse maken van de hedendaagse mondiale samenleving na de val van het Oostblok in 1989. Het samenlevingsmodel van na 1945 (twee blokken, Koude Oorlog) is verdwenen, er is dus behoefte aan een nieuw paradigma voor de mondiale politiek. Huntington gaat uit van drie premissen. Ten eerste, de wereld na 1989 is niet unipolair zoals vaak wordt verondersteld, maar multipolair. Ze bestaat uit meerdere grote blokken, die hij 'beschavingen' noemt. De 20ste eeuw zorgde wel voor een intensifiëring van contacten tussen deze beschavingen, maar van convergentie is er niet echt sprake. De these van een algemene verwestersing van de wereld is volgens Huntington een mythe. Ten tweede, de verschillen tussen deze beschavingen zijn in de eerste plaats cultureel bepaald en meer in het bijzonder religieus. Politieke, sociale en economische modellen zijn hiervan een afgeleide. Ten derde, de dominantie van de westerse beschaving, zo prominent in de 20ste eeuw, is tanende. Tegelijkertijd nemen de macht en de aanspraken van andere beschavingen toe. Deze beschavingsblokken leven vooralsnog meestal vreedzaam naast elkaar, maar de toenemende verschillen zijn niettemin de bron voor mogelijke nieuwe (wereld)conflicten.

Op basis van deze premissen formuleert Huntington de hypothese dat de 21ste eeuw toenemende mondiale spanningen zal kennen, die vooral zullen plaatsvinden op de breuklijnen tussen de grote beschavingsgebieden. Een ervan is die tussen het Westen en de islam. Bij deze analyse kan een aantal vragen gesteld worden. In welke mate kunnen we de wereldbevolking van de 21ste eeuw indelen in quasi homogene groepen op basis van religie en geografisch afgelijnd? In welke mate kunnen alle conflicten teruggebracht worden tot een botsing tussen deze beschavingen en hoe zit het met conflicten over economische bronnen zoals olie, water, grondstoffen? Hoe verhoudt Huntingtons verdeelde wereld zich tot de globale kapitalistische economie van de 21ste eeuw? In hoeverre kan een dergelijk wereldbeeld een *'selffulfilling'* karakter hebben (stigmatiseren van andere bevolkingsgroepen, vertalen van conflicten in culturele termen)? En ten slotte: kun je vandaag nog spreken van aparte beschavingen?

De visie die Huntington populariseert, onttrekt het begrip 'beschaving' aan de idee van modernisering en ontwikkeling. De focus ligt op eenheid en exclusiviteit, op verschillen en onverenigbaarheid. In een recent boek, *Identity and violence, the illusion of destiny* (2007) gaat de gerenommeerde econoom van de Verenigde Naties en Nobelprijswinnaar economie, Amartya Sen, in tegen de idee dat de wereld afstevent op een oorlog, een clash tussen beschavingen. Mensen zijn niet lid van één bepaalde groep en hebben niet één specifieke en vastomlijnde identiteit. In werkelijkheid behoren ze tot diverse groepen, die voortdurend de soms uiteenlopende aspecten van onze complexe identiteit bepalen. Wie mensen brandmerkt vanuit één, alles bepalende identiteit, stuurt aan op polarisatie en geweld. Omdat mensen steeds op zoek zijn naar nieuwe aspecten in hun veelgelaagde identiteit, moeten we ons afkeren tegen academici en politici die zich blindstaren op één etiket als etnie of religie, stelt Sen. Ze zijn 'de profeten van de confrontatie, de doemdenkers van de *clash of civilizations'*. Het categoriseren van mensen op basis van één of enkele exclusieve kenmerken is dus gevaarlijk. Heel wat barbaarse conflicten in de loop van de geschiedenis komen voort uit de veronderstelling van het bestaan van een unieke en superieure identiteit. Sen wil dat we afstappen van een denken dat mensen categoriseert in termen van geërfde tradities, inzonderheid van geërfde cultuur en religie. Hij wil af van de idee dat identiteit een lot is, af van de *illusion of destiny*.

4. Een westerse beschaving?

De definitie van beschaving als een door de tijd heen coherent cultureel patroon doet de vraag rijzen naar de eigenheid van elke beschaving. Deze discussie is erg zichtbaar in de vraag over het bestaan en de identiteit van een westerse beschaving. Willen we weten of er zoiets bestaat als een westerse beschaving, dan moeten we eerst te weten komen wat het Westen (een gebied, met hoofdletter) is. Het westen (zonder hoofdletter) is uiteraard in de eerste plaats een windstreek, een richting op een kompas. 'Westen' is afgeleid van het Indo-Germaanse woord 'wespero', avond. De richting van de zonsondergang geeft het westen aan. In overdrachtelijke zin wordt het Westen zo ook het Avondland genoemd. Daarnaast hebben we met de invoering van de nulmeridiaan de wereld opgedeeld in een westelijke en een oostelijke hemisfeer. De scheidslijn hiertussen valt echter geenszins samen met wat aangevoeld wordt als westers en niet-westers. Westers is iets anders dan westelijk.

De tegenstelling tussen West en Oost leeft allang in de Europese geschiedenis, denken we aan het schisma binnen de christelijke kerk (west: rooms-katholiek, oost: orthodox), aan de idee van westerse en oosterse productiewijzen (bv. Marx) of levenswijzen (bv. Weber) en aan de politieke opdeling na Wereldoorlog Twee (het Vrije Westen, het Oostblok). Wat er ook van zij, het gebruik van een term als 'het Westen' of 'westers' verwijst altijd naar een opdeling, een dichotomie. Het bestaan van een westerse wereld veronderstelt dan ook het bestaan van 'iets anders', een niet-Westen.

De term 'westerse beschaving' staat centraal in de leerboeken over 'Western Civilization'. Hierin kunnen twee visies op het historische concept 'Westen' teruggevonden worden. De eerste brengt de voorgeschiedenis terug tot de eerste beschavingen in Mesopotamië en de Nijldelta (buiten het huidige Europa dus). De stelling is dat het Westen een idee is en daarom niet gekoppeld is aan een vaste plaats. De locatie van het 'Westen' wijzigde zich gedurende de geschiedenis:

- een start in 'westerse' stedelijke centra buiten Europa, in Mesopotamië;
- overgedragen en verder ontwikkeld binnen de Griekse en Romeinse beschavingen;
- vanaf de late Middeleeuwen smelt West-Europa deze tradities samen en van hier breekt 'The West' in alle richtingen uit;
- nu domineert het Westen de mondiale beschaving.

De westerse beschaving is dus de resultante van een proces van duizenden jaren, vanaf het ontstaan van eerste landbouwbeschavingen tot de mondiale samenleving van nu. De kern verschuift – letterlijk – ook steeds naar het Westen: Mesopotamië, Griekenland en Rome, West-Europa, over de Atlantische Oceaan naar Noord-Amerika.

Anderen stellen deze lineaire visie ter discussie. Zij beamen dat het 'Westen' geen geografische notie is, of geen specifieke verzameling van volkeren, rassen, landen. Het Westen wordt gedragen door een set van ideeën, waarden, gewoonten, geloof, zoals: menselijke gelijkheid en waardigheid, rechtsgelijkheid, democratie, rationaliteit, religieuze tolerantie, geloof in 'vooruitgang', vrijheid van expressie en onderzoek. Deze waarden hebben de wereld 'veroverd' en daarom is een onderzoek naar de westerse beschaving in hun ogen verantwoord. Toch is het moeilijk één lijn te trekken vanaf het heden tot aan Sumerië of Babylon. Deze auteurs leggen de wortels van het Westen in de periode 300 v.t.-1300 n.t., dus met de Romeinse expansie en de opkomst van het christendom. Het Westen krijgt pas vorm in de gekerstende wereld in 500-1500 n.t. Vandaag is in deze visie het Westen (bijna) overal, als een beschaving, als een culturele traditie, als een set van morele en intellectuele waarden.

Wat kunnen we in de hedendaagse wereldgeschiedenis met het concept van een westerse beschaving? Om eerder aangehaalde redenen is het beter de wereld na 1500 te beschrijven met minder geladen begrippen als 'maatschappij' of 'systeem'. Niettemin blijft de idee dat de hedendaagse wereld het orgelpunt is van een westers beschavingstraject, erg populair. Indien dit zo is, wat zijn dan de wortels hiervan? Vanaf wanneer kunnen we spreken van een systeem, een *beschaving* die voldoende *continu en coherent* is? Braudel parafraserend, om van één beschavingstraject te kunnen spreken, moet het ondersteund worden door gelijke beginselen wat sociale, economische en culturele organisatie betreft. In de literatuur vinden we, samengevat, drie opties terug.

De eerste optie brengt zoals eerder aangegeven de westerse beschaving terug tot de vroege landbouwculturen in de 'vruchtbare sikkel' (van Mesopotamië tot de Nijl). Deze optie is populair, omdat ze aansluit bij het verlangen de eigen beschaving zo duidelijk en zo dominant mogelijk op de (historische) kaart te zetten. Oude en prestigieuze wortels hebben een belangrijke legitimerende kracht. Het doortrekken van het 'Westen' tot het oude Midden-Oosten is echter wetenschappelijke onzin. Er is met de hedendaagse wereld nauwelijks coherentie en continuïteit. De kennis die wordt doorgegeven (landbouw, techniek, schrift, geld, wetten, wiskunde), wordt ook gedeeld door beschavingen van Noord-Afrika en het Midden-Oosten. Zijn zij dan ook 'westers'? Er is een beïnvloeding (zoals heel vaak), maar dat is onvoldoende om van één continu beschavingstraject te kunnen spreken.

De tweede optie zoekt de wortels in de Griekse en Romeinse wereld. Deze optie heeft een grotere wetenschappelijke geloofwaardigheid, maar ook hier zijn er problemen van voldoende coherentie en continuïteit met de latere wereld. Ten eerste is de Griekse en Romeinse wereld meer gericht op de oostelijke dan op de westelijke (en noordelijke) wereld (Europa). De contacten en beïnvloeding gebeuren vooral met beschavingen en culturen uit het oosten. Ten tweede hebben Griekenland en Rome een grote invloed op de Europese samenleving, maar ook op Byzantium, de Arabische wereld, Rusland, Perzië en India. Ten derde is er na 500 een belangrijke breuk tussen de Griekse en Romeinse wereld enerzijds en de westerse wereld anderzijds. Het Westen neemt inderdaad veel over. Echter niet door directe overlevering, maar eerder door heruitvinding en imitatie (1000 jaar na de val van het West-Romeinse rijk). Daarnaast zijn er grote verschillen tussen enerzijds het oude Griekenland en Rome en anderzijds het Europa na 1500, zoals het concept 'democratie', de sociale verhoudingen, de organisatie van de staat, de culturele patronen (verschillen in religie, taal enz.).

De derde optie brengt de westerse beschaving terug tot de hoge en late Middeleeuwen in Europa (periode 1000-1500 n.t.). Hier groeien de kiemen van het latere Europa en van een westers model dat na 1500 verder zal worden uitgedragen. Er is een voldoende coherentie en continuïteit tussen de periodes vóór en na 1500, zowel wat de politieke en sociale organisatie (steden, staatsmodellen, moderne staat en bureaucratie), de economische organisatie (handelssystemen, nieuwe sociale groepen), als cultuur en religie (christendom, intellectueel leven, technologie, wetenschap) betreft.

Deze drie velden vertonen een duidelijk eigen patroon, dat de wereld na 1500 verder mee zal vormgeven: politiek: nationale staten; economie: kapitalisme; cultuur: christendom, westerse filosofie. Om te kunnen spreken van een beschaving is het nodig dat er voldoende interne coherentie en continuïteit is op het vlak van sociale, economische, culturele en politieke patronen. Daarbij is het externe aspect belangrijk. Er moet naast een grote eigenheid een voldoende openheid zijn naar andere culturen en beschavingen, zowel wat het assimileren van nieuwe kennis en inzichten betreft, als in de vorm van economische en politieke expansie. Het westerse/Europese model na 1500 voldoet aan deze twee voorwaarden. Het is zo dat Europa zich in het tweede millennium op de kaart zet.

5. Wereldreligies

Religie is des mensen. Dat wil niet zeggen dat religie van alle tijden is. Religieuze beleving bestaat waarschijnlijk al enkele honderdduizenden jaren. De oudste archeologische aanwijzingen van een groepsgebonden religie zijn niet ouder dan 25.000 jaar. Religie is alleszins niet ouder dan taal. Taal is nodig om kennis te accumuleren en door te geven, en om een virtuele wereld van verbeelding mogelijk te maken, bevolkt met de belangrijke – levende, dode en afwezige – actoren in het leven. De voorbije tien- of zelfs honderdduizenden jaren ontwikkelen zich vele vormen van prototalen en protoreligies. Definiëren we religies als sociale systemen waarin de leden op een georganiseerde manier hun geloof belijden in een of meerdere bovennatuurlijke agenten, dan zijn religies in de menselijke geschiedenis echter heel recente verschijnselen. De meeste zijn echter al verdwenen, zonder een spoor na te laten. Sommige zijn heel oud, andere dateren van gisteren. De grote godsdiensten van vandaag zijn echter hoogstens enkele duizenden jaren oud.

De mensheid is de enige diersoort met een religie. Religies ontstaan daar waar en wanneer mensen nieuwe vormen van samenleven, cultuur en communicatie ontwikkelen. Meestal ontstaan ze onafhankelijk van elkaar, maar niettemin vertonen religies overal ter aarde opvallend veel overeenkomsten. Algemeen wordt aangenomen dat religie drie individuele en maatschappelijke functies had en heeft: troost in het lijden en verlichting van angsten (voor de dood); verklaring van wat (nog) onverklaard is; bevordering van groepssamenwerking (tegenover beproeving en gevaar). Dit verklaart nog niet waarom en waar welke religies ontstaan, maar het geeft wel aan dat religieuze systemen een grote maatschappelijke functionaliteit hebben.

Een belangrijke stap in de wereldgeschiedenis is de transformatie van informele en lokale volksreligies in grotere, georganiseerde godsdiensten. *Volksreligies* zijn kleinschalige polytheïstisch geloofssystemen die voortkomen uit het dagelijks leven van mensen die in kleine groepen samenwonen. Het proces van domesticatie betekent naast de ontwikkeling van landbouwsystemen en van grotere nederzettingen ook een proces van schaalvergroting en institutionalisering in de religie. Binnen de toenemende arbeidsverdeling groeit een aparte groep of klasse van priesters of sjamanen (sjamaan: hij die weet) die een monopoliepositie claimen in de organisatie van de religieuze beleving. Religie wordt door deze gilde van beheerders eveneens 'gedomesticeerd'. Deze nieuwe '*staatsreligies*' schrijven zich in een nieuwe maatschappelijke ordening in van gezag- en geweldmonopolie en maatschappelijke hiërarchie. Daarnaast helpt een gedeelde ideologie of religie nieuwe samenlevingsverbanden te smeden in grotere groepen zonder directe verwantschap en geeft ze een motief om te strijden (en te sterven) voor een gemeenschappelijk doel.

Zoals hoger aangegeven, worden beschavingen meestal gedefinieerd als culturele ruimtes. Hierin speelt religie een hoofdrol. Religies die succesvolle beschavingen onderbouwen, kunnen uitgroeien tot *wereldreligies*. In het eerste millennium vóór onze tijdrekening ontstaan onafhankelijk van elkaar in vier verschillende gebieden de grote religieuze tradities waar de mensheid zich nog altijd grotendeels op verlaat: confucianisme en taoïsme in China, hindoeïsme en boeddhisme in India, monotheïsme in Israël en filosofisch rationalisme in Griekenland. De gebieden van origine liggen allemaal in Eurazië en zijn ook kernen van bloeiende stedelijke beschavingen. De drie grote monotheïstische godsdiensten, jodendom, christendom en islam, ontstaan in dezelfde regio, de landbrug tussen Azië, Europa en Afrika. Deze nieuwe tradities breken met het kleinschalige polytheïsme en maken allemaal via een eengemaakte doctrine universele aanspraken. Het hindoeïsme, de oudste traditie, vereert weliswaar een plejade van goden, maar benadrukt een eengemaakte 'juiste levensweg'. Het boeddhisme ontstaat als een reformisti-sche beweging binnen het hindoeïsme en is de eerste grote missionaire godsdienst (Zuidoost-Azië, China, Japan). In de zesde eeuw v.t. ontstaan in Oost-Azië de ethische leer van Confucius en de mystieke religie van Tao. Zij blijven gebonden aan de Chinese beschaving. De verspreiding van het judaïsme vanuit haar kerngebied is een gevolg van eeuwenlange vervolging.

Wereldreligies hebben drie belangrijke elementen gemeen. Eén, in plaats van een uitge-breid pantheon van goden, stellen ze één centrale bron van ordening in het universum voor. Twee, ze ontwikkelen allemaal een overkoepelende religieuze en morele gedrags-code. Drie, ze stellen mits bekering hun geloofspatroon open voor buitenstaanders. Hoewel de wortels van een aantal van deze religies veel ouder zijn, krijgen de belang-rijkste heilige teksten (zoals de Bijbel, de Veda's en de Koran) pas hun definitieve vorm in de periode 600 v.t. en 600 n.t. Het is dan dat de belangrijkste woordvoerders van deze religies, Jezus in Palestina, Siddhartha Gautama (Boeddha) in India, Confucius in China en Mohammed op het Arabische schiereiland, leven en onderwijzen. Het is juist in deze 'axiale periode' (scharnierperiode) dat de connecties en interacties in de Euraziatische ruimte sterk groeien. Filosofen en profeten ontwikkelen systemen van ethiek en moraal die hun eigen groep kunnen overstijgen en op basis waarvan meer algemene, universe-le aanspraken kunnen worden gemaakt. Hierbij horen ook de werken van de grondleg-gers van de westerse filosofie, zoals Socrates, Plato en Aristoteles. De nieuwe wereldreli-gies ontstaan en verspreiden zich allemaal binnen expanderende rijken of beschavingen. De dynamiek tussen religieuze en politieke/militaire expansie heeft in belangrijke mate de wereld van de voorbije 2500 jaar hertekend. De sterkste drijfveer is het samenvallen van wereldlijk en religieus gezag zoals in christelijk Europa, in de islamitische rijken of in confucianistisch China. Daarnaast verspreiden religieuze bewegingen zich op een meer autonome manier via de bestaande handels- en verkeersroutes. Het meest typische voorbeeld is de Joodse diaspora na de val van Jeruzalem onder de Romeinen.

Vaak worden de wereldreligies beperkt tot drie religies, boeddhisme, christendom en islam. Dit zijn nog altijd de grote missionaire godsdiensten (christendom en islam) en religies (niet-theïstisch boeddhisme). Hun wortels liggen in eenzelfde, dissidente tradi-tie. Het boeddhisme ontstaat in de vijfde eeuw v.t. als een reactie op en een hervorming van het hindoeïsme. De wortels van het christendom liggen in een joodse splinterbewe-ging omstreeks het begin van de jaartelling en groeit vooral als een geïnstitutionaliseer-de kerk vanaf de vierde eeuw n.t. De islam (zevende eeuw n.t.) is de derde monotheïsti-sche openbaringsgodsdienst en keert terug naar de wortels van het judaïsme en het christendom.

Wereldreligies verspreiden zich vanuit hun ontstaansgebieden via oorlog en verovering, via handelsroutes, via bekering en via de adaptatie door elites. De middeleeuwse expansie van het christendom en de islam gebeurt in belangrijke mate door het veroveren van nieuwe gebieden. Het boeddhisme kan zich buiten India verspreiden via de zijderoutes, de islam volgt in Afrika de grote handelsroutes door de Sahara en langs de Swahilikusten. Bekering (missionering) is een belangrijk onderdeel in deze drie religies. Het grootste succes boeken religies die door de elites geïncorporeerd worden in grote rijken, zoals het boeddhisme in India en later in China, Japan, Korea en Tibet, het confucianisme en het taoïsme in China, de islam in Arabië, Noord-Afrika en Centraal-Azië, en het christendom in Europa en Rusland.

De drie grote missionaire religies promoten in de volgende eeuwen een belangrijk deel van de interculturele contacten, eerst in Eurazië, later in Afrika, Amerika en Oceanië. Na de 16de eeuw ontstaat er een nieuwe dynamiek. In Europa zorgen de reformatie en de contrareformatie voor een nieuwe golf van 'evangelisering' en bevestigen ze de rol van het katholicisme en het protestantisme als staatsgodsdiensten. De kolonisatie in Amerika en Afrika zorgt voor een nieuwe expansie. De islam kan zich versterken in Zuidoost-Azie en in Afrika, en vergroot in vele gebieden de greep op het bestuur. Het boeddhisme wint aan populariteit in Centraal-Azië, China en Japan, en wordt een element van politieke controle in Mongolië en Mantsjoerije. Tot de 19de eeuw wordt de wereld gedomineerd door rijken en staten met een duidelijk religieus profiel en waar politieke en religieuze leiders elkaars autoriteit versterken. Het debat over een mogelijke causale relatie tussen religie en politieke en economische expansie is echter nog altijd onbeslist. Oudere theses zoals die van Max Weber over kapitalisme en protestantisme zijn gestoeld op een gebrekkige kennis van niet-Europese beschavingen. Elke wereldreligie heeft haar grote denkers en haar periodes van intellectuele bloei en expansie. Vaak vinden die plaats in tijden van relatieve religieuze openheid en tolerantie, zoals ten tijde van de expansie van de islamitische rijken in (8ste-14de eeuw), Song China (10de-13de eeuw), Mogol India in de 16de-17de eeuw, en de Verenigde Nederlanden en het Verenigd Koninkrijk in de 17de-18de eeuw.

Vandaag zijn de wereldreligies grotendeels ontkoppeld van politieke regimes. Via nieuwe vormen van bekering en diaspora hebben ze zich echter verder verspreid dan ooit. Ondanks de opkomst van nieuwe bewegingen bekent het overgrote deel van de gelovigen zich nog altijd tot de wereldreligies die hun wortels hebben in de zes eeuwen voor en de zes eeuwen na onze jaartelling. De grootste groep zijn de christenen (2,1 miljard, iets meer dan 50% katholiek, de rest protestant, anglicaan, orthodox, …), gevolgd door de moslims (1,3 miljard, 80% soenniet en 20% sjiiet), de hindoes (900 miljoen), de aanhangers van Chinese godsdiensten (390 miljoen, zoals taoïsten en confucianisten), de boeddhisten (375 miljoen) en de joden (15 miljoen).

7. Een gescheiden wereld: *The West and The Rest*

In het begin van de 15de eeuw meert een enorme Chinese vloot aan de oostkust van Afrika aan, 90 jaar vóór de Europeanen daar arriveren. Dit is het geografische eindpunt van een reeks indrukwekkende expedities. Wanneer de nieuwe Ming-keizer Yong Le in 1402 de troon bestijgt, is het Chinese rijk intern geconsolideerd. Daarom kan hij veldtochten ondernemen tegen de dreigende Mongolen en zee-expedities promoten naar zuidelijk en oostelijk gelegen gebieden. Op keizerlijk bevel wordt een enorme vloot gebouwd van 300 schepen, met een bemanning tot 28.000 zeelieden. Sommige jonken zijn 120 meter lang en 50 meter breed, de grootste houten schepen tot dan. Al in 1405 kan de eerste expeditie vertrekken, onder leiding van een moslim, eunuch van het hof Zheng He. Tot 1433 volgen zeven expedities elkaar op, in de richting van de Indonesische archipel, naar Champa, Java, Sumatra, Malakka, Ceylon en Calicut op het Indische schiereiland. Verder varen de Chinezen via de Perzische Golf naar de kusten van Afrika, tot in de buurt van Somalië. Een vloot bestaat gemiddeld uit 60 schepen, met een totale bemanning die in de duizenden loopt. Wat zijn de motieven voor deze unieke reeks zee-expedities? Een mengeling van militaire en diplomatieke overwegingen en redenen van prestige speelt hierin een bepalende rol. Zeker is dat de Chinezen deze veraf en dichterbij gelegen territoria niet verkennen met het doel ze te veroveren of er permanente nederzettingen te vestigen. Eerder willen ze een tribuutrelatie van de ontdekte gebieden ten aanzien van het Chinese centrum instellen. Zo zoekt de nieuwe dynastie wellicht uitbreiding en versterking van haar positie in een groot aantal nieuwe vazalstaten. Mee dankzij de expedities knoopt China handels- en tribuutrelaties aan met onder meer Korea, Japan, Cambodja, Champa, Siam en Maleisië. Deze landen zenden ambassadeurs naar het Ming-hof om beladen met geschenken hun onderwerping aan de Zoon des Hemels te betuigen. Die geschenken hebben niet zozeer een economische, dan wel een symbolische waarde.

Het bruuske afbreken van deze onderneming is al even raadselachtig. Waarom staken de Chinezen in 1433 alle overzeese verkenningstochten? Ze staan op dat moment op het punt om Kaap de Goede Hoop te ronden, ze beschikken over uitstekende en zeewaardige schepen, en hebben intussen een grote expertise opgebouwd in cartografische en navigatietechnieken. In de eeuwen na 1433 varen geen Chinese vloten meer over de wereldzeeën. Meer nog, alle contacten met buitenlanders worden streng gereglementeerd. Buitenlandse handel wordt aan allerlei beperkingen onderworpen. Dit gebeurt niet alleen op ideologische gronden, maar ook uit vrees voor de ondermijnende invloed die zou uitgaan van directe relaties met de 'barbaren' met afwijkende zeden en gewoonten.

Op hetzelfde moment dat China opnieuw in zichzelf keert, start Europa met zijn ontdekking van de wereld. Niet China, maar Europa beheerst een eeuw later een groot deel van de internationale golven. Het feit dat een keizerlijke beslissing de ontdekkingsreizen kan beëindigen, is in het Europa van de 15de eeuw ondenkbaar. China bouwt sinds lang (derde eeuw v.t.) aan een politiek eengemaakt rijk, waar het centrale gezag economische beslissingen mee kan sturen. Het Europa van de 15de eeuw is daarentegen sterk gefragmenteerd. Wanneer Christoffel Columbus, Italiaan van geboorte, zijn vaarplannen wil laten financieren, krijgt hij pas in vijfde orde gehoor aan het Spaanse hof. Het is maar dankzij de intense competitie in het verdeelde Europa dat Columbus zijn reis kan laten financieren en, vooral, dat na zijn succesvolle ontdekkingen zes andere landen zich mengen in de wedloop naar de Nieuwe Wereld. Europa wordt, in tegenstelling tot het oude China, nooit meer een eengemaakt politiek geheel met één centraal gezag. Het territorium dat omstreeks 1500 nog honderden onafhankelijke staatjes telt, wordt in de 20ste eeuw bestuurd door 25 tot 40 naties. Europa is veel meer dan China een geografisch versplinterd gebied gebleven, met heel wat kleine kernregio's en vele, onregelmatig uitgesneden kustgebieden. Dit verhindert een eengemaakt centraal gezag, maar promoot de groei van diverse, concurrerende groeicentra. Wat voor heel lange tijd een groot nadeel was, wordt na 1500 een stuwende kracht voor het 'nieuwe' Europa.

1. The Rise of the West en The Great Divergence

De periode waarin Zheng He en Christoffel Colombus hun expedities ondernemen is een keerpunt in de wereldgeschiedenis. Omstreeks 1500 n.t. leven we in een wereld in stukken. Niemand heeft kennis van de globale wereld, de 'wereldbeelden' zijn opge-splitst, zij dat ze voor het Afro-Euraziatische deel van de wereld sterk in elkaar overlo-pen. Elk rijk, elke cultuur of elke beschaving heeft een goede kennis van de eigen wereld en een impressionistisch beeld, via observatie, overlevering of rapporten, van een deel van de buitenwereld. Dat de wereld na 1500 een heel ander uitzicht (en inzicht) krijgt door de spectaculaire 'rise of the West' is op dat moment niet te voorspellen.

Hoewel nog uitgestrekte gebieden van de wereld, in de meer noordelijke en zuidelijke richting, niet verbonden zijn met de centra van ontwikkeling, leeft in 1500 de meerder-heid van de wereldbevolking binnen de grenzen van grote beschavingen of rijken. De meeste zijn onderling verbonden via netwerken van uitwisseling, communicatie en han-del. In Eurazië, maar ook in sub-Sahara Afrika en Midden- en Zuid-Amerika groeien en bloeien economische, politieke en culturele contactzones. Verschillen in intensiteit, schaal en succes zijn belangrijk, maar toch vallen vooral de gelijkenissen op. Een sterke landbouw, intensieve handelsrelaties, zelfbewuste politieke centra, militaire slagkracht en cultureel prestige typeren de expansieve beschavingen en rijken.

Na 1500 neemt de wereldgeschiedenis een belangrijke wending. De wereld wordt gro-ter en globaler, er zijn veel meer contacten/interacties op wereldschaal. Vooral vanaf 1800 gaat dit samen met groeiende regionale verschillen in economische groei en wel-vaart. Een meer geïntegreerde wereld is geen meer gelijke wereld. Een nieuwe groeipool, Europa en het Westen, neemt het voortouw: *The Rise of the West*; andere delen van de wereld lijken achterop te raken: de grote kloof of *The Great Divergence*. Het vraagstuk van het waarom van de Great Divergence in de 19de eeuw bestaat uit drie aparte, maar gerelateerde vragen. Ten eerste, hoe kan een deel van de wereld ontsnappen aan de gren-zen van economische groei, inherent aan agrarische samenlevingen? Ten tweede, waar-om stoot deze groeiversnelling niet op zijn eigen grenzen, maar kan zij zich – weliswaar gedeeltelijk – doorzetten buiten de grenzen van het eerste kerngebied, West-Europa? Ten derde, waarom slagen zoveel andere landen en regio's er niet in het groeimodel over te nemen? Zo komen we bij een van de belangrijkste maatschappelijke vragen van van-daag: hoe komt het dat sommige delen van de wereld rijker zijn dan andere? Waarom vinden we rijkdom nu vooral in wat we het Westen of Noorden noemen en armoede vooral in de rest van de wereld? Wanneer en waardoor is deze situatie ontstaan?

Is men het meestal eens met de visie dat de periode na 1500 een nieuwe fase is in de wereldgeschiedenis, veel minder eensgezindheid is er over de aard, de oorzaken en de gevolgen van deze veranderingen. Ligt de opkomst (of renaissance) van Europa en het Westen vervat in een lange voorgeschiedenis? Zit de groei na 1500 in de genen van de Europese samenlevingen die na de chaotische post-Romeinse periode worden heropge-bouwd? Geven de ecologische omstandigheden Europa een voordeel? Of is er vooral toeval in het spel, een factor van geluk die Europa een (tijdelijk?) comparatief voordeel geeft op andere 'beschavingen'? Heeft het misschien meer te maken met een terugval, een 'sclerosering' van andere grote culturen zoals de islamwereld, India en China? Of wordt de opkomst van Europa overdreven en neemt dit continent pas echt het voortouw na 1800? Kan het zelfs zo zijn dat we, op lange termijn, kunnen spreken van een 'interludium', een tussenfase van Europese/westerse dominantie tussen een oosters overwicht vóór 1500/1800 en na 2000?

Dit zijn maar enkele vragen die het hedendaagse debat over *The Rise of The West* en *The Great Divergence* kruiden. Het is duidelijk dat zowat alle premissen en opvattingen over Europese/westerse geschiedenis en over wereldgeschiedenis hier in confrontatie gaan. Overeenstemming is ver te zoeken, animositeit is er des te meer. We gaan in dit hoofdstuk na welke de belangrijkste argumenten zijn in het debat. Welke zijn de stellingen en de data waarop wetenschappers zich baseren en wat zijn de belangrijkste verklaringen? Eerst moeten we vaststellen over welke kloof het gaat.

2. Het meten van de kloof

Het verschil tussen rijk en arm in de wereld is nooit zo groot geweest als vandaag. Volgens schattingen bezit vandaag het rijkste vijfde van de wereldbevolking 85% van alle rijkdom. In het begin van de 19de is dat nog minder dan 60%. Die rijkdom is in belangrijke mate geografisch geconcentreerd in het Westen. Deze scheve verhouding is een product van de recente wereldgeschiedenis, en dan vooral van de geschiedenis na 1800.

Om de economische en welvaartsverhoudingen op lange termijn te meten, beschikken we over erg weinig betrouwbare gegevens. Data ouder dan 1900 zijn meestal (ruwe) schattingen, zeker wat de niet-westerse landen betreft. Schattingen van het bruto nationaal product (bnp) gaan terug tot het begin van de 19de eeuw. De voorbij twee eeuwen groeit de waarde van totale mondiale productie met bijna het honderdvoud. Tegelijkertijd verschuiven de mondiale verhoudingen grondig. De onderstaande grafiek illustreert de snelle groei in Europa tot de tweede helft van de 19de eeuw en van de Verenigde Staten tot de tweede helft van de 20ste eeuw. Het aandeel van Europa en Noord-Amerika in het mondiale bnp neemt toe van 25% omstreeks 1820 tot 55% in het midden van de 20ste eeuw. Tegelijkertijd valt het aandeel van vroegere zwaargewichten China en India dramatisch terug, van 49% tot amper 9%. Vanaf de twee laatste decennia van de 20ste eeuw zet een omgekeerde beweging zich in. In 2008 vertegenwoordigen Europa en Noord-Amerika nog 37% van de totale mondiale productie, China en India zijn opnieuw goed voor 24%.

Figuur 14. De regionale verdeling van het mondiale bnp, 1820-2008.

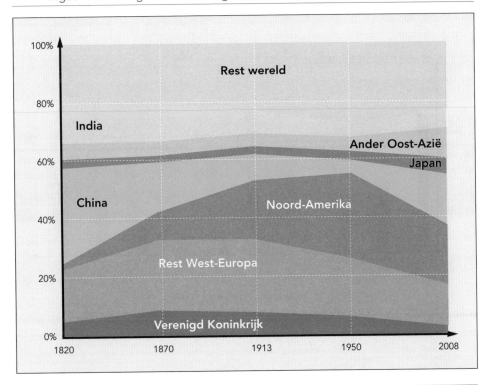

De volgende grafiek geeft de verhouding weer tussen de twee grootmachten van de voorbije twee eeuwen, Groot-Brittannië en de Verenigde Staten, en China. Pas in de tweede helft van de 19de eeuw overvleugelen de Atlantische economieën die van het Oosten, om in de 20ste eeuw dominant te worden. In het begin van de 21ste eeuw worden de verhoudingen weer meer gelijk.

Figuur 15. De verdeling van het mondiale bnp tussen GB/VS en China, 1820-2008.

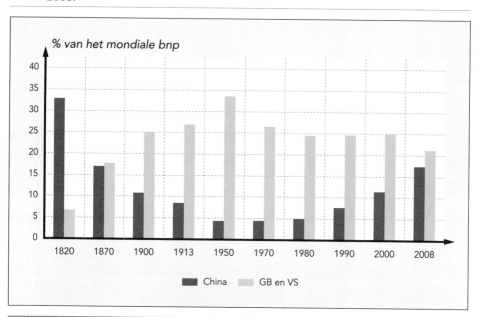

De groeiversnelling in de Europese en Noord-Amerikaanse economieën is in belangrijke mate een gevolg van de in Engeland opgestarte industriële revolutie. Vóór 1800 ligt het zwaartepunt van de industriële productie nog buiten de westerse wereld. Het aandeel van de pioniers in de industrialisatie, Europa, Noord-Amerika en Japan, neemt pas in de 19de eeuw snel toe, van 32% in 1800 tot meer dan 80% in de 20ste eeuw. Terwijl China en India in de 18de eeuw nog instaan voor meer dan de helft van de mondiale productie van industriële goederen, zakt dat na 1900 tot minder dan 5%. Het is duidelijk dat de gigantische industriële versnelling in het Westen, die na 1950 nog toeneemt, voor een belangrijke desindustrialisering in delen van Azië en voor een ongeziene ongelijke ontwikkeling hebben gezorgd.

Hoe ruw de cijfers ook zijn, de trend is duidelijk. Ergens tussen 1700 en 1900 groeit er een grote kloof tussen wat we later het Westen en het niet-Westen noemen (*the great divergence*). Vanaf het einde van de 20ste eeuw keert deze ontwikkeling zich om, zeker wat de positie van China, India en andere Aziatische landen betreft (soms benoemd als *the great convergence*). Wat is de voorgeschiedenis van deze opmerkelijke beweging? Is de grote transformatie vooral een intern proces, met wortels in de eigen geschiedenis? Moeten we de oorzaken eerder zoeken in mondiale verschuivingen en speelt het toeval een grote rol? In de schier eindeloze literatuur over de opkomst van het Westen komen de volgende clusters van verklaringen terug in de zoektocht naar al dan niet vermeende verschillen tussen West en Oost: natuur en klimaat, religie en cultuur, de organisatie van familie en arbeid, staat en wetgeving, kennis en innovatie, handel en verovering. Los van de discussie over de *'prime mover'* groeit het inzicht dat de opkomst van het Westen een 'contingent' (voorwaardelijk, niet noodzakelijk) proces is, een proces dat niet onvermijdelijk is en ook niet zou kunnen plaatsvinden. Aan de andere kant kan deze versnelling in de geschiedenis ook niet om het even waar gebeuren, het is de uitkomst van een uniek cumulatief proces, met wortels zowel in en buiten Europa. Zo geven we verder aan dat de industriële revolutie onmiskenbaar een regionaal proces is (Engeland), maar met even onmiskenbare globale wortels (kennis, handel).

We maken verder in dit hoofdstuk een onderscheid tussen drie soorten verklaringen. De eerste hebben een uitgesproken eurocentrisch karakter. Ze zien de opkomst van Europa vooral als een autonoom proces, een gevolg van interne veranderingen. Het tweede model wijst naar het eeuwenoude overwicht van Azië en ziet tot de 19de eeuw tussen westerse en oosterse samenlevingen vooral gelijkenissen. Zij zoekt de verklaring voor het uiteengroeien in een niet voorbestemde, voor sommigen zelfs toevallige samenloop van omstandigheden. Het derde model neemt afstand van zowel de eurocentrische als de soms als asiacentrisch benoemde verklaringen. Het gaat uit van de toenemende interactie tussen West en Oost, waaruit de Europese landen na 1500 het meeste voordeel kunnen halen. Dankzij een aantal comparatieve voordelen kunnen ze via deze grotere interconnectie hun positie versterken en dit op het gebied van handel, kennis en staatsmacht.

3. Een wereld met grote verschillen: The Rise of The West als een intern proces

De positie van Europa in het mondiale systeem verandert dramatisch tussen de 15de en de 19de eeuw. Terwijl in de 15de eeuw Europa nog aan de rand ligt, letterlijk, maar ook figuurlijk, van het Afro-Euraziatische handelssysteem, dan is vier eeuwen later Europa de absoluut dominante macht in het nieuwe mondiale systeem. Deze belangrijke verandering wordt vaak verklaard vanuit een nieuwe interne dynamiek in de Europese wereld. Hieruit groeit het klassieke beeld van een dynamische westerse tegenover een statische oosterse samenleving. Dit verklaringsmodel valt terug op Max Webers onderzoeksprogramma, dat stelt dat het Westen zich onderscheidt door een gestage en systematische rationalisering van denken, handelen en instituties. Dit leidt ertoe dat daar en nergens anders een kapitalistische economie, een bureaucratisch, legaal-rationeel staatsmodel en

een moderne wetenschap kan ontstaan. Oorsprong en dynamiek van deze rationalisering is te vinden in interne ontwikkelingen binnen Europa. Het verschil met het niet-
Westen wordt steeds groter. Uit deze westerse dynamiek vloeit de industrialisatie als het
ware automatisch voort. Deze visie vinden we terug bij aanhangers van zowel Max
Weber (rationele staat), Adam Smith (markteconomie) als Karl Marx (kapitalistische productieverhoudingen). Centrale elementen in deze 'klassieke' verklaring zijn:

- het Westen is al sinds (het einde van) de Europese Middeleeuwen het rijkste en zeker
  het meest dynamische deel van de wereld; de industriële revolutie maakt de kloof
  tussen 'The West' en 'The Rest' alleen maar groter;
- een kapitalistische markteconomie, staatsvorming en rationele cultuur zijn typisch
  westerse creaties, evenals het ontstaan van een eigen, westers demografisch model;
- voor vele aanhangers van de Weberthese maakt cultuur het verschil: het ontstaan van
  nieuwe, westerse cultuurpatronen betreffende arbeid, discipline, vrijheid, kennis
  enz.;
- het Westen bouwt als eerste moderne, rationele instituties uit: een modern statensysteem, een moderne bureaucratie, een efficiënt militair apparaat, maar tevens de
  bevordering van individuele eigendomsrechten;
- in het Westen ontstaat als eerste een markteconomie, min of meer los van politieke
  regulering, maar geleid door een 'onzichtbare hand'.

De Amerikaanse historicus David Landes (1998) legt in een weberiaanse traditie het
begin- en eindpunt van de verklaring van de opkomst van het Westen in West-Europa.
De nieuwe dynamiek vanaf de volle Middeleeuwen zet een beweging in gang die alleen
kan worden verklaard door de eigen kracht. De omwereld speelt in deze opgang geen
wezenlijke rol. De verklaring hiervoor is achtereenvolgens te vinden in:

- een nieuwe cultuur: de groei van een uniek Europees waardepatroon met de focus
  op het individu, op kennis (wetenschap), op eigen profijt en op arbeid;
- nieuwe instellingen, die niet belemmeren, maar zich aanpassen: compactere, meer
  efficiënte staten, rechten ter bescherming van eigendom en individueel initiatief,
  bescherming van markten;
- een nieuwe markteconomie, als eerste in de wereld.

De verschillen met de rest van de wereld zijn al duidelijk vanaf de late Middeleeuwen.
De economische en politieke revoluties van de 18de eeuw vergroten de kloof alleen
maar. Dit culturalistische verklaringsmodel schetst het vroegmoderne Europa als een
uniek experiment, gegroeid vanuit een nieuwe en unieke set van waarden. Dit nieuwe
cultuurpatroon komt tot stand in een versnipperd, politiek en militair competitief land-

schap. Dit gefragmenteerde en progressieve Europa plaatst Landes tegenover het statische, despotische Azië, waar dynamiek door het eigenbelang van de heersende klasse wordt afgeblokt. Openheid, nieuwsgierigheid en flexibiliteit maken het verschil.

Tot voor kort domineerde in het vraagstuk over *'The Rise of The West'* de traditionele visie, waarbij de doorbraak van Europa gezien wordt als een gevolg van een interne emancipatie, van een gestage en systematische rationalisering van denken, handelen en instituties. Dit leidde tot wat beschouwd wordt als de meest rationele vorm van a) economisch handelen: een kapitalistische markteconomie, b) politiek handelen: bureaucratische natiestaten en c) intellectueel handelen: de moderne wetenschap. Steeds meer auteurs plaatsen vraagtekens bij dit in hun ogen Eurocentrische discours.

- Is een weberiaans-cultureel verklaringskader breed genoeg om een 'Europees' (en niet louter Brits of West-Europees) verhaal te vertellen? Bestaat er zoiets als een Europese cultuur?
- In hoeverre kunnen waarden als individualisme en arbeidsethos toegekend worden aan een groep mensen, zonder in een racistisch discours te vervallen?
- Hoe kun je de groei van een markteconomie in Europa loskoppelen van de internationale context, meer bepaald van de groei van een mondiaal economisch (en koloniaal) systeem?
- En vooral: wat moeten we met de niet-Europese culturen? In dit perspectief zijn ze meestal de antipode van de Europese dynamiek en worden ze dus vooral als statisch beschouwd. In dergelijke studies worden ontwikkelingen buiten Europa zelden op hun eigen waarde geschat. Nieuw onderzoek heeft bijgevolg meer aandacht voor een vergelijkende en globale analyse.

4. Een wereld met grote gelijkenissen: The Great Divergence als een samenloop

Nieuwe en comparatieve datasets ondergraven het beeld van de graduele voorsprong van Europa in de eeuwen vóór 1800. In de 18de eeuw is het overgrote deel van de mondiale goederenproductie nog gesitueerd in Azië (zie hoger). In de 19de eeuw volgt een massieve desindustrialisering. Dit is een gevolg van de doorbraak van de op minerale grondstoffen gebaseerde industriële revolutie in Europa en van een Europese imperialistische politiek die ongelijke ruilvoorwaarden oplegt. Zo wordt India, vóór 1800 nog wereldleider in de uitvoer van katoenen stoffen, in de 19de eeuw een uitvoerder van grondstoffen (katoen) en een invoerder van afgewerkte producten (textiel).

Volgens recente vergelijkingen creëert het continent Azië in de 18de eeuw met 66% van de wereldbevolking minstens 60% van de rijkdom in de wereld. In de eerste helft van de 20ste eeuw is het Aziatische continent nog goed voor 55% van de wereldbevolking en maar 20% van de mondiale rijkdom. Omstreeks 1700 is het hoofdelijke inkomen in Oost-Azië (zonder Japan, bnp per capita) vergelijkbaar met dat in West-Europa. In 1950 is dit nog amper 14%. Deze gigantische terugval doet zich vooral voor na 1800. Studies die afstand willen nemen van een Eurocentrische benadering, focussen daarom op deze recente omslag. Vanwege de dominante positie van China in de vroegmoderne wereld-economie spitsen vergelijkingen zich meestal toe op Europa versus China. Uitgangspunt is dat er voor 1800 tussen de twee maatschappelijke modellen meer gelijkenissen dan verschillen zijn. Zo ontwikkelt ook China een productieve landbouw en intensieve industriële en handelssystemen. De organisatie van eigendomsrechten en markten moet eveneens niet onderdoen voor Europa, noch is de politieke organisatie minder ontwikkeld. Net zoals andere commerciële samenlevingen in die tijd wordt die groei beperkt door de grenzen van de organische landbouwsystemen. Waarom is het dan Europa die dit patroon doorbreekt?

De tot nu toe meest invloedrijke studie die uitgaat van een wederkerig vergelijkend perspectief en die zo de Europese uniciteit ter discussie stelt, is die van Kenneth Pomeranz (2000). Pomeranz gaat uit van het standpunt dat in de 15de-16de eeuw niet Europa, maar China de sterkste economie is. In 1800 zijn ze nog altijd aan elkaar gewaagd, tenminste wanneer je naar elkaars kernregio's kijkt: Engeland in Europa en de Yangtze-delta in China. Het is pas in de 19de eeuw, met de industriële revolutie, dat Europa (snel) een voorsprong neemt (*the great divergence*). Volgens Pomeranz staat deze sprong voorwaarts niet in de sterren geschreven en is ze tot de 19de eeuw zelfs niet te voorspellen. Hij bestrijdt dus wat volgens hem valse verklaringen zijn:
- de verschillende voorgeschiedenis: de kernregio's in Europa en China blijven tot 1800 sterk aan elkaar gewaagd;
- een meer dynamische maatschappij: in Europa niet meer (of minder) dan in China;
- een technische voorsprong: de kennissystemen in Europa en Azië vertonen grote gelijkenissen;
- een meer performante markt: China is eveneens een markteconomie;
- de aanwezigheid van kapitaal: ook hier moet China niet onderdoen.

Wat maakt dan het verschil? Volgens Pomeranz maken we de denkfout de Europese weg als 'normaal' te beschouwen. Wat indien Europa de uitzondering is? Wat als Europa afwijkt van een algemeen ontwikkelingspad en zo dus kiest voor een andere weg: industrialisatie? In deze visie kiest Europa noodgedwongen voor een andere weg omdat ze geconfronteerd wordt met een dubbele schaarste:

- een schaarste in energie. Hout is erg schaars en duur, en de steenkool moet steeds dieper worden uitgegraven. Hiervoor zijn nieuwe technologieën van mijnbouw en energielevering (stoommachines) nodig;
- een schaarste in grondstoffen. Hiervoor is een agressieve commerciële politiek nodig en de uitbouw van een breed handelsnet en annex koloniaal systeem. Alleen op deze wijze kan Europa zich verzekeren van een relatief goedkoop aanbod aan arbeid (slaven) en noodzakelijke grondstoffen (o.a. katoen, later voedsel). Het Europese koloniale rijk is dus een noodzakelijke voorwaarde voor haar 'sprong voorwaarts'.

Het commerciële kapitalisme en de industriële revolutie zijn er dus niet gekomen als de uitkomst van een lang progressief proces, maar uit een noodzaak. Het Europese continent is beland in een ecologische 'bottleneck', in tegenstelling tot China, dat onder meer kan profiteren van zijn groot, aaneengesloten rijk. De antwoorden op deze flessenhals leveren Europa naderhand wel een heel groot voordeel op: een efficiëntere technologische kennis en een netwerk van kolonies (een Atlantisch handelssysteem).

Andere auteurs, zoals Bin Wong (1998, 2010), vergelijken politieke en economische ontwikkelingen in Europa en China in de voorbije 1000 jaar. Zij komen eveneens tot de conclusie dat omstreeks 1800 Europa en China op het economische vlak meer gelijkenissen dan verschillen kennen. Beide zijn landbouwsamenlevingen, waarin de markt en regionale specialisatie een belangrijke rol spelen. De sprong voorwaarts die Europa met de industriële revolutie maakt, wordt verklaard door een materiële noodzaak, niet door een culturele of intellectuele voorsprong. De verschillen op het gebied van politieke organisatie zijn daarentegen wel groot, met dien verstande dat ze beide ruimte laten voor verandering en groei. Europa bestaat uit een systeem van rivaliserende staten. Alles staat in het teken van competitie, intern (tussen leidende groepen) en extern (tussen staten). Het beleid van de elites in Europa is bijgevolg gericht op de maximalisering van winst en macht in een context van permanente strijd. China is een eengemaakt, in hoofdzaak agrarisch rijk, waarin de elites vooral bezorgd zijn om het in stand houden van de sociale orde. Het Europese competitieve model is geschikter voor een snelle, flexibele aanpassing aan economische veranderingen. Het Chinese *'empire'*model is efficiënter in het sociaal beschermen van de onderdanen. Het zogenaamde 'despotische' Aziatische model steunt op een sterke organisatie en regelgeving die meer dan in Europa de 'onderdanen' zekerheid geeft. De belangrijkste boodschap hier is dat er niet één, maar meerdere modellen van maatschappelijke modernisering bestaan. De verschillen zijn een gevolg van langtermijnontwikkelingen op het economische en politieke gebied in de diverse regio's van de wereld. Waarom de ene uiteindelijk triomfeert boven de andere, is geen gevolg van een voorbestemdheid, maar van een samenloop van omstandigheden, waarbij toeval een grote rol speelt (Marks, 2007).

5. Groeiende verschillen door een groeiende interconnectie: handel, technologie en staat

In een aantal recente publicaties wordt het revisionistische beeld van de wereld vóór 1800 als een wereld van opvallende gelijkenissen, als te eenzijdig bestempeld. Ze bepleiten geen terugkeer naar het vroegere Eurocentrisme, maar betogen dat uit de snel toenemende mondiale interacties in de 17de, 18de en 19de eeuw grote onevenwichten in economische en politieke macht groeien. Die komen er niet toevallig, maar spruiten voort uit een andere maatschappelijke organisatie in west en oost. De veranderende mondiale positie van Europa wordt niet verklaard vanuit louter een interne dynamiek. De groeiende contacten vinden plaats tussen ongelijke partners, op zo een wijze dat ze de mondiale verhoudingen mee veranderen. Op diverse vlakken wijzigen contacten met de buitenwereld de positie van Europa. Ten eerste incorporeert het eigen kapitalistische handelssysteem gradueel de andere delen van de wereld, zodanig dat de vruchten hiervan vooral de kern ten goede komen. Ten tweede creëert Europa door accumulatie, import en aanpassing een uniek eigen kennissysteem, de voedingsbodem van de industriële versnelling in de 19de eeuw. Ten derde past Europa deze kennis en technologie ook toe in de ontwikkeling van sterke staatssystemen en van een ongeziene militaire slagkracht, met in de 19de eeuw een bijna absolute politiek-militaire dominantie als gevolg.

De groei van een ongelijk mondiaal handelssysteem

Het beeld van 'opvallende gelijkenissen' gaat uit van de idee dat agrarische markteconomieën overal ter wereld de potentie hebben uit te groeien tot kapitalistische groeipolen. Dit gaat voorbij aan het inzicht, zoals onder meer betoogd door Fernand Braudel, Charles Tilly, Immanuel Wallerstein en Giovanni Arrighi, dat kapitalisme geen 'natuurlijke' uitkomst is van de groei van markten, maar juist daar ontstaat waar nieuwe, transnationale commercieel-financiële elites zich alliëren met assertieve, mercantilistische staten. Kapitalisme is geen emanatie van vrije markten, maar een exploitief economisch model dat groeit in een competitief politiek systeem. De commercieel-agrarische rijken in het oosten van het Euraziatische continent zijn niet gebouwd op een dergelijke alliantie tussen kapitalistische en politieke elites. De opvallende expansie van de externe Europese markten sinds de 16de eeuw vergroot de impact van Europese handelsnetwerken en incorporeert nieuwe gebieden in een door Europa gedomineerd wereldsysteem. De kerngebieden koloniseren 'nieuwe werelden' en accumuleren de winsten uit deze nieuwe perifere gebieden. De belangrijkste Europese machten voor 1900 spelen een eersterangsrol in intercontinentale handel en controleren een groot koloniaal achterland. De invoer in Europese havens van goederen uit Amerika en Azië groeit snel: edele metalen, voedingswaren, grondstoffen en afgewerkte producten, meestal verworven via geweld, dwang en monopolievorming. Die stimuleren nieuwe economische activiteiten in productie en consumptie, zoals katoen, suiker, zijde, porselein, koffie, thee, tropische eetwaren, zilver en goud. Grote winsten vloeien naar de nieuwe metropolen en de machtsverhoudingen in dit expanderende handelssysteem verschuiven naar nieuwe handelselites en nationale staten.

Het Europese overzeese imperialisme is uniek, geen enkel ander rijk incorporeert op dergelijke wijze afgelegen gebieden in een kernperiferieverhouding. Zo verstoort dit nieuwe door een Europees centrum gedomineerd wereldsysteem de bestaande machtsevenwichten ten nadele van de vroegere regionale rijken. De ongelijke ruil diept de verschillen tussen kern en periferie verder uit.

Dit verklaringsmodel interpreteert het kapitalisme als een historisch wereldsysteem, ontstaan in een specifieke Europese conjunctuur vanaf de late Middeleeuwen, waarbij een unieke coalitie groeit tussen handelskapitalisten en nationale staten. De bijna permanente competitie tussen deze actoren zorgt voor een nieuwe groeidynamiek die in diverse expansiecycli dit Europese model mondialiseert. Andere auteurs volgen de idee van kapitalisme als een wereldsysteem, maar minimaliseren de Europese inbreng tot een toevalstreffer. Zo argumenteert Andre Gunder Frank (1998) dat de Europese/westerse dominantie in de 19de en 20ste eeuw maar een interludium is in een lange 'Asian age'. Tussen 1400 en 1800 is er van een Europees overwicht nog geen sprake. De wereld is policentrisch, met meerdere kernen van ontwikkeling, waarin China aan de top staat. Dat Europa zich na 1800 tot de dominante regio kan opwerken, is geen eigen verdienste, noch het gevolg van een superieur waardestelsel. In de periode tussen 1400 en 1800 ziet Frank in het mondiale handelssysteem drie regio's met een productiesurplus: India, China, Zuidoost-Azië, en vier regio's met een deficit: Japan, Amerika, Afrika en Europa. Amerika vangt het tekort op door een toenemende uitvoer van goederen (grondstoffen), Afrika door een groeiende export van arbeid (slaven). Europa zelf heeft niets te bieden. Zij 'koopt een ticket op de Aziatische trein' door de exporthandel van Amerika en Afrika te controleren, en vooral door de doorvoer van zilver. Een derde (of zelfs meer) van het zilver opgedolven in de 'Nieuwe Wereld' zou zo in Azië en vooral in China belanden (waar de prijs tweemaal zo hoog is als in Europa).

Anderen, zoals Hobson (2004), verwerpen geheel de idee van een eigen Europese dynamiek. Bijna alle vernieuwingen, toegeschreven aan modern Europa, zouden al eerder toegepast zijn in andere beschavingen, vooral in het Midden- en Verre Oosten. Dit betreft niet alleen technologische kennis, maar ook politieke en economische systemen. Europa is volgens Hobson maar een creatie door de druk van buitenaf (bv. van de islamwereld, waardoor Europa een eigen identiteit krijgt) en blijft tot de 19de eeuw in de marge van dit globale systeem. De kracht van de opkomst van Europa is die van de laatkomer, die zich kan opwerken met de kennis die elders is ontwikkeld. De opkomst gaat samen met een agressieve koloniale en imperialistische politiek en met een racistisch discours waarin de wereld opgedeeld wordt in ongelijke delen. De economische groei heeft dus niets te maken met de mythe van *'laissez faire'*, maar met het succes van despotische, interventionistische staten, gesteund door massieve staatsuitgaven, overheidsregulering en handelsprotectionisme.

De groei van een dominant Europees kennissysteem

Zoals al betoogd in hoofdstuk 3, maakt het Europese wetenschappelijke denken tussen 200 en 1400 n.t. weinig vooruitgang. Een groot deel van de kennis opgebouwd in de Grieks-Romeinse wereld gaat zelfs verloren. Tussen 1500 en 1800 doet er zich een ware ommekeer voor. De competitieve Europese samenleving genereert nieuwe vormen van vrij onderzoek, die afstand nemen van de autoriteit van klassieke, Griekse of christelijke teksten. Wetenschappelijke kennis wordt niet meer verantwoord door in de eerste plaats te verwijzen naar traditie of openbaring, maar door gebruik te maken van de rede, en vooral, van observatie en experiment. Dit geeft ruimte aan nieuwe kennissystemen en belangrijke technologische doorbraken, de basis van de Europese 'wetenschappelijke revolutie'.

Macro-inventies (zoals de wetten van de atmosferische druk) vergroten de wetenschappelijke kennis, die via een continu proces van *'research and development'* vertaald wordt in een onophoudelijke keten van micro-inventies (zoals de diverse types stoommachines). In een wetenschappelijke revolutie staan meestal de uitvinders vooraan. Zij komen echter maar tot hun inventies dankzij hun sociale netwerken en een maatschappelijk klimaat dat vernieuwing tolereert en zelfs stimuleert. Deze vooruitgang is dus ook een collectieve erfenis, waarin sociaal leren een eersterangsrol speelt. In tegenstelling tot de

vroegere samenlevingen worden de producten van die kennis geprivatiseerd in ondernemingen of gebruikt voor de versterking van de staatsmacht. De economische en politieke revoluties in Europa worden daarom door sommigen bestempeld als een *'free lunch'*,
ontsproten uit kennissystemen die oude en globale wortels hebben.

De groei van een triomferend Europees staatssysteem

De Europese revoluties van de 18de en de 19de eeuw veranderen voorgoed de organisatie van economie, politiek en samenleving. Ze plaatsen de grote Europese staten ook
bovenaan in de mondiale pikorde. Een aantal auteurs argumenteert dat de verpletteren-
de politieke en militaire suprematie van het 19de-eeuwse Europese centrum diepere historische wortels heeft (Vries, ter perse).

De groei van compactere staatsstructuren in Europa is een proces van vele eeuwen. Ze
vervangen de oude, lossere politieke organisatie van het 'rijk' (*empire*), waarvan die van
de Spaanse Habsburgers de laatste is op het Europese continent. Deze politieke transformatie heeft belangrijke gevolgen. De groei van een staatsapparaat creëert een gerationa-
liseerde bureaucratie, een modern belastingsysteem, een efficiënter systeem van kennis-
en informatievergaring (administratie, statistiek) en een nieuw militair apparaat. Dit
wordt gelegitimeerd met een eigen staatsideologie, zowel economisch (mercantilisme
met een actieve douanepolitiek en protectionisme) als militair (strijd binnen en buiten
Europa). De nieuwe staten maken tevens een toenemende greep van de burgerij op de
politiek mogelijk, vanaf de 17de eeuw in Groot-Brittannië, vanaf het einde van de 18de
eeuw op het continent. Op deze wijze ontwikkelen de Europese staten zich tot sterke
machtscontainers, met tot dan ongekende mogelijkheden op het gebied van commerci-
ele politiek (mercantilisme) en militaire slagkracht.

De eerste moderne fiscale-militaire staat is de Britse. Met een aanzienlijke hogere belas-
tingdruk dan bijvoorbeeld China kan Groot-Brittannië een sterkere 'infrastructurele'
macht uitbouwen dan eender welk ander land in de 18de en 19de eeuw. Volgens berekeningen van Peer Vries romen omstreeks 1800 de Britse belastingen tot 25% af van het
nationale inkomen, tegenover minder dan 10% in China. Hiervan gaat meer dan drie
kwart naar de uitbouw van het militaire apparaat, inclusief een machtige vloot van om
en bij de 400 schepen. Tijdens de Napoleontische oorlogen kan Groot-Brittannië bijna
1 miljoen mannen mobiliseren, veel meer dan de enkele honderdduizenden soldaten
van het Chinese rijk, dat dertig maal meer inwoners telt. Ook de investeringen in militaire technologie en het bureaucratische apparaat zijn vele malen groter. In de 18de en
19de eeuw vertoont China alle kenmerken van een territoriaal rijk met een beperkt over-

heidsapparaat en een grote lokale autonomie, vooral bezorgd voor het garanderen van nationale veiligheid en het bewaren van de sociale harmonie. De Britse, en bij uitbreiding de 19de-eeuwe Europese staten zijn arena's van permanente politieke en sociale strijd. Een groeiend nationalisme voedt de internationaal competitieve sfeer. Het vergroten van de invloedsfeer en de opbouw van een overzees imperium gaat gepaard met een eindeloze reeks conflicten binnen en buiten Europa. Wanneer Groot-Brittannië in de jaren 1840 de rechtstreekse confrontatie aangaat met het Rijk van het Midden, wordt het meteen duidelijk dat het Chinese staatsmodel moet onderdoen voor slagkracht van de Europese naties.

Staatsmacht is een bepalende factor in de groei van de door Europa gedomineerde wereldeconomie en het hieraan gelieerde interstatensysteem. Binnen de nieuwe wereldeconomie heerst een intense politieke, militaire en economische competitie. Sterke, meer compacte staten naar Europees model hebben hierin een groot competitief voordeel, vanwege hun doorgedreven protectionisme, hun militaire slagkracht en hun ongeëvenaard potentieel om mensen en middelen te mobiliseren. Samen met de ontwikkeling en toepassing van nieuwe militaire technologieën geeft dit de Europese landen een beslissende voorsprong in de 19de-eeuwse strijd om nieuwe directe of indirecte invloedssferen.

6. Een nieuwe globale positie van Europa en de transformatie van de Europese samenleving

'The Rise of The West' heeft de verhoudingen op wereldschaal volledig door elkaar geschud. Het samengaan van een transformatie van de eigen samenleving met het uitbreken uit haar oude grenzen heeft Europa van de periferie naar het centrum van het mondiale gebeuren geplaatst. Zoals benadrukt, lopen de meningen over de oorzaken en de timing van deze omslag in 'the balance of power' sterk uiteen. Steeds meer auteurs geloven niet (meer) in een substantiële voorsprong van Europa vóór de 19de eeuw. Zij zien de periode tussen de 15de en de 19de eeuw eerder als een inhaalbeweging voor Europa. De interne veranderingen zijn dan nog volop bezig (en werken pas volledig door in de 19de eeuw) en de externe expansie verloopt voorlopig vooral via een eigen 'periferie' (Zuid-Amerika, later Noord-Amerika en Afrika). De mondiale machtsbalans wijzigt volgens deze auteurs pas in de 19de eeuw – tijdelijk? – ten voordele van Europa. Pas dan haalt Europa een volledige suprematie, op het economische vlak en op het politiek-militaire en technologische vlak. Het (symbolische) scharniermoment is het moment waarop de Britten en andere Europese naties erin slagen de Chinese markt, tot dan niet vrij toegankelijk, *manu militari* voor Europese producten te openen (de opium-oorlogen 1839-1860). Tegelijkertijd triomfeert het Europese superioriteitsdenken, waar-bij economische expansie gelegitimeerd wordt met een beschavingsmissie (19de eeuw) en later een moderniseringsmissie (20ste eeuw).

Is het vroegmoderne Europa dan misschien niet rijker of dynamischer dan de rest van de wereld, het is onmiskenbaar dat in Europa vanaf de volle Middeleeuwen (11de-13de eeuw), en zeker vanaf de 16de eeuw, belangrijke maatschappelijke veranderingen plaats-vinden. Zij zijn het gevolg van een combinatie van interne spanningen en externe ver-schuivingen, en geven de geschiedenis van dit deel van de wereld een nieuwe wending. Drie processen, in chronologische volgorde, zijn hier bepalend: de nieuwe plaats van Europa in de wereld vanaf de Middeleeuwen, de maatschappelijke transformaties in Europa in de 16de, 17de en 18de eeuw, en de industriële revolutie in de 19de eeuw. In elke van deze veranderingsprocessen is de verhouding met de wereld buiten Europa mee bepalend.

Een nieuwe globale positie voor Europa

Europa bevindt zich tot de late Middeleeuwen aan de rand van het Afro-Euraziatische handelscomplex. Niet-Europeanen zijn maar matig geïnteresseerd in dit perifere gebied, het heeft immers weinig te bieden wat elders niet kan worden gevonden. Zo is de islam-wereld in de eerste plaats naar het oosten en het zuiden gericht. Niettemin vertoont het Europese continent vanaf de 11de-12de eeuw het begin van een nieuwe dynamiek. Dit wordt onder meer duidelijk bij de eerste pogingen tot het uitbreken uit de eigen gren-zen met de kruistochten (1096-1271 n.t.) en met de belangrijke emigratiestroom naar het oosten (*Drang nach Osten*). Dit legt mee de basis voor nieuwe commerciële netwer-ken, met als eerste centrum de Noord-Italiaanse stadstaten (Genua, Venetië). Zij enten zich op de veel oudere en grotere netwerken in het Oosten. Ambitie en winstbejag gaan hier samen met een hernieuwde nieuwsgierigheid en tevens een groot ontzag voor ande-re culturen.

Deze Europese 'heropstanding' staat al lang centraal in de creatie van een eigen Europese/westerse identiteit. De traditionele verklaring wijst steevast naar een interne hergeboorte, naar de eigen 'renaissance' dus. Een nieuwe geest waart over het 'oude con-tinent', met veel meer oog voor het seculiere, aardse leven, voor de menselijke daden-drang en voor de prestaties van het individu. Deze verklaring lijkt vooral een teleologi-sche functie te hebben. De start van de uitbraak uit Europa en de zogenaamde 'ontdek-kingen' valt immers ruim vóór de eigenlijke Renaissance (15de-16de eeuw) en de

Verlichting (18de eeuw). De nieuwe onafhankelijke Europese geest is dus eerder een gevolg en geen oorzaak. Een meer steekhoudende verklaring voor de start van de Europese expansie verwijst naar:

a/ commerciële drijfveren. Het uit (Noord-)Italiaanse handelsbelangen gegroeide commerciële netwerk botst al snel op de dominante islamitische commerciële wereld (de Middellandse Zee is op dat moment islamitisch gebied; de kruistochten hebben hier niets aan kunnen veranderen). Om verder te groeien, is men genoodzaakt de westelijke en zuidelijke routes uit te proberen;

b/ militair-religieuze motieven. Zeker in retorische zin is dit een belangrijke drijfveer, in de eerste plaats met het terugdringen van de islam (de 'Reconquista', ingezet in de 11de eeuw). Dit gaat samen met een versterking van de positie van Rome en van de rooms-katholieke kerk;

c/ technologische vernieuwingen. De inventie of verbetering van wapens (vuurkracht) en schepen en navigatie maakt de exploratie en verovering van gebieden buiten Europa op termijn veel gemakkelijker (en dus minder duur). De (in eerste instantie geïmporteerde) technologie bepaalt op welke wijze Europeanen aanmeren aan nieuwe kusten: in Afrika en Azië blijft men op de kustlijn, tot zover schepen en kanonnen reiken; in Amerika gaat men wel aan land, om met een bijzonder kleine troepenmacht de bestaande beschavingen onder de voet te lopen.

De wortels van de Europese expansie liggen dus niet zozeer in de geboorte van 'de nieuwe mens', maar in de specifieke, ondergeschikte plaats die Europa bekleedt in een ruimer, mondiaal perspectief. Ook wat de kennis betreft (buskruit, kompas, cartografie), moeten we belangrijke wortels zoeken buiten het Europese continent.

De aanzet tot de opkomst van Europa kunnen we dus in zekere zin begrijpen als een reactie van dat werelddeel op zijn marginale positie in de toenmalige bekende wereld. In het oosten botsen de Europeanen op de florissante en economisch sterke Arabische en Chinese beschavingen, in het zuiden is door klimatologische omstandigheden (Sahara) de handel ook niet rechtstreeks te controleren. Dat Europa buiten zijn grenzen kan breken, is vooral ingegeven door twee behoeftes: een behoefte aan eigen handelswaar en een behoefte aan eigen gecontroleerde handelsnetwerken.

a/ Europa heeft als handelsgebied bitter weinig te bieden. Ter betaling van de invoer van nieuwe luxegoederen zoals zijde, porselein en kruiden kunnen nauwelijks eigen waren gebruikt worden. Europa beschikt niet over in de Arabische, Indische en Chinese wereld gegeerde goederen als slaven (islamwereld) en edele metalen. Een eerste oplossing is roof. De zoektocht naar deze ruilmiddelen doet de Europeanen nieuwe werelden verkennen. De goud- en zilverkoorts wordt vooral gevoed door de noodzaak aan betalingsmiddelen. In een tweede plaats wordt geprobeerd een eigen productie van consumptiewaren op te starten: in de eerste plaats suiker en later katoen. Europa kan zich in het internationale handelssysteem slechts een plaats veroveren door vreemde, vooral onder dwang gewonnen handelswaar aan te bieden.

b/ Naast eigen handelswaar groeit de noodzaak aan zelfgecontroleerde handelsnetwerken. Voorlopig zitten de routes naar het oosten geblokkeerd. Winstmotieven, gecombineerd met religieuze retoriek (de verovering door de Ottomanen van het christelijke Constantinopel in 1453), stimuleren de vele initiatieven voor nieuwe handelsroutes.

De transformatie van de Europese samenlevingen

Europa breekt vanuit een ondergeschikte positie buiten haar grenzen. Van de 16de tot de 19de eeuw veranderen de Europese samenlevingen fundamenteel van aard. Dit proces loopt parallel met haar nieuwe en immer sterkere rol in de nieuwe wereldeconomie. Drie processen dragen bij tot deze transformatie.

a/ De groei van het handelskapitalisme. Het proces van commercialisering gaat samen met de groei van handelsnetwerken, internationaal en intern. Intern ontstaan er productie- en handelsknooppunten in de steden, maar ook op het platteland (huisnijverheid). Deze netwerken worden georganiseerd door een nieuwe klasse van kooplui-ondernemers en stellen een groeiende groep van meestal deeltijdse landbouwersloonarbeiders tewerk. Het handelskapitalisme groeit binnen een dominant agrarisch-rurale samenleving, waarin het merendeel van de bevolking overleeft op basis van gezinslandbouw. Zo vindt het in Vlaamse dorpen geproduceerde garen en linnen via Kortrijk, Gent en Spanje kopers in de Nieuwe Wereld.

b/ De groei van de nationale staat en het interstatensysteem (zie boven).

c/ Wijzigende sociale verhoudingen, met:

- het ontstaan van nieuwe sociale groepen, zoals een zelfstandige burgerij en (vaak nog deeltijdse) loonarbeiders. Dit werkt de sociale polarisatie in de hand, met vooral een meer precaire inkomenssituatie voor de sterk groeiende groep van bezitlozen;

- het ontstaan van nieuwe familiale verhoudingen en demografische patronen. Het systeem van 'vrije' (gezins)boeren op een eigen stuk grond werkt kleine huishoudens en een gecontroleerde bevolkingsgroei (laat huwen en samenwonen) in de hand.

Deze drie transformaties, economisch (commercialisering), politiek (verstaatsing) en sociaal (proletarisering) zijn de belangrijkste motors van de Europese dynamiek vanaf de

16de eeuw. Ze zijn echter niet te verklaren zonder de veranderende rol van Europa in de nieuwe wereldeconomie. Ten eerste wordt Europa zoals hierboven ook al betoogd, het centrum van een door haar geïnitieerde wereldeconomie en een hieraan gelieerd interstatensysteem. Ten tweede groeien de Europese staten uit tot sterke machtscontainers, met tot dan ongekende mogelijkheden op het gebied van commerciële politiek (mercantilisme) en militaire slagkracht. Ten derde wordt deze nieuwe wereldeconomie beheerst door een nieuwe internationale kapitalistische klasse, die haar belangen kan diversifiëren afhankelijk van het winstoogmerk. Gezien de productiemiddelen in principe zijn vrijgemaakt (kapitaal, grond, arbeid), kunnen ze produceren aan de economisch meest rendabele voorwaarden. In het zog van deze economische transformatie groeit een klasse van vrije en goedkope arbeiders. Deze drie kenmerken vinden we tot de dag van vandaag terug in het geglobaliseerde wereldsysteem.

Een Europese of mondiale industriële revolutie?

De opkomst van het Westen beschrijven we graag met een revolutiemetafoor. Revolutie betekent omwenteling, maar staat ook voor een breuk met het verleden, de traditie. De twee grote revoluties, gepercipieerd als de scharnierpunten tussen het (traditionele) verleden en het (moderne) heden zijn de (politieke en sociale) Franse Revolutie en de (economische en sociale) industriële revolutie. Zij voltrekken zich omstreeks 1800 omzeggens tegelijkertijd. De symboolbetekenis van deze dubbele revolutie in de westerse beeldvorming is nauwelijks te overschatten. Het is juist binnen de wereldgeschiedenis dat het concept van de industriële revolutie meer en meer is gerelativeerd en zelfs ter discussie is gesteld. Op drie gebieden staat het concept momenteel onder druk.

- Vele economische historici plaatsen de 'revolutie' in een langetermijnperspectief. Ze spreken van een proces dat zich uitstrekt over decennia en zelfs eeuwen. De uitkomst is en blijft wel een andere wereld, en daarom blijft de revolutiemetafoor meestal behouden.
- Wereldhistorici verlaten het klassieke verklaringsmodel van de industriële revolutie dat alleen rekening houdt met veranderingen binnen Europa.
- Volgens sociale historici is de industriële revolutie veel meer dan een technologische omwenteling (met het opvoeren van productie en, vooral, van productiviteit). Ze behelst eveneens een omwenteling in het arbeidsproces (centralisatie, proletariaat), in het economische proces (volledige omvorming van de 'nationale' economie) en in het maatschappelijke proces (nieuwe sociale en politieke verhoudingen).

Het proces van industriële revolutie werd tot nu toe vooral bestudeerd vanuit een strikt Europees en later westers perspectief, als een opeenvolging van nationale verhalen (Brits, Belgisch, Frans, Duits, Amerikaans, …). In het beste geval wordt nadien een comparatieve analyse gemaakt. Deze benadering schiet tekort, omdat de industriële revolutie, zoals alle historische processen, uit meerdere geografische schalen bestaat:

- de regionale schaal, als *locus* van de industriële processen (Britse Midlands, de Belgische as Luik-Borinage, de Franse Elzas, het Duitse Ruhrgebied enz.);
- de nationale schaal, met vooral de rol van nationale overheden;
- de Europese schaal, met een proces van actie (bv. vanwege een schaarste) en reactie (op initiatieven elders);
- de mondiale schaal, met vragen als: waarom in Europa en niet elders, en waarom een snelle verspreiding in het Westen? Hiervoor moeten we de toenmalige plaats van Europa in de wereld kennen. Of: hoe Europees of westers is de industriële revolutie?

Bekijken we de industriële revolutie vanuit een breed, mondiaal perspectief, dan moet een verklaring oog hebben voor drie extra elementen.

a/ De voorgeschiedenis van het handelskapitalisme in Europa, waardoor dit deel van de wereld vanaf de 16de eeuw een commerciële machtspositie kan uitbouwen ten zuiden en ten westen van Europa. Dit Atlantische netwerk is nog niet globaal, maar staat in interactie met andere, Aziatische commerciële netwerken (islamwereld, Oost-Azië). Deze commerciële groei genereert niet alleen enorme winsten voor een kleine bovenlaag van Europese handelskapitalisten, tevens groeit de behoefte aan nieuwe handelswaar. Een methode om de handelsbalans positief te houden, is importsubstitutie, het vervangen van ingevoerde waren door zelf geproduceerde goederen. Een befaamd voorbeeld is het Britse verbod op de invoer van Indische katoenen stoffen (de Calico Acts van 1701 en 1721). Door de sterk stijgende populariteit van deze lichte weefsels promoot de Britse regering met dat verbod de eigen textielproductie (de invoer van katoen als grondstof is wel toegestaan). Dit (katoenen) weefsel wordt op zijn beurt uitgevoerd, met als gevolg dat de inheemse Indische weefnijverheid instort. Dit is een typisch voorbeeld van een lokale maatregel met een globaal effect. Het feit dat de Britten dit kunnen doen, geeft aan dat de Europese machtsbasis in de 18de eeuw sterk is gegroeid.

b/ De groei van een interne markteconomie in een aantal Europese landen. Deze groei is het gevolg van een sterke toename van het aantal (semi)proletariërs (zij die (een deel) van hun arbeid moeten verkopen tegen een loon) en van het aantal consumenten (zij die (een deel) van hun levensmiddelen moeten kopen op de markt). Deze groei van een markteconomie lang vóór 1800 stimuleert individuele ondernemersinitiatieven.

c/ De populariteit van nieuwe waarden in Europa, zoals individueel ondernemerschap (door het succes van de handelskapitalisten), technologische vernieuwing (een golf van uitvindingen) en een agressieve economische politiek (als deel van de staatsideologie). Ook die zijn ouder dan (het einde van) de 18de eeuw.

Geografisch gezien is de industriële revolutie in beginsel een Europees fenomeen. De industriële revolutie is 'uitgevonden' in 18de-eeuws Groot-Brittannië omdat het loont om daar te worden uitgevonden. Of anders gezegd: hetzelfde proces zou op andere plaatsen en andere periodes niet genoeg winst opleveren om duurzaam te zijn. Recente studies (Allen, 2009) wijzen op de stijgende prijs van arbeid in en rond Londen, wat investeringen in arbeidsbesparende processen rendabel maakt. Bovendien zijn de prijzen van kapitaal en energie relatief laag, zodat met stoommachines en mechanische spingetouwen arbeid kan worden vervangen door investeringen in kapitaal en steenkool. Naast een aanbod moet er ook een vraag zijn naar nieuwe technologieën die de productiviteit van arbeid verhogen.

Dit is zoals betoogd niet te begrijpen zonder de niet-westerse wereld erbij te betrekken. De groeiende internationale handel, de koloniale politiek en het agressieve mercantilisme garandeert de Europese groeikernen een groeiend handelsvolume (zoals de invoer van katoen) en stimuleert de stedelijke expansie, Londen in de eerste plaats. Dit verhoogt de vraag naar arbeid en energie. Het wordt zo rendabel arbeidsoverschotten vanuit het platteland te oriënteren naar de commerciële en industriële centra, en vanwege de uitputting van de houtvoorraden te investeren in de expansie van de steenkoolontginning.

De industriële revolutie mag dan Brits of Europees zijn, ze blijft geen 'westers verschijnsel'. De moderne industrialisatie blijft dan ook niet beperkt blijft tot het klassieke Westen en deint vanaf het einde van de 19de eeuw uit in Japan, Azië en Latijns-Amerika. Industrialisatie past zich dus aan andere culturele omgevingen aan.

7. Andere vragen, andere antwoorden

In 1831 schrijft de Duitse filosoof Hegel: 'De geschiedenis van de wereld reist van oost naar west. Daar waar Europa het absolute einde is van de geschiedenis, is Azië het begin'. Deze teleologische visie domineert het Europese denken sinds de 19de eeuw en vinden we nog vaak terug in eurocentrische verklaringen voor *The rise of the West*. De fundamentele perspectiefverschuiving in het debat over *The Great Divergence* ondergraaft de oude premissen:

- dat het Westen al lang vóór de 19de eeuw een voorsprong zou hebben op andere delen van de wereld, meer bepaald China;
- dat het Westen al vele eeuwen een intrinsiek meer dynamische samenleving zou zijn, meer bepaald tegenover de Aziatische;
- dat het Westen geheel op eigen kracht, vanwege interne veranderingen, de voortrekkersrol in de nieuwe wereldeconomie heeft opgenomen;
- dat het Westen al vele eeuwen een meer moderne, meer marktgerichte economie heeft dan bv. het Chinese, Japanse en Ottomaanse Rijk;
- dat de cultuur en de instituties in het Westen uniek zijn en dus 'westers' van karakter.

Uiteraard ontkennen de 'revisionisten' niet dat de wereld in 1600 er heel anders uitziet dan in 1900, getekend door de sterke opkomst en later de dominantie van Europa en het Westen. De vraag mag echter niet eenzijdig worden benaderd en daarom is een vergelijkende blik noodzakelijk. Evenzeer willen we begrijpen waarom deze verschuiving in het nadeel verliep van andere delen in de wereld. Hoe is de terugval van vooral China en andere Aziatische regio's te verklaren? Is de weg van het Westen de 'normale' weg, of een afwijking op het algemene patroon? Een niet-eenzijdige verklaring hiervoor is alleen te vinden in een gecombineerd comparatief en globaal perspectief:

- andere, niet-Europese samenlevingen en economieën moeten in de analyse worden betrokken: het Ottomaanse Rijk, India, China, Japan, West-Soedan enz.;
- op een vergelijkende wijze moeten diverse aspecten van deze samenlevingen worden bestudeerd, zonder uit te gaan van de premissen van wat mogelijk het uitzonderlijke Europese ontwikkelingspad is (geografie, demografie, economie, sociale verhoudingen, politieke systemen, culturele patronen, familiesystemen enz.);
- ingebed in een systeemtheorie moeten de diverse subsystemen niet alleen naast elkaar, maar ook als onderdelen van een groter systeem bekeken worden. Op welke wijze integreert de nieuwe wereldeconomie de bestaande subsystemen?

Wereldgeschiedenis leert ons dat verklaringen voor bepaalde ontwikkelingen, zoals *The Rise of The West*, altijd oog moeten hebben voor a) vergelijking, b) bredere patronen van interactie, ontlening en interdependentie en c) de lange termijn. Vergelijking leert ons dat vroeger als uniek westers getypeerde verschijnselen vaak in andere vormen in andere streken en periodes aanwezig zijn. Een goed voorbeeld is de 'smithiaanse' markteconomie, geleid door een 'onzichtbare hand'. Elders bestaan tevens hoogontwikkelde vormen van markteconomie (zoals in China, de islamwereld, sub-Sahara Afrika enz.), zonder dat die hebben geleid tot de als westers gelabelde industriële en politieke revoluties. Naast deze variaties in ontwikkelingstrajecten is het de interactie hiertussen die de wereldgeschiedenis moet bestuderen. Het nieuwe kapitalistische handels- en productiesysteem is niet nationaal, maar Europees, trans-Atlantisch en later mondiaal. Het ontwikkelt zich in een geografisch en sociaal ongelijke wereld. Wereldhistorici zoals Pomeranz schrijven zich in deze denktraditie in door te wijzen op de cruciale rol van de periferie (Amerika) in het Europese industrialisatieproces. Zonder de invoer van landintensieve goederen (landbouw) heeft Engeland zich nooit kunnen toeleggen op de grootschalige vervaardiging van allerlei nijverheidsproducten. Die worden dan op hun beurt gedeeltelijk afgezet in dezelfde periferie.

De meest extreme positie is ingenomen door 'nieuwe oriëntalisten' als A.G. Frank. Volgens hen kan het Westen alleen dankzij het edelmetaal uit de Amerika's en via de handelsrelaties met Azië een plaats van enige betekenis verwerven in de vroegmoderne wereldeconomie. Zodra het die verworven heeft, wordt het door de internationale concurrentie en door verschillen in comparatieve kosten gedwongen goedkoper te produceren. Dit doet het door te industrialiseren, in een periode van een relatieve *decline of the East*', waarin de Aziatische imperia in grote problemen komen. Oriëntalisten zien deze Europese dominantie echter als een tussenfase, gevolgd door een nieuwe Aziatische suprematie vanaf de 21ste eeuw.

Het volstaat echter niet om als tegenreactie op de Eurocentrische 'wereld van verschillen' alleen op zoek te gaan naar de 'wereld van gelijkenissen'. Uiteindelijk creëert de periode van de 16de tot de 19de eeuw een extreem ongelijke wereld, met een duidelijk economisch en politiek overwicht in Europa en het Westen. Wat we vooral moeten verstaan is hoe binnen de toenemende interacties de grote verschillen zijn kunnen groeien.

8. Wat met Afrika?

In het verhaal van *The Great Divergence* speelt (sub-Sahara) Afrika tot nu toe maar een heel bescheiden rol. Weliswaar wordt dit continent eveneens geïncorporeerd in het mondiale handelssysteem, maar dan bijna uitsluitend als leverancier van goedkope arbeid en later goedkope grondstoffen. Dat Afrika letterlijk in de marge komt van het nieuwe wereldsysteem, geven ook de cijfers aan. Het aandeel van het continent (20% van de oppervlakte) in de wereldbevolking neemt drastisch af, van 19% in 1500 tot 11% in 1800 en 8% in 1900. Hierna groeit het aandeel opnieuw, tot 13% in 2000 en naar schatting opnieuw 20% in 2050. Deze relatieve bevolkingsterugval staat symbool voor de marginalisering van de economische positie van Afrika. Ruwe schattingen geven aan dat de rijkdom per inwoner (bnp per capita) omstreeks het jaar 1000 in Afrika en in West-Europa even hoog is. Hierna wijzigen de verhoudingen sterk. In 1500 is de West-Europeaan gemiddeld tweemaal rijker, in 1900 vijfmaal en in 2000 dertien maal.

Het lijkt erop dat deze feitelijke marginalisering samengaat met een geringe interesse voor het continent vanuit een mondiaal perspectief. Wanneer de geschiedenis van Afrika in het voorbije millennium in een globale context in beeld komt, is het bijna altijd in een negatief verhaal: de slavenhandel, kolonisatie en dekolonisatie, interne conflicten, honger en aids. Ook in de scenario's over de 21ste eeuw, waarin Azië en China zo prominent aanwezig zijn, speelt Afrika (tot nu toe) nauwelijks een rol.

De kolonisatie heeft eveneens de geschiedenis van Afrika gekoloniseerd. Afrika kan als actor echter de wereldgeschiedenis veel leren, zoals:

a/ het proces van interne kolonisatie, door jager-verzamelaars, door herders en door landbouwers (Bantoemigratie); de opbouw van meer complexe culturen en staatssystemen;

b/ processen van regionale integratie, met de uitbouw van regionale handels- en productiesystemen (voorbeelden zijn West-Afrika en de Swahilikust); de koppeling van deze regionale systemen aan internationale netwerken, zoals West-Afrika met Noord-Afrika en de Oostkust met de Arabische wereld; toenemende culturele contacten met bv. de verspreiding van de islam;

c/ het proces van mondiale integratie, eerst op een extensieve basis (goud, slaven), later op een intensieve manier (kolonisatie);

d/ het proces van periferisering, van een marginalisering binnen de globale economie; de nieuwe vormen van sociale en economische organisatie om de gevolgen hiervan op te vangen.

Met andere woorden, de geschiedenis van Afrika in een mondiaal perspectief confronteert ons met alle aspecten, positief en negatief, van de *human journey*.

8. Een globale wereld: globalisering of globaliseringen?

De Perzische reiziger, schrijver en dichter Saadi verhaalt in de verhalenbundel *Gulistan* (De Rozentuin, 1259 n.t.) over de kosmopolitische West-Aziatische wereld in de 13de eeuw. Hij vertelt over een ontmoeting met een handelaar die onderweg is met 150 met lasten beladen kamelen en 40 slaven en dienaars. De handelaar plant zijn laatste reis: 'Ik zal Perzische zwavel vervoeren naar China, want ik hoorde dat ik daar een hoge prijs voor krijg. Dan verhandel ik Chinees porselein naar Rum (Anatolië), en vandaar brokaat naar India, Indiase ijzerwaren naar Aleppo, glaswaar van Aleppo naar Jemen, en gestreepte stoffen van Jemen naar Perzië. Daarna zal ik stoppen met handel drijven en me vestigen in een winkel'.

In de 13de en 14de eeuw n.t. strekt het Mongoolse Rijk, een van de grootste ooit, zich uit van China in het oosten tot de Balkan in het westen, van Siberië in het noorden tot Tibet in het zuiden. De *Pax Mongolica* zorgt op de zijderoutes van oost naar west voor een sterke expansie van de handel. Karavanen brengen zijde, katoen, parels, sierraden en kruiden naar het westen, en zilver, linnen en paarden naar het oosten. Samen met de goederen reizen ook mensen, ideeën en technieken over het Euraziatische continent. Daarnaast floreert een maritieme zijderoute, van de Chinese Zee over de Indische Oceaan tot Perzische Golf en de Rode Zee. Indische katoenen kleding is een van de belangrijkste handelswaar. Ze staat bekend om haar kleuren, kwaliteit en variatie. De goederen worden verscheept vanuit bloeiende handelssteden aan de Aziatische kusten, trekpleisters voor de Europese handelaars in latere eeuwen.

In zijn meest essentiële vorm staat globalisering voor de expansie van handel en interactie. Sommigen zoeken dan ook de wortels van de hedendaagse globalisering vroeg in de wereldgeschiedenis, inzonderheid in de groei van de Afro-Euraziatische handelsnetwerken. Anderen kijken naar de Europese expansie via nieuwe, overzeese handelsroutes vanaf de 16de eeuw. Die enten zich op de bloeiende commerciële netwerken in het oosten. Het aantal handelsschepen vanuit Europa naar Azië vermenigvuldigt van 770 in de 16de eeuw tot 6660 in de 18de eeuw. 'Globale' handelswaar zoals slaven, zilver, suiker, kruiden en bont zijn de smeerolie van het nieuwe expansieve handelssysteem.

Hedendaagse wereldgeschiedenis, of *global history*, wordt soms vertaald als de geschiedenis van globalisering. Maar wat betekent globalisering en hoe kan het bestudeerd worden? De enorme populariteit van het concept doet soms vergeten dat globalisering (of mondialisering) een neologisme is, in de jaren 1980 gepopulariseerd als een verwijzing naar de versnelde internationalisering van de financiële sector. In de jaren negentig werd globalisering een *buzzword*, een koepelbegrip om de maatschappelijke transities in het laatste kwart van de 20ste eeuw te benoemen. Meer nog, globalisering groeide uit tot een veralgemenend containerbegrip dat ambieerde alle historische processen van toenemende interactie en interconnectie samen te brengen. Dit hoofdstuk gaat dieper in op de vraag wat we kunnen verstaan onder globalisering en meer in het bijzonder wat de historische draagwijdte is van het concept. Wat leert wereldgeschiedenis ons over globalisering en is het een zinvol concept om maatschappelijke veranderingen mee te duiden?

Figuur 16. De populariteit van de begrippen civilization, modernization en globalization, 1950-2008.

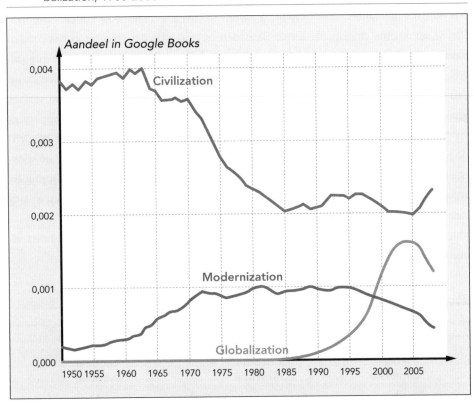

Een analyse van het gebruik van de begrippen *civilization, modernization* en *globalization* in *Google Books* laat zien hoe vanaf de jaren 1960 het beschavingsconcept moet inboeten voor het begrip modernisering en hoe op haar beurt modernisering gedeeltelijk het slachtoffer is van het succes van het concept globalisering vanaf de jaren 1990. We zien ook dat het concept globalisering na een snelle groei vanaf 2003/4 aan populariteit begint in te boeten (en dit samen met een kleine revival van het beschavingsbegrip).

1. Op zoek naar een definitie

Algemeen verwijst het concept globalisering naar het 'kleiner' worden van de wereld, of in meer geleerde termen, naar een compressie van tijd en plaats. Globalisering impliceert zo een systematische reductie van grenzen. Hier wordt eerst en vooral gewezen op het vervagen van economische grenzen, en dus op de grotere schaal van markten voor goederen, kapitaal en arbeid. In deze betekenis wordt globalisering voor het eerst gebruikt in het tijdschrift *The Economist* in 1959. De doorbraak van het begrip komt er dertig jaar later, na de val van de Berlijnse Muur en de doorbraak van het commerciële Internet in 1989. Beide gebeurtenissen lijken in de daaropvolgende jaren een nieuwe wereld te creëren, waarin niet alleen economische grenzen sneuvelen, maar ook andere 'stromen' (*flows*) van kennis, informatie, ideeën, waarden en geloof breder en meer intens zouden worden. Dit verkleinen van de wereld is dus, ogenschijnlijk paradoxaal, het gevolg van een groeiproces, waarbij er steeds meer intermenselijke verbindingen ontwikkelen op een steeds grotere schaal. De hedendaagse globalisering duidt het eindpunt aan van dit groeiproces, waarbij de groei van markten en stromen uiteindelijk het hele oppervlak van de aarde omvat. Klassieke voorbeelden van dit globaliseringsproces zijn de groeiende menselijke mobiliteit en de mogelijkheid tot wereldwijde communicatie. Beide voorbeelden wijzen meteen op het belang van technologische ondersteuning voor dit proces, zowel bij transport (vliegtuig, hogesnelheidstrein) als bij communicatie (Internet, draadloze telefonie).

Volgens Peter Dicken (*Global Shift*) betekent globalisering de integratie van een horizontale (ruimte) en verticale (productiesystemen) schaalvergroting.

Figuur 17. De dimensies van interconnectie in een globaliserende economie.

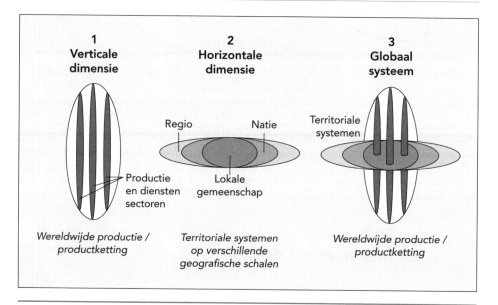

Globalisering is echter meer dan alleen toegenomen interactie (meer vormen, meer snelheid, meer volume). Het begrip verwijst ook naar de groeiende impact van deze contacten op het sociale en individuele leven. Een van de meest populaire beelden van globalisering is dan ook die van de wereld, mijn dorp, of van een plaatsloze wereld waar geografie, letterlijk de 'plaats op de wereld', minder determinerend wordt in vergelijking met de 'globale ruimte' waarin contacten plaatsvinden. Opnieuw bieden de elektronische media een treffende illustratie. Vooral het Internet lijkt de belofte van een *global village* in zich te dragen, waar eenieder een virtuele identiteit kan ontwikkelen in contact met andere internauten en dit naast de identiteit die vorm krijgt binnen het sociale netwerk van de lokaliteit. De contacten binnen cyberspace zijn reëel, maar minder tastbaar, verbinden mensen over continenten heen, maar altijd via een 'interface', nooit rechtstreeks *face to face*.

Globalisering gaat dus over interactionele schaalvergroting en toegenomen impact van deze interactie op het sociale en individuele leven. Maar in welke mate en waarom? Kunnen we meten in hoeverre interactie en impact zijn toegenomen? En kunnen we verklaren waarom interactie en impact zijn toegenomen? Wat het meten van de interactie betreft, heeft een groep auteurs onder leiding van David Held in 1999 (*Global transformations*) getoond dat globalisering kan worden gemeten worden volgens vier dimensies:

1/ *extensity*: de uitgestrektheid van netwerken;

2/ *intensity*: de intensivering van de relaties en sociale contacten;

3/ *velocity*: de snelheid van de stromen en contacten;

4/ *impact*: de invloed van de interconnecties.

Een toenemende globalisering impliceert bijgevolg een vergroting, een verdichting, een versnelling en een grotere impact van connecties en netwerken, tot op het globale niveau. Indien de vier meters hoge scores tonen, kan er gesproken worden van *thick globalization*. *Thin globalization* betekent dat een ruimtelijke groei van netwerken niet gepaard gaat met een grotere intensiteit, snelheid en impact. Het uitvaren van de Santa Maria van Christoffel Columbus in 1492 staat volgens velen symbool voor de start van een (eerste) globaliseringsgolf. De snelheid hiervan is echter heel wat trager en de schaal minder uitgebreid dan het globaliseringsoffensief tijdens de imperialistische *'scrambles'* in het laatste kwart van de 19de eeuw. De moeilijkheid om globalisering te meten, heeft geleid tot redelijk wat onenigheid onder wetenschappers bij het appreciëren van de sociale transformaties vroeger en nu. Dit geldt a fortiori voor de laatste twintig jaar, de periode die begint met de val van de Berlijnse Muur en waarin globalisering als begrip furore maakt.

2. Globalisering als strijdtoneel

Globalisering is een multidimensioneel begrip. Het incorporeert economische, sociale, politieke en culturele processen. Globalisering is een wetenschappelijk concept (wat?), maar ook een ideologisch begrip (waarom?) en een menselijk proces (hoe?). Globalisering is bijgevolg een strijdtoneel, ook wat de invulling van het begrip betreft. In de eerste plaats gaat het over de vraag hoe nieuw hedendaagse globalisering is. We onderscheiden drie opinies.

De zogenaamde *hyperglobalisten* benadrukken het unieke karakter van de huidige tijd. Dat waardeoordeel wordt niet zozeer bepaald door te kijken naar de impact van globalisering op individuen, maar op de staat. Het idee is dat staten een ondergeschikte rol moeten spelen in de nieuwe globaliserende wereld. Vooral de mondiale economie wordt daarbij geviseerd als een sfeer die de regels bepaalt waaraan staten moeten voldoen. Aangezien geld en bedrijven in toenemende mate mobiel zijn en staten natuurlijk niet, gaat de logica dat staten er alles aan doen om dat geld en die bedrijven binnen hun grenzen te houden. Om belastingen te kunnen heffen, moeten staten dus eerst en vooral belastingen verminderen en een fiscaal en juridisch regime ontwikkelen waarop bedrijven kunnen 'vertrouwen' en dat betere voorwaarden schept dan het buitenland. Globalisering maakt op deze manier volgens de pessimisten een einde aan de welvaartstaat en de sociale democratie, bij uitstek 20ste-eeuwse nationale processen. Optimisten wijzen er dan weer op dat staten een historisch relict zijn doordat ze als enigen onaangepast zijn aan de nieuwe, globaliserende condities. De oplossing kan volgens hen niet liggen in het terugschroeven van globalisering, aangezien dit onmogelijk wordt geacht en anderzijds omdat door de meer intensieve contacten tussen verschillende culturen nationale spanningen verdwijnen. Op deze manier kan een *'global community'* de motor zijn van een betere en minder ongelijke wereld.

De sceptici geloven niet in het vermeende revolutionaire karakter van de hedendaagse globalisering. Ze hebben daartoe een aantal argumenten. Ten eerste is de hedendaagse globalisering niet nieuw en gaan langeafstandshandel en culturele uitwisseling ver terug in de tijd. Ten tweede zijn vele van deze processen, vandaag en gisteren, niet te interpreteren als globalisering, maar als regionalisering. De creatie van de Europese Unie toont dit aan. Binnen Europa is de mobiliteit van mensen en goederen duidelijk vergroot, versneld en versterkt. Maar tegelijk wordt de mobiliteit van mensen die in Europa een nieuw en beter leven zoeken, actief belemmerd. Ten derde geloven sceptici niet in het verdwijnen van de staat als regulerend en organiserend instituut. Zo bestaan alle supra- of multinationale instituten zoals de VN, de Wereldbank of de Wereldhandelsorganisatie bij gratie van de brede nationale ondersteuning. Tevens blijven grote staten als de

Verenigde Staten van Amerika en China internationaal nog altijd de eerste viool spelen op het geopolitieke en economische vlak.

De *transformisten*, ten slotte, kiezen voor de tussenpositie. De huidige globalisering creëert volgens hen nieuwe economische, politieke en sociale omstandigheden, maar het is onduidelijk wat de impact van deze omstandigheden zal zijn op de macht van staten. Belangrijk is dat deze transformisten globalisering zien als een historisch proces, dat door de tijd heen van karakter verandert. De hedendaagse globalisering is dan niet volledig nieuw, ze verschilt wel wezenlijk van eerdere fasen van globale versnelling. Daarnaast benadrukken ze dat globalisering een ongelijke impact heeft op verschillende delen van de wereld.

Die verschillende posities ten opzicht van de uniciteit en impact van het globaliseringsproces zijn niet louter academisch, maar ook politiek relevant. Het is duidelijk dat de voorstelling van globalisering als een onomkeerbare sociale transformatie die de macht van staten uitholt en de macht van bedrijven en individuen vergroot, belangrijke gevolgen heeft voor politieke actie en analyse. Een invloedrijk intellectueel als Thomas Friedman heeft in meerdere boeken onderstreept hoe individuen en staten geen andere keuze hebben dan zich aan te passen aan de nieuwe globale conditie. Anderen stellen de conceptualisering van globalisering als een onomkeerbaar proces ter discussie. Dit vertaalt zich in een kritiek op de neoliberale politieke recepten, internationaal gepropageerd als de *Washington Consensus*. Die neoliberale doctrine uit de jaren 1980 en 1990 bepleit privatisering, deregulering en liberalisering, die volgens de critici vooral leiden tot zwakkere staten en een verlies aan politieke autonomie ten opzichte van bedrijven en bredere financiële belangen. De oorzaak voor dit verlies aan politieke autonomie moet daarom niet gezocht worden in een anoniem, passief proces van globalisering, maar in de actieve neoliberale recepten die gelegitimeerd worden door het idee van een onomkeerbare globalisering. Dat is een belangrijke kritiek, die vooral door de zogenaamde antiglobaliseringsbeweging op het einde van de jaren negentig wordt ontwikkeld. Prominente stemmen binnen de beweging, zoals Naomi Klein, Noreena Hertz of David Korten, zien het globaliseringsverhaal vooral als een discours dat de groei van multinationale ondernemingen ondersteunt, het winstmotief als handelend principe legitimeert en welvaart laat primeren op welzijn. Globalisering staat binnen deze optiek synoniem voor kapitalistische groei en de 'verwestering' van de wereld. Twee processen die ze helemaal niet vanzelfsprekend of onomkeerbaar acht, maar wel onwenselijk.

De ideologische strijd over de invulling en appreciatie van globalisering toont meteen aan hoe voorzichtig wetenschappers moeten omspringen met het concept. Globalisering mag geen verhullend concept zijn voor een mix van maatschappelijke transities. Daarmee verliest de term alle betekenis. Dat risico heeft ervoor gezorgd dat het globaliseringsconcept ondertussen door wetenschappers al veel omzichtiger wordt benaderd en de populariteit van het begrip afneemt. Willen we het concept behouden, dan moet het dus verklaringen aanbieden en de diverse belangen in het proces blootleggen. In deze definitiestrijd kan een historische invalshoek nieuwe inzichten aanbrengen. De volgende vragen moeten dan worden beantwoord.

a) Wanneer start het proces van globalisering? Welke schaal en intensiteit van interacties is nodig om van globalisering te kunnen spreken?

b) Verloopt het historische proces van globalisering gestaag of is er een golfbeweging? Zijn er periodes in de geschiedenis van globalisering?

c) Wat is de plaats van de hedendaagse globalisering in het historische verhaal? Wat zijn de gelijkenissen, wat is nieuw? Hoe uniek is de hedendaagse globalisering?

3. Op zoek naar de historische wortels van de globalisering

Dit brengt ons bij de vraag naar het waarom achter globalisering. Waarom is er een vergroting, een verdichting, een versnelling en een grotere impact van globale connecties en netwerken? Daarbij hebben we de directe rol al aangestipt van nieuwe technologische revoluties, in de eerste plaats in transport en communicatie. Maar ook die revoluties komen niet in een sociaal vacuüm tot stand. Globalisering is eveneens, en misschien vooral, een actief proces, gedragen door diverse sociale actoren met eigen agenda's en strategieën. De belangrijkste zijn (multinationale) bedrijven, kapitaalsgroepen, staten en politieke instellingen, cultureel-religieuze bewegingen en internationale drukkingsgroepen zoals de antiglobaliseringsbeweging. Maar ook individuen spelen een grote rol door, zoals gezegd, het actief gebruiken van de technologische mogelijkheden in het 'globaliseren' van hun sociaal netwerk.

Wanneer we globalisering als actief proces willen begrijpen, stellen we niet alleen een waaromvraag, maar ook een wanneervraag. Aangezien globalisering een proces is, is de zoektocht naar de wortels en logica achter dit proces per definitie een historische studie. De vraag naar het begin van het proces van globalisering is binnen de wereldgeschiedenis daarom een vraag van de eerste orde. Het antwoord bepaalt mee de wijze waarop heden en verleden aan elkaar gerelateerd worden.

Samengevat vinden we in de literatuur de volgende vier opties, die we verder kort uitdiepen:

- globalisering is 5000 jaar oud (sinds het ontstaan van de grote beschavingen)
- globalisering is 500 jaar oud (sinds het ontstaan van een (westers) wereldsysteem)
- globalisering is 150 jaar oud (sinds de verspreiding van de Industriële Revolutie)
- globalisering is 30 jaar oud (sinds de crisis van de jaren 1970)

a) *Globalisering is 5000 jaar oud.* Deze benadering gaat uit van het neutrale model, glo-balisering als het 'zelfversterkende' proces van toenemende contacten tussen bevol-kingsgroepen, of meer metaforisch, als een verdichting van het 'menselijke web'. Groeiende technologische mogelijkheden zijn de motor (waterkracht, windkracht, navigatie, stoom enz.). Het proces van globalisering valt dus samen met de 'bescha-vingsgeschiedenis' en heeft als begrip als dusdanig weinig verklarende kracht.

b) *Globalisering is 500 jaar oud.* Het ontstaan van globalisering valt hier samen met het ontstaan van het historisch kapitalisme, van een nieuw, vanuit Europa gegroeid wereldsysteem. Of zoals Karl Marx het heeft verwoord: 'De ontdekking van goud en zilver in Amerika, de uitroeiing van de inheemse bevolking in de mijnen, de aanvang van de verovering en plundering van Oost-Indië, de verandering van Afrika in een wildpark voor de commerciële jacht op zwarthuiden, betekenen de dageraad van het tijdperk van de kapitalistische productie. Deze idyllische processen zijn de belang-rijkste fasen in de oorspronkelijke accumulatie. Direct daarop volgt de handelsoor-log tussen de Europese naties, met de aarde als schouwtoneel'. Anderen vatten het zo samen: de globale economie ontstaat samen met de Europese 'ontdekkingen' en een globale markt voor zilver.

Dit nieuwe, moderne wereldsysteem is een expansief maatschappelijk stelsel, gegroeid uit een unieke combinatie van handelskapitalisme met een interstatensysteem met kolo-niale expansie. Ontstaan als een concurrent van andere regionale systemen (het Ottomaanse rijk, Mogol-India, China, sub-Sahara Afrika, Midden-Amerika, het Incarijk), incorporeert het door Europa gedomineerde systeem op termijn alle andere, om zo in de 19de eeuw uit te groeien tot een waarachtig mondiaal geïntegreerd systeem. Deze globalisering is dus niet neutraal, maar is het gevolg van de agressieve expansie van één bepaald wereldsysteem. Motor van de expansie is de economische groei van het kapitalisme, met als belangrijkste brandstof de niet-aflatende zoektocht naar goedkope arbeid, goedkope grondstoffen en nieuwe afzetmarkten. De economische expansie gaat samen met een heel eigen logica van territoriale expansie, die vorm krijgt binnen een dubbel strijdperk.

- Een strijd in de kern van het systeem: de strijd om de hegemonie. Hierdoor ver-schuift de kern, na competitie en strijd, van Noord-Italië in de 15de eeuw naar

Holland in de 17de-18de eeuw, naar Groot-Brittannië in de 19de eeuw en naar de Verenigde Staten in de 20ste eeuw.

-   Een strijd in de periferie: de strijd om de kolonies. Aangezet in de 16de eeuw door de oude rijken Spanje en Portugal, wordt de strijd in de 17de en 18de eeuw vooral uitgevochten door Holland, Frankrijk en Engeland. De 19de eeuw is met de nieuwe imperialistische golf het hoogtepunt in de koloniale wedloop. In de 20ste eeuw volgt onder impuls van de nieuwe hegemonie (Verenigde Staten) de formele dekolonisatie, maar met een nieuwe globale strijd voor invloedssferen in de context van de Koude Oorlog.

Deze economische en politieke-territoriale expansie wordt gelegitimeerd door een evenzeer nieuw, universalistisch discours, waarbij waarden als beschaving en modernisering als universeel worden doorgegeven.

c) *Globalisering is 150 jaar oud.* Een globale wereld breekt pas door in de 19de eeuw, na de succesvolle Industriële Revolutie in Europa. Pas in deze eeuw wordt het Europese ontwikkelingsmodel de mondiale standaard. De idee dat modernisering maar kan slagen na het breken met het eigen verleden, en dit via een aantal maatschappelijke revoluties, voedt het nieuwe vooruitgangsgeloof. De geslaagde economische en politiek-sociale revoluties schragen het zelfbeeld van het Westen, met als kernwoorden: vooruitgang, technologie, rationalisering. Het nieuwe universalisme wordt samengevat in de leuze van de Franse Revolutie: vrijheid, gelijkheid, broederlijkheid.

Deze veranderingen roepen ook nieuwe tegenstellingen in het leven, die minder in het discours van het vooruitgangsoptimisme terug te vinden zijn: arbeid versus kapitaal, individualisme versus grotere overheidscontrole, patriarchie versus individuele ontvoogding (vrouwen, kinderen), democratische principes versus sociale uitbuiting, universalisme versus racisme en ongelijkheid. De economische en ook territoriale groei van 19de-eeuws Europa wordt aangedreven door de sterke Britse hegemonie. Niet alleen wordt Groot-Brittannië na de Industriële Revolutie de *'workshop of the world'*, tevens beheerst zij grote delen van de aardoppervlakte en bij uitbreiding de zeeën (*'ruler of the waves'*). Vanaf het laatste kwart van de 19de eeuw taant de invloed van Groot-Brittannië en van Europa. Het economische zwaartepunt verschuift langzaam over de Atlantische Oceaan, en een toegenomen spanning binnen de Europese kern en de Europese periferie (kolonies) mondt in de eerste helft van de 20ste eeuw uit in twee vernietigende wereldoorlogen. De snelle veranderingsprocessen vanaf de jaren 1870 worden vaak gezien als het momentum van de 'eerste' grote globaliseringsgolf. Die heeft vier belangrijke componenten. Ten eerste een imperialistische expansiegolf, een gevolg van een groeiende competitie tussen de Europese naties. Door de koloniale wedloop is omstreeks

1900 de directe greep van Europa op de wereld groter dan ooit. Ten tweede een buitenlandse investeringsgolf door het stilvallen van de economische motor van de Industriële Revolutie in Europa (met bv. infrastructuurprojecten over de hele wereld). Ten derde het ontstaan van multinationale bedrijven, met het opzetten van filialen in het buitenland (vooral van oorsprong Duitse en Amerikaanse bedrijven). En ten slotte de implementatie van technische innovaties op het gebied van transport (stoomschepen, later de auto), communicatie (telegraaf, telefoon) en de uitbouw van infrastructuur over de hele wereld (spoorwegnet, tramlijnen, kanaalverbindingen zoals Suez en Panama).

De Eerste Wereldoorlog legt deze mondiale expansie bruusk stil. De decennia hierna, met de grote crisis van de jaren 1930 en een toenemend nationalisme, voeden een proces van 'deglobalisering'. De jaren na 1945 zetten een lange fase in van ongeziene economische expansie. Die wordt gedragen door een grote groei in de wereldhandel, maar is toch vooral een gevolg van de (her)opbouw van nationale economieën (herstel van Europa, de opkomst van het Oostblok, de onafhankelijkheid van de kolonies). Voor een nieuwe fase in de globalisering is het wachten tot een nieuwe wereldcrisis.

d) *Globalisering is 30 jaar oud.* Deze visie stelt dat de recente mondiale verschuivingen (sinds de jaren 1970) uniek zijn en niet vergelijkbaar met vroegere processen van toenemende interconnectie. Het grote verschil is dat in het verleden de contacten plaatsvinden binnen een politiek verbrokkelde wereld, tussen staten. De staten (of andere politieke eenheden zoals rijken of culturen) blijven de basisschaal, alleen intensifiëren soms de relaties hiertussen. Op het einde van de 20ste eeuw valt in deze visie de staat als basisschakel in het mondiale systeem meer en meer weg en zien we het ontstaan van natieoverkoepelende systemen. Vaak wordt een onderscheid gemaakt tussen processen van:

- internationalisering: vanaf het ontstaan van de nationale staten. Dit betekent een toenemend contact tussen staten, zonder dat deze staten aan de macht en invloed verliezen, zelfs integendeel. De groei van de internationale handel vanaf de 16de eeuw past in dit concept;

- multinationalisering: vanaf het einde van de 19de eeuw, met het ontstaan van multinationale bedrijven. Bedrijven organiseren zich meer en meer over de staatsgrenzen heen, waardoor goederen- en kapitaalstromen in toenemende mate door bedrijven en niet door landen gestuurd worden. Deze bedrijven opereren wel binnen het internationale statensysteem (met moederbedrijven en filialen);

- globalisering: vanaf het einde van de 20ste eeuw, met de toename van wereldwijde stromen van kapitaal en informatie, zonder tussenkomst van de staat. Geld, maar ook goederen worden natieloos; een product wordt *'made in the world'.*

Beslissingen zijn niet meer geografisch traceerbaar of beïnvloedbaar. De nationale politiek verliest de greep op de economie.

De nieuwe fase van globalisering wordt voorafgegaan door een ongeziene stijging van de wereldhandel. Tussen 1970 en 2010 groeit de wereldhandel met de factor veertig, dubbel zo snel als de totale mondiale productie. Het aandeel van de handel in het totale bnp bedraagt in het begin van de 20ste eeuw 50%, tegenover een kwart in de jaren 1960.

Figuur 18. De groei van de globale handel en het globale bnp, 1960-2009 (1995 = 100).

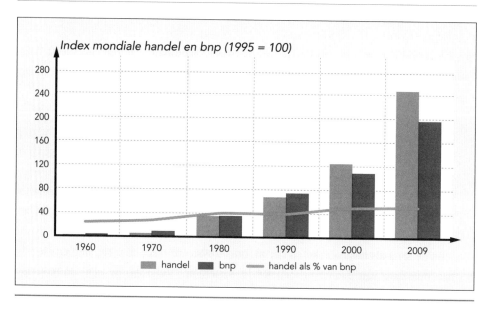

De doorbraak van deze globalisering wordt algemeen in verband gebracht met een nieuwe crisis in het historisch kapitalisme. Vanaf het midden van de jaren 1970 koppelen kapitaalstromen zich meer en meer los van de 'productiesfeer' en richten ze zich op financiële beleggingen en speculatie (beurzen). Net zoals in de late 19de eeuw neemt de mobiliteit van kapitaal snel toe.

Figuur 19. Een gestileerd beeld van kapitaalsmobiliteit tussen 1860 en 2000.

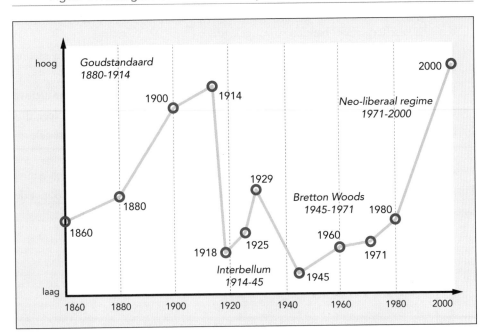

Dit gaat samen met een neoliberale politieke revolutie in de westerse wereld, waarin deregulering het nieuwe adagium wordt. Er is ten eerste een economische deregulering, met een toenemende druk op de 20ste-eeuwse sociale verzorgingsstaat, met een groeiende delokalisatie van bedrijven en met een kleinere impact van de georganiseerde arbeidersbeweging. Ten tweede is er een financiële deregulering, met het in *real time* beleggen van geld wereldwijd en een grotere onzekerheid (en grotere fluctuaties) op de kapitaalmarkten. Dit gaat samen met, ten derde, een politieke deregulering, met het verdwijnen van politieke zekerheden, zowel nationaal (de grote nationale partijen) als internationaal (de Koude Oorlog, bezegeld met de val van de Berlijnse Muur in 1989).

Deze hedendaagse, neoliberale globalisering is geenszins een neutraal proces. Ze situeert zich binnen een herstructurering van het mondiale kapitalistische systeem en wordt gedragen door een aantal heel actieve actoren.

- De multinationale bedrijven en netwerken, waarin productie, verkoop en winst mondiale gegevens zijn geworden. Het delokaliseren van arbeid en productie (bedrijven) en het geografisch verschuiven van winsten is een dagelijkse bedrijfsstrategie.
- De nationale staten, die in de jaren 1980 massaal de kaart trekken van een neoliberale herstructurering. Door een zogenaamde 'ontvetting' wordt een aantal hefbomen

van nationaal beleid uit handen gegeven en zo de economische globalisering in de hand gewerkt. Daar staat tegenover dat de mobiliteit van mensen door de natiestaten steeds scherper aan banden wordt gelegd.

- Een nieuwe technologische, digitale revolutie vergroot de snelheid van uitwisseling van informatie, maar ook van kapitaal en digitale goederen.

- Kapitaalbezitters sturen meer dan ooit het geld de wereld rond op zoek naar nieuwe opbrengsten. Voor het overgrote deel gebeurt dit los van de 'reële' productiesfeer, dus los van investeringen in productie. De concentratie van massieve sommen geld in verzekerings- en pensioenfondsen heeft dit proces versneld.

Deze versnellingen, schaalvergrotingen en dereguleringen hebben geleid tot een aantal financiële *'bubbles'* en economische crisissen, waarvan die van 2008-2009 voorlopig de laatste en meest intensieve was.

4. Hedendaagse globalisering als werkelijkheid en als vertoog

Hoe werkelijk is nu deze nieuwe globaliseringsgolf? Hoe maken we een onderscheid tussen werkelijke ontwikkelingen en een ideologisch discours? Gaan we naar een wereld zonder grenzen, naar één *'global village'*? Is de 21ste eeuw werkelijk zo nieuw en anders in vergelijking met de rest van de menselijke geschiedenis?

Vragen die vanuit een historisch perspectief kunnen worden gesteld, zijn:

1/ Zijn nationale staten gedoemd om te verdwijnen en nemen internationale en mondiale instellingen de politieke macht over? Kunnen de nieuwe instellingen de herverdelings- en controlemechanismen van de staten overnemen? Hebben ze een voldoende democratische draagkracht? Kunnen ze conflicten beter beheersen dan de staten voordien? Of spelen staten in de toekomst nog wel een grote rol?

2/ Is er een trend van culturele homogenisering? Staat globalisering gelijk met de internetrevolutie en met 'Coca-Colonisering'? Of is er een terugslag in de vorm van nieuwe culturele identiteitsbewegingen, onder meer in de vorm van nationalisme en fundamentalisme?

3/ Doet globalisering de grenzen vervagen? Dit lijkt zo voor informatie, kapitaal en (iets moeilijker) voor goederen en diensten. Voor mensen en arbeid worden dan weer nieuwe grenzen opgeworpen, hoe is dat te rijmen?

4/ Brengt globalisering meer amerikanisering? Wordt zo de dominantie van de Verenigde Staten op politiek-militair, financieel en cultureel vlak bevestigd? Of zien we toch een tanende Amerikaanse hegemonie en wordt de nieuwe globale wereld het strijdtoneel voor nieuwe globale (economische, politiek-militaire) conflicten?

5/ Vele vragen zijn terug te brengen tot de tegenstelling tussen convergentie of divergentie. Staat globalisering voor een meer eengemaakte wereld, met kleinere verschillen en meer gelijkheid (convergentie)? Of groeien we in de 'kleinere' wereld meer uit elkaar (divergentie)? Zo ja, zijn die verschillen terug te brengen tot economische ongelijkheid, of ontstaan er nieuwe cultuurblokken, beschavingen, die onvermijdelijk zullen botsen?

Dat globalisering staat voor een nieuwe maatschappelijke versnelling, is duidelijk. Dat dit niet automatisch leidt tot een meer gelijke en vreedzame wereld, eveneens. Aangezien globalisering een actief proces is, bepalen keuzes in grote mate hoe de toekomstige wereld er zal uitzien. Dit debat, deze controverse wordt gevoerd in vier grote domeinen, in vier hedendaagse strijdperken. Telkens is de vraag op welke wijze nieuwe evenwichten kunnen worden gevonden.

1/ Een nieuw evenwicht tussen diverse politieke blokken. Globalisering lijkt niet te leiden tot een homogeen mondiaal bestuur. Strijd tussen oude en nieuwe kernmachten is niet uitgesloten. Regionale blokken, zoals de triade Noord-Amerika, Europa, Zuidoost-Azië, versterken zich. Vroegere derdewereldlanden, zoals China, India en Brazilië, werken zich op, andere glijden steeds verder weg. De kloof tussen arm en rijk lijkt groter te worden.

2/ Een nieuw evenwicht tussen politiek en economie. De politieke macht heeft de voorbije decennia veel greep verloren op economie en kapitaal. De recente financiële crisis maakt echter opnieuw duidelijk dat de markten behoefte hebben aan controle en regulering, en aan politieke stabiliteit.

3/ Een nieuw evenwicht tussen politiek, economie en de aspiraties van sociale groepen. Het samenlevingsmodel van de 20ste eeuw heeft in het Westen gezorgd voor een sterke stijging van de welvaart en meer politieke participatie (een inclusief systeem). De uitdaging is dit ook op wereldvlak uit te bouwen. Dit veronderstelt niet alleen een herverdeling op mondiale schaal, maar ook een nieuw evenwicht tussen de groeiende aspiraties van maatschappelijke groepen en de grenzen van het ecologische systeem.

4/ Een nieuw evenwicht tussen het rijke Westen en het armere niet-Westen. Steeds grotere verschillen binnen een mondiale samenleving waarin informatie en kennis geen grenzen heeft, leiden onvermijdelijk tot een explosieve situatie.

We kunnen het voorgaande als volgt samenvatten. Ten eerste, globalisering is geen neutraal begrip, maar verwijst naar de expansie van een specifiek economisch en samenlevingsmodel. Daarnaast is globalisering een ideologisch breekijzer om nationale regulering en controle af te bouwen ten voordele van meer internationale economische mobiliteit. Ten tweede, globalisering is een historisch verhaal. Globalisering is niet nieuw, maar heeft haar wortels in de eerste expansie van het nieuwe, kapitalistische wereldsysteem. De wereld kent diverse fasen van globalisering, met als belangrijkste de koloniale en commerciële expansie tijdens de lange 16de eeuw, de industriële en imperialistische expansie in de late 19de eeuw en de globale financiële expansie in de late 20ste eeuw. Globalisering staat dus voor opeenvolgende versnellingsfases in de groei van het kapitalistische wereldsysteem. Omdat globalisering tezelfdertijd een feitelijk gegeven en een ideologisch begrip is, werkt het niet in één richting. Processen van schaalverkleining en van verdichting gaan samen met trends van versnippering en verwijdering. Die paradox van de hedendaagse globalisering is een van de grootste uitdagingen van vandaag en morgen.

9. Een gepolariseerde wereld: ontwikkeling, armoede en ongelijkheid

In 2005 start een opgemerkte, wereldwijde campagne tegen de globale armoede: '*Make Poverty History*', met als hoogtepunt de massale mars tijdens de bijeenkomst van de G8 in Edinburgh, Schotland. De centrale doelstelling van de campagne is de wereldleiders aan hun beloften herinneren om op korte termijn fundamentele stappen te zetten in de bestrijding van de *extreme armoede* in de wereld. Deze beloften gaan de wereld rond als de *millenniumdoelen*. In 2000 formuleert de internationale gemeenschap, verenigd in de Algemene Vergadering van de Verenigde Naties, in Dakar (Senegal) acht doelstellingen om in 2015 de armoede in de wereld te halveren ten opzichte van 1990. De ontwikkelingslanden beloven zich hiervoor in te spannen en de ontwikkelde landen beloven voldoende geld beschikbaar te stellen om dit te realiseren.

De doelen zijn [zie ook: http://www.un.org/millenniumgoals]:

1/ het aantal mensen dat in extreme armoede leeft, moet in 2015 gehalveerd zijn ten opzichte van 1990;

2/ in 2015 moeten alle kinderen op de wereld basisonderwijs volgen;

3/ gelijke kansen in 2005 voor jongens en meisjes in basis- en middelbaar onderwijs en op alle niveaus tegen 2015;

4/ het sterftecijfer van kinderen onder de vijf jaar moet in 2015 in ieder ontwikkelingsland met minimaal twee derde zijn teruggebracht ten opzichte van 1990;

5/ de moedersterfte moet in 2015 met driekwart zijn teruggebracht ten opzichte van 1990;

6/ vóór 2015 wordt een halt toegeroepen aan de verspreiding van hiv/aids, malaria en andere ziektes;

7/ vóór 2015 wordt een duurzaam milieu gewaarborgd door duurzame ontwikkeling te integreren in nationale beleidsprogramma's. Er wordt een halt toegeroepen aan het onomkeerbare verlies van natuurlijke hulpbronnen. Het aantal mensen zonder toegang tot veilig drinkwater wordt gehalveerd en vóór 2020 zijn de levensomstandigheden van minimaal 140 miljoen mensen in sloppenwijken aanzienlijk verbeterd;

8/ er komt een mondiaal samenwerkingsverband voor ontwikkeling, met afspraken over goed bestuur, over de ontwikkeling van een open, eerlijk en goed geregeld handels- en financieel systeem, over een oplossing van de schuldenproblematiek en over de overdracht van nieuwe technologieën.

De millenniumdoelen tonen aan dat er wereldwijd een consensus is over de prioriteit die aan armoedebestrijding moet worden gegeven. Toch is er veel kritiek op de millenniumdoelen, die worden bestempeld als minimaal, selectief en te sterk gericht op aantallen. Zo houden ze geen rekening met de mogelijkheid van discriminatie en uitsluiting van bepaalde personen of groepen, waardoor ongelijkheid verder kan groeien. Vooral de fundamentele politieke en economische oorzaken van het armoedeprobleem worden nergens benoemd. Er is geen millenniumdoel dat bepaalt dat de natuurlijke rijkdommen van de wereld in 2015 eerlijker verdeeld moeten zijn.

1. Armoede op de internationale agenda

Armoede staat vandaag hoog op de internationale agenda. Armoede is het centrale concept geworden binnen het ontwikkelingsdenken van supranationale instellingen zoals de Verenigde Naties en de Wereldbank. Sinds de jaren negentig ligt de klemtoon op wat 'de wereldwijde bestrijding van multidimensionale armoede van mensen' wordt genoemd.

Nauw betrokken bij het *Millennium Project* van de Verenigde Naties is Jeffrey Sachs, ontwikkelingseconoom en adviseur van o.a. het IMF, de Wereldbank en de VN. Met *The end of poverty* (vertaald als *Einde van de armoede*) schreef hij een hartstochtelijk pleidooi ter ondersteuning van het millenniumproject. De centrale these is dat de armen in ontwikkelingslanden in een armoedefuik, in een vicieuze cirkel zitten. Om die op te heffen, zijn mondiaal de financiële middelen aanwezig, alleen ontbreekt het nog aan samenwerking en politieke moed. Ontwikkelingslanden hebben niet alleen te maken met een slechte economie, maar ook met gezondheidsproblemen (malaria, aids), een slechte infrastructuur, slecht onderwijs, moeilijk klimaat enz. Sachs uit stevige kritiek op organisaties als het IMF en de Wereldbank, die lange tijd eenzijdig aandacht hadden voor marktwerking en handelsbelemmeringen. Zijn pleidooi is dat extreme armoede bestreden kan worden door mensen op de onderste sport van de ontwikkelingsladder een opwaartse duw te geven. Zodra ze in beweging zijn, doet de economie de rest. Zolang armen echter minder produceren dan ze zelf nodig hebben om in leven te blijven, raken ze niet uit de neerwaartse spiraal.

De belangrijkste kritiek op deze internationale focus op armoede is dat armoede wordt gelijkgesteld aan het ontbreken van vooruitgang. Dit 'achterblijven' is in de eerste plaats een gevolg van een ontwikkelingsimpasse in de armere regio's. Critici stellen dat mensen in de eerste plaats arm zijn, omdat hen de mogelijkheden zijn ontnomen om in het levensonderhoud te voorzien. Ze zijn arm, omdat ze in een ongelijke wereld wonen. De Europese en Noord-Amerikaanse welvaart is in hun ogen in belangrijke mate gebaseerd op de rijkdom die ontvreemd is uit Azië, Afrika en Latijns-Amerika. Armoede is bijgevolg niet het beginstadium van de menselijke vooruitgang waaraan ontsnapt moet worden, maar het eindstadium wanneer eenzijdige ontwikkeling de ecologische en sociale systemen van subsistentie vernietigt. Mensen zijn pas arm, zodra ze geen geld hebben voor de bekostiging van basisvoorzieningen, hoe hoog hun inkomen ook is. Armoede kan in deze visie alleen maar beëindigd worden door het buiten werking stellen van het systeem dat de armen berooft van hun gemeenschappelijke rijkdommen, levensonderhoud en inkomens. Of anders gezegd: voordat we van armoede geschiedenis kunnen maken, moeten we eerst de geschiedenis van armoede rechtzetten en dit kan maar met minder ongelijke mondiale verhoudingen.

Armoede is niet los te koppelen van *ongelijkheid*, de ongelijke verdeling van armoede en rijkdom over de hele bevolking. Processen van groeiende ongelijkheid noemen we dan weer *sociale polarisering*. Welke verschuivingen treden er door de tijd heen op?
Voor de duidelijkheid van het debat is het nodig deze begrippen goed af te lijnen. We doen dit door een korte analyse van het hedendaagse debat over armoede en ongelijkheid. Vervolgens wordt een van de meest prangende vragen gesteld binnen de wereldgeschiedenis: waarom is de mensheid in haar millennialange geschiedenis er niet in geslaagd de armoede en ongelijkheid uit de wereld te bannen?

2. Het meten van armoede

De voorbije twee decennia is het vertoog over mondiale vooruitgang en ontwikkeling meer en meer gefocust op de bestrijding van (extreme) armoede. Dit is een belangrijke verschuiving in het ontwikkelingsdenken. Dit richt zich niet langer op de nationale, maar eerder op de individuele ontwikkeling. Het ontwikkelingsdenken van de jaren 1950 tot 1970 gaat uit van de idee van de nationale vooruitgang (modernisering). Vanaf de jaren 1980 wordt dit vervangen door een nieuw, dubbel streven: een geïntegreerde wereldmarkt enerzijds en een lokale armoedebestrijding anderzijds. De rol van de staat wordt daarbij beperkt tot het implementeren van de plannen die binnen de supranationale organisaties uitgedacht worden. Om de economische groei te bevorderen, moet er een open economisch klimaat heersen dat investeringen en kapitaalstromen kan aantrekken. Dat betekent in de eerste plaats macro-economische stabiliteit. In het ontwikkelingsdenken maakt de soevereiniteit van de staat zo plaats voor de soevereiniteit van de markt en het individu. Deze soevereiniteit brengt een grotere verantwoordelijkheid mee voor het individu.

Het sociale beleid is niet zozeer bedoeld om mensen tegen de risico's van de markt te beschermen, maar wel om hen te helpen eraan deel te nemen. Risico's worden binnen een model van de verzorgingsstaat niet langer gesocialiseerd, maar geprivatiseerd en geïndividualiseerd. Het armoedeprobleem is nu de grootste last van de rijke wereld, de hedendaagse *Rich Man's Burden*.

Aangezien de internationale markt als oplossing wordt beschouwd voor armoede, kan diezelfde markt niet gezien worden als de oorzaak van armoede. Het grote probleem zijn vooral de barrières die de toegang tot die markt beletten, zoals een gebrek aan onderwijs, de aanwezigheid van epidemieën, oorlog, een instabiel regime, genderongelijkheid, bepaalde culturele normen enz. Armoede wordt onrechtstreeks uitgeschakeld door deze barrières rechtstreeks te bestrijden. Deze visie heeft verstrekkende gevolgen. Zo zijn maatregelen die de markt hervormen en inkomens herverdelen, binnen deze optiek moeilijk denkbaar.

Om met een meetbaar instrument te kunnen werken, wordt armoede meestal omgezet in een absoluut inkomenscriterium, zoals deze afgebakend door de nagenoeg symbolische grenzen van 1 of 2 dollar (per dag). Het succes van armoedebestrijding wordt afgemeten aan het aantal mensen dat de grens oversteekt. Volgens cijfers van de Wereldbank is de bevolking die met minder dan 1 dollar per dag moet leven, teruggevallen van 40% van de wereldbevolking in 1981 tot 16% (minder dan een miljard) in 2005. Eén op twee wereldburgers moet het stellen met minder dan 2,5 dollar per dag. De regionale verschillen blijven groot. De terugval is bijna volledig te wijten aan de sterke prestaties van China en in mindere mate India.

Figuur 20. Bevolking met minder dan 1 dollar per dag, 1981-2005.

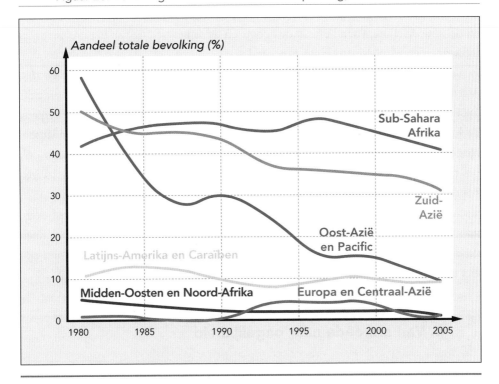

Daarnaast is men naarstig op zoek naar een meer 'geïntegreerde' definitie van armoede, met inbegrip van sociale uitsluiting, discriminatie en analfabetisme. Een poging klaarheid te brengen in het omvattende begrip 'armoede' is de *human development index* (HDI), een internationale standaard, waarin voor zowat alle lidstaten van de Verenigde Naties indicatoren over gezondheid, opleiding en economische welvaart worden verwerkt (zie de jaarlijkse *Human Development Reports*).

Uiteraard is het strategische gebruik van het concept 'armoede' niet nieuw. In de geschiedenis is armoede altijd al een ideologisch strijdtoneel geweest, waarin de armen zelf heel vaak onherkenbaar waren. De manier waarop we armoede 'zien' en benaderen, is het resultaat van maatschappelijke preferenties en een politieke beeldvorming, uitgedragen door zij die niet arm zijn. De socioloog Georg Simmel stelde dit in het begin van de twintigste eeuw heel radicaal: armoedebestrijding is altijd een antwoord op de behoeften van de niet-armen. De armen zelf zijn niet het echte doel.

In het historische onderzoek worden processen van verarming (en verrijking) daarom in relatieve zin bestudeerd, in relatie tot de sociale samenstelling van de bevolking. Het inkomen wordt gerelateerd aan de levensduurte, om zo een impressie te krijgen van de koopkracht en levensstandaard van diverse bevolkingsgroepen. Dit blijft een moeilijke en riskante oefening, vooral omdat de hoogte en de samenstelling van het inkomen van individuen en families nauwelijks is gekend.

In alle beschavingen en culturen vinden we grote verschillen terug tussen arm en rijk. Algemeen wordt echter aangenomen dat de regionale verschillen voor 1500 en zelfs 1800 veel kleiner waren dan erna. Antropometrische indicatoren zoals de sterftecijfers, de levensverwachting en de lichaamslengte vertonen geen uiteenlopende tendensen. Hetzelfde kan worden vastgesteld inzake reële lonen en de gezinsinkomens, waar ook pas na 1800 de verschillen substantieel groter worden. Tot de 19de eeuw is de levensstandaard in de eerste plaats afhankelijk van de prestaties in de landbouw. In het 'organische regime' kunnen die via processen van intensivering sterk worden opgedreven, maar steeds geleidelijk en binnen marges. Landbouwopbrengsten verschillen binnen dezelfde beschavingsgebieden vaak sterk van regio tot regio, maar de rijkste centra zijn met elkaar vergelijkbaar.

3. Van armoede naar ongelijkheid

Binnen het hedendaagse vertoog over armoede is sociale ongelijkheid een blinde vlek. De mate van armoede zegt immers niets over de mate van spreiding van armoede (of rijkdom) binnen een samenleving. Ter illustratie het volgende cijfervoorbeeld. Stel dat de rijkste 5% mensen van een samenleving per capita gemiddeld €450 verdient en de 5% armste €50. We veronderstellen dat het bnp nu verdubbelt en daardoor ook het inkomen van iedereen. De verschillen zijn dan niet langer €450 tegen €50, maar €900 tegen €100. De relatieve verhouding blijft negen tegen één, maar de inkomenskloof is in absolute cijfers wel gestegen van €400 naar €800. Ook ongelijkheid kent dus een relatieve en een absolute zijde. Nemen we bijvoorbeeld een absolute armoedegrens van €60, dan evolueren we in ons voorbeeld van een maatschappij met 5% armen naar een samenleving zonder armen, terwijl de absolute ongelijkheid groeit. Dit toont aan dat het debat over armoede en ongelijkheid niet kan worden gevat in één of enkele absolute meters. De effecten van economische groei kunnen zelfs paradoxaal zijn, met minder (absolute) armoede, maar met meer (relatieve) ongelijkheid.

Ondanks de exponentieel toegenomen rijkdom lijkt de inkomensongelijkheid op wereldschaal tijdens de voorbije twee eeuwen sterk te zijn gegroeid. Het aandeel van de 20% rijkste bevolking in de totale rijkdom groeit van ongeveer 60% in 1820, over 70% in 1950 tot 85% in 2010. Het armste vijfde van de bevolking kan vandaag maar aanspraak maken op minder dan 1,5% van de totale rijkdom. De groei van de inkomensongelijkheid in de voorbije 30 jaar is opvallend. Door een sterkere herverdeling is in de rijke landen het aandeel van de 1% hoogste inkomens gedaald van 15 tot 20% tot de eerste helft van de 20ste eeuw tot 5 à 10% in 1950-1980. Daarna neemt het aandeel weer sterk toe, tot weer meer dan 15%, en tot 25% in de Verenigde Staten.

Figuur 21. Globale inkomensverdeling in 1992.

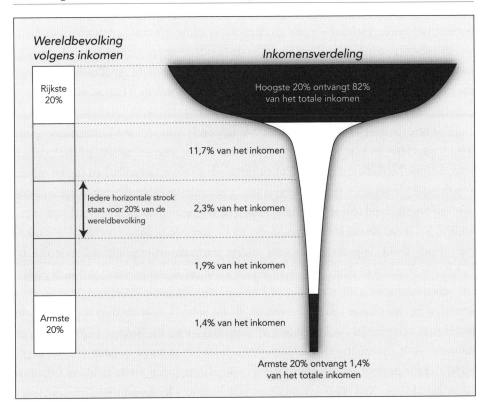

Ongelijkheid verdwijnt dus niet met de moderne wereld, integendeel. De sociale en economische verschillen die al aanwezig zijn sinds onze vroegste landbouwsamenlevingen, worden verder uitgediept. Deze verschillen zijn een gevolg van een ongelijke toegang tot de rijkdom, vastgelegd in sociale en politieke machtsverhoudingen. Die toegang tot de maatschappelijke middelen is afgelijnd door groepsgrenzen, afgebakend volgens gender, leeftijd, kaste, klasse, ras of etnie. Een van de belangrijkste vragen in de wereldgeschiedenis is hoe en waarom menselijke groepen hiërarchische vormen aannemen en versterken. Maatschappelijke verschillen worden toegeschreven aan sociale afkomst of aan individuele bekwaamheid. Ze worden uitgedrukt via ideeën (ideologie) en materiële welvaart. Ze worden geïnstitutionaliseerd door een ongelijke toegang tot land en tot de opbrengsten van arbeid, verankerd in sociale, economische en politieke hiërarchieën. Met de expansie van grote rijken en beschavingen neemt de economische exploitatie toe door middel van het ontzeggen van een vrije toegang tot land en arbeid aan grote groepen (via vele vormen van lijfeigenschap). Deze tegenstellingen verscherpen met de verspreiding van grootschalige systemen van onvrije arbeid in het moderne wereldsysteem na 1500. Nieuwe vormen van slavernij, kolonisatie en imperialisme creëren nieuwe categorieën van ondergeschikte sociale groepen. Ongelijkheid wordt verantwoord in nieuwe, racistisch geïnspireerde wereldbeelden. In de 20ste eeuw verminderen of verdwijnen vele vormen van formele ongelijkheid op basis van geslacht en afkomst. De mondiale economische ongelijkheid blijft echter in het begin van de 21ste eeuw enorm.

Ongelijkheid bestaat in meerdere, vaak overlappende vormen. We kunnen drie grote spanningsvelden onderscheiden: de ongelijkheid tussen man en vrouw (gender), tussen verschillende huidskleuren (rassen) of culturele identiteiten (etniciteit) en tussen rijk en arm (sociale klassen). De vraag daarbij is of een samenleving volledig volgens deze patronen van ongelijkheid kan worden uitgesplitst. In hoeverre staan deze vormen van ongelijkheid los van elkaar of impliceren ze elkaar? Of is er een bepaalde hiërarchie? Is inkomensongelijkheid de *prime mover* voor andere vormen van ongelijkheid? Wie rijk is, wordt ook wel ziek of depressief, maar de kans daartoe bij iemand die arm is, is groter. Die 'materialistische' visie is niet nieuw binnen de sociologie of economie. Jean-Jacques Rousseau ziet de creatie van het privébezit als de oorzaak voor de ongelijkheid in zijn *Discours sur l'origine et les fondements de l'inégalité parmi les hommes* (1755). Volgens Rousseau is de maatschappij verantwoordelijk voor het in stand houden van die ongelijkheid. Er is daarom een sociaal contract nodig dat de privé- en de publieke belangen op elkaar afstemt. Karl Marx verbreedt de inzichten van Rousseau. Hij definieert fenomenen van vervreemding, verarming en inkomensongelijkheid als structurele kenmerken van de kapitalistische samenleving. De differentiatie wordt een discriminatie die zich niet langer tussen individuen situeert, maar tussen sociale groepen (klassen). De inzichten van Rousseau en Marx zijn de start van een fundamenteel en nog steeds relevant debat over de oorzaken en gevolgen van economische ongelijkheid. Volgens de 'kritische' traditie is ongelijkheid niet vanzelfsprekend, maar een maatschappelijk product, een onrechtvaardigheid die moet worden bestreden en vermeden. Tegenstanders draaien deze redenering om. Ongelijkheid is onvermijdelijk binnen een samenleving die samen gehouden wordt door consensus, macht, normen en waarden. Sociale ongelijkheid wordt ook gezien als een onbewust aangewend middel door samenlevingen om ervoor te zorgen dat de meest belangrijke posities ingevuld raken door de meest competente personen. Deze nadruk op het onvermijdelijke en meervoudige karakter van ongelijkheid heeft weinig oog voor de context- en machtsgebonden oorzaken van maatschappelijke verschillen.

Niettegenstaande het lange debat over sociale ongelijkheid, blijft de theorievorming onaf. Ongelijkheid wordt vooral gezien als een economische realiteit tussen individuen of klassen binnen één land, en tussen landen onderling. In de jaren 1950 en 1960 werken auteurs als Paul Baran, Paul Sweezy en Raul Prebisch de theorie uit van de onderontwikkeling. Volgens die theorie is er een ongelijke verdeling van het economische surplus tussen landen, wat leidt tot een geografische opdeling in perifere landen en kernlanden. Dit is een realiteit vanaf de 16de eeuw die voortduurt door de hele periode van de kolonisatie en het moderne imperialisme. Deze inzichten vormen een grote inspiratiebron voor 'dependisten' als André Gunder Frank, historici als Fernand Braudel en historische sociologen als Immanuel Wallerstein. Ontwikkeling en onderontwikkeling zijn daarbij twee kanten van dezelfde medaille en weerspiegelen de macht van een land om zijn import en export te controleren en die van anderen te dicteren. De paradigma's van *l'économie monde* en *world-system* bouwen hierop verder. Deze historische visie introduceert in het debat het concept van mondiale polarisering.

4. Van ongelijkheid naar polarisering

Wereldgeschiedenis impliceert de studie van de sociale ongelijkheid in een breed ruimtelijk en chronologisch perspectief. Zijn de menselijke samenlevingen er door de jaren heen welvarender op geworden? Betekent een rijkere wereld ook een minder ongelijke wereld? Centraal in dit vraagstuk is de invloed van de steeds meer internationale arbeidsverdeling op armoede en ongelijkheid. Om de effecten van sociale systemen te kunnen begrijpen, volstaat het niet om armoede of ongelijkheid vast te stellen, maar wel om aan te tonen of er al dan niet processen plaatsvinden waarbij armoede of ongelijkheid wordt bestendigd, vergroot dan wel afgebouwd. Zowel de processen zelf als de mechanismen erachter moeten dan blootgelegd worden. Dit is geen evidentie. Nog altijd ontberen we het basisgereedschap om op lange termijn en in mondiaal perspectief armoede, ongelijkheid en sociale polarisering in kaart te brengen. Niet alleen zijn de basisgegevens heel dikwijls ontoereikend of zelfs onbestaande, daarbij moet economi-sche ongelijkheid binnen en tussen verschillende schalen worden bestudeerd (mensen, huishoudens, sociale groepen, staten, regio's, economische zones). Dit is mogelijk de meest ambitieuze onderzoeksagenda in de wereldgeschiedenis. Wie afdaalt van de mon-diale samenleving (het wereldsysteem) naar de staten, de regio's, de klassen, de huishou-dens en de individuen, ontdekt steeds andere vormen en verhoudingen van ongelijk-heid. De vraag rijst dan hoe deze schalen zich tot elkaar verhouden en in hoeverre ze op elkaar inwerken. In welke mate is de ongelijkheid tussen regio's bijvoorbeeld bepaald door de ongelijkheid tussen landen of zelfs individuen? De wereldhistoricus Patrick Manning vat het zo samen:

'One of the most striking contrasts in all of world history is the development, in the past two centuries, of a widespread ideology of social equality for citizens within nations and equality among nations, at a time when the economic inequality within nations and between nations has grown to unprecedented extremes. Social historians addressed this issue with studies of slavery and emancipation; economic historians have addressed it with studies of wage levels. Meanwhile the categories of class, community, family and ethnicity are each deserving of more thorough analysis at the world-historical level'.

In figuur 22 maken we een onderscheid tussen ongelijkheid in landen en tussen landen, op basis van het onderzoek van Branko Milanovic (2009). De verticale as geeft de Gini-coëfficienten weer, een meter van sociale ongelijkheid. Hoe dichter de coëfficiënt bij 1 komt, hoe hoger de ongelijkheid. We zien tot de jaren 1980 een dubbele beweging. Enerzijds wordt de ongelijkheid binnen landen teruggedrongen. Dit is in de eerste plaats een gevolg van de nieuwe herverdelingssystemen in de welvaartssamenlevingen vanaf de late 19de eeuw, die de inkomensverschillen temperen. De ongelijkheid tussen landen neemt echter sterk toe. De afstand tussen de regio's die het goed en zij die het minder goed doen, wordt nog groter, na 1950 weliswaar in een minder snel tempo. Door de impact van de groeiende internationale ongelijkheid groeit ook de totale, globale onge-lijkheid. Vanaf de jaren 1980 lijken de trends om te wisselen. Terwijl de ongelijkheid tussen de landen niet meer groeit, is dat wel het geval met de ongelijkheid binnen de landen. Dit wordt verklaard door de opkomst van nieuwe groeilanden zoals China, India en Brazilië (internationale ongelijkheid daalt) enerzijds en door de kleinere greep van de verzorgingsstaat (interne ongelijkheid groeit) anderzijds. De globale ongelijkheid blijft echter even hoog, 0,7 tegenover iets meer dan 0,4 in 1820. Volgens voorzichtige schat-tingen schommelt de index van globale ongelijkheid tussen 1500 en 1800 tussen 0,3 en 0,4.

Figuur 22. Globale ongelijkheid, 1820-2002.

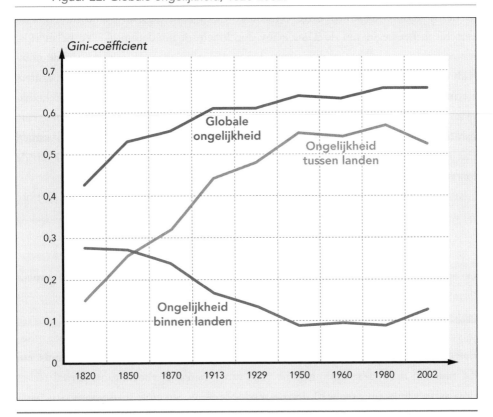

Door de veranderde samenstelling van de globale ongelijkheid wijzigt ook de belangrijkste verklaring voor de inkomensverschillen tussen de wereldburgers. In het begin van de
19de eeuw worden die verschillen nog voor twee derde bepaald door rijkdomsverschil-
len in het land en maar voor een derde door ongelijkheid tussen landen. Om de economische positie van iemand te bepalen, maakt niet zozeer de woonplaats uit, maar wel de
sociale groep waartoe iemand behoort (vrij/onvrij, man/vrouw, elite/volk). In het begin
van de 21ste eeuw bepaalt de internationale ongelijkheid voor bijna 90% de verschillen
tussen alle mensen, tegenover maar maximaal 15% door interne sociale ongelijkheid. Dit
betekent dat vandaag de geboorteplaats veruit de belangrijkste voorspeller is voor de
plaats van een individu op de inkomensladder, veel meer dan de klassepositie in het land
van herkomst. Bijna alle inwoners in rijke landen bevinden zich vandaag bij de 40%
meest welvarende wereldburgers, tegenover slechts een heel klein deel van de bevolking
uit armere landen. Economische ongelijkheid is meer dan ooit een internationale en globale verantwoordelijkheid.

De ongelijkheid op wereldschaal wordt niet kleiner. Zijn in het begin van de 19de eeuw de meest welvarende landen ongeveer drie keer zo rijk als de armste landen, dan is dit verschil in het begin van de 21ste eeuw opgelopen tot honderdmaal. Een belangrijke motor zijn de ongelijke krachtsverhoudingen tussen kapitaal en arbeid. Globalisering leidt tot een mondiale herverdeling van inkomen ten voordele van de kapitaalbezitters en dus ten nadele van de werkende bevolking. Dit komt omdat de mondiale beschikbare arbeidskracht sinds 1980 is verdubbeld, tot 3 miljard vandaag. Dit is mee een gevolg van de integratie van Rusland en China in de wereldeconomie. Deze toevloed, samen met de grotere mobiliteit van productieprocessen (delokalisatie) zet een druk op de lonen en inkomens.

5. Het debat over ontwikkeling en ongelijkheid

De opkomst en het succes van de sociale wetenschappen in het 18de- en 19de-eeuwse Europa wortelt in de triomf van het vooruitgangsidee. De expansie van Europa wordt onderbouwd door een legitimerend discours over de universele waarden van de westerse samenleving. De verspreiding van de 'beschaving' wordt gezien als een 'modernisering', als een universeel leerproces, als *the advance of men*. De wereldgeschiedenis van dat moment deelt deze optimistische visie van progressie, vooruitgang. Zowel rechts (liberaal) als links (marxistisch) zien de geschiedenis als een grote mars voorwaarts (weliswaar met andere uitkomsten), gedragen door een 'modernisering' van economie, politiek en cultuur. De nog bestaande ongelijkheid wordt verklaard door verschillende snelheden in ontwikkeling. Dit kan te maken hebben met een later startmoment (van maatschappelijke modernisering), of met interne inertie (interne blokkeringen zoals oude structuren en traditionele elites). Ongelijkheid is in deze visie een residu, een gevolg van te weinig ontwikkeling, alleen weg te werken door een algemene *catch up*, het aanhaken aan de moderniseringstrein.

Dit moderniseringsgeloof komt vanaf de jaren 1960 meer en meer onder druk te staan. De premisse dat geschiedenis (op de lange termijn) een verhaal van beschaving en vooruitgang zou zijn, wordt door vele onderzoekers verlaten. Zij zoeken de wortels van ongelijkheid niet in een ver verleden en in de (overblijvende) interne remmingen, maar in de werking van nieuwe maatschappelijke modellen. Het moderne wereldsysteem werkt in hun ogen nieuwe ongelijkheid in de hand, in de eerste plaats door ongelijke ruilrelaties. Meer modernisering, meer integratie betekent voor vele delen in de wereld (buiten de kern) meer verarming en dus een grotere mondiale ongelijkheid. Ongelijkheid wordt hier niet gezien als een gevolg van te weinig, maar eerder van te veel ontwikkeling.

Een derde visie op ongelijkheid zoekt de oorzaken vooral in de teloorgang van de vroegere productie- en samenlevingsstructuren. Hier wordt eveneens de huidige economische orde met de vinger gewezen. De stelling is dat het globale kapitalisme op termijn de meer autonome en collectieve overlevingsstructuren vernietigt. Zo verwijzen ze naar de teloorgang van de boerenlandbouw (met gezinsbedrijven), maar eveneens naar de toenemende druk op de in de 20ste eeuw opgebouwde welvaartssamenleving. Mogelijkheden tot gedeeltelijke zelfvoorziening verdwijnen, zonder dat er nieuwe, stabiele inkomensperspectieven gecreëerd worden. Het massale proces van verstedelijking (de *planet of slums*) is hiervan de meest zichtbare exponent. Daarnaast komen de collectieve voorzieningen onder druk, zowel in sociale (onderwijs, gezondheidszorg, sociale verzekering, ...) als in ecologische (land, water, ...) zin. Deze drie visies staan in het hedendaagse debat over globalisering nog altijd tegenover elkaar.

10. Een wereld in stukken: eenheid en fragmentatie

In het inleidende hoofdstuk omschreven we wereldgeschiedenis als een andere manier van kijken, van denken en van doen. Wereldgeschiedenis wil het brede verhaal brengen. Het brede verhaal is echter niet het volledige verhaal. Hoe breed is dan dit verhaal? En hoe groot is dan die wereld? We spreken van onze eigen leefwereld, van de wereld van de kinderen, van de wereld van de muziek, van de bedrijfswereld, van de verloren wereld(en), van de beschaafde wereld, van de wereld *tout court*. Aangezien het concept 'wereld' dus zowat alle sferen van menselijke interactie kan omvatten, wordt soms verwezen naar de aarde, de globe (wereldbol) en naar globaal. Globaal betekent echter naast mondiaal eveneens volledig, compleet, totaal. Deze semantische discussie wijst op de behoefte aan een afbakening van het begrip 'wereld' in de wereldgeschiedenis. Die 'wereld' is geen vast gegeven; zij wordt begrensd door de menselijke activiteit. We bestuderen dus processen van 'sociale verandering', die maar kunnen worden begrepen in welbepaalde contexten van ruimte en tijd. Daarom is geen enkele afbakening absoluut. Integendeel, de keuze van een ruimte- en tijdsperspectief (waar? wanneer?) hangt juist samen met een inhoudelijke keuze (welke sociale verandering?). Wereldgeschiedenis hanteert bijgevolg geen exclusieve kaders van ruimte en tijd, tekent geen vaste grenzen. We spreken eerder van schalen. Deze schalen van klein naar groot overlappen en sluiten elkaar dus niet uit. We spreken ook over zones van contact en interactie. Hier komen verschillende maatschappelijke systemen samen. Schalen en contactzones of *frontiers* zijn centrale analyseconcepten in de hedendaagse wereldgeschiedenis.

Zowel in het ruimtelijke als in het chronologische perspectief zijn er vele schalen. Elk onderzoek binnen de wereldgeschiedenis wordt met die verschillende schalen geconfronteerd, van klein (micro) tot groot (macro). Deze schalen werken op elkaar in. Het is bijgevolg niet voldoende de uiterlijke grenzen van het perspectief aan te geven, bijvoorbeeld de Noord-Atlantische wereld of de periode 1500-2000 n.t. Naast deze externe begrenzing krijgt een studie vorm door interne verdelingen of schalen (kleinere ruimtes of tijdsperiodes). Wereldgeschiedenis gaat, in tegenstelling tot veel andere historische benaderingen, niet uit van een basisschaal, één schaal waarvan de andere zijn afgeleid. Net zo min als de nationale staat zijn de familie, het dorp of de mondiale economie de basisstructuur van de menselijke samenleving. Wereldgeschiedenis vertrekt van een interactie tussen de schalen op verschillende niveaus. Zo is elke etnische groep opgebouwd uit families en zijn die meestal onderdeel van een bredere cultuur of beschaving. Het menselijke handelen kan daarom niet mechanisch van een kleinere (individuele beslissingen) of een grotere schaal (de economische netwerken of de politieke organisatie) worden afgeleid. Moderne migratiepatronen zijn de uitkomst van ontelbare individuele beslissingen, maar krijgen mede vorm door de acties van mensenhandelaars, door de pogingen tot regulering van nationale staten en door de ongelijke verhoudingen in de wereldeconomie. Of nog, de trend van de globale economische verschuivingen tijdens de voorbije vijfhonderd jaar verklaart maar ten dele de 19de-eeuwse industrialisatie. Die industrialisatie is echter niet alleen het gevolg van regionale processen of individuele initiatieven. Willen we begrijpen waarom de Engelse landarbeider in het begin van de 19de eeuw naar de industriële stad trekt, moeten we inzicht hebben in het handelen van zijn huishouden, in de sociale relaties in zijn dorp, maar moeten we ook weten waarom industriële processen zich in die plaats zo succesvol kunnen ontwikkelen, en niet elders in de wereld. Met andere woorden, elke schaal meet iets anders. Menselijk gedrag kan nooit geheel worden verklaard door de grote processen, net zo min als deze processen een loutere optelsom zijn van ontelbare menselijke beslissingen. Elke schaal heeft zo een autonomie, maar die kan door de interactie en afhankelijkheid alleen maar gedeeltelijk zijn. Dit noodzaakt tevens een diversiteit aan onderzoeksmethodes. Evolutiebioloog Richard Dawkins gebruikte ooit deze metafoor. Macrogroei (van een mens) is de optelsom van een heleboel episoden van microgroei (van cellen). De twee vormen van groei vinden echter plaats op een heel andere tijdschaal, en vereisen daarom heel verschillende onderzoeksmethoden en manieren van denken. Microscopen om cellen mee te bekijken, zijn niet geschikt om de lichaamsgroei van kinderen mee te meten. En weegschalen en meetlinten zijn ongeschikt om celvermeerdering mee te bestuderen. We hebben al deze instrumenten nodig om het verschijnsel van lichaamsgroei te begrijpen.

Globale patronen interageren met regionale en lokale patronen, dat is de kern van wereldgeschiedenis. Die globale patronen hebben tevens een eigen, zij het gedeeltelijke autonomie. Bijgevolg is een onderzoek naar die bredere patronen niet alleen zinvol, maar ook noodzakelijk. Ze zijn geen louter afgeleide van processen op een kleinere schaal (in ruimte en in tijd). Omgekeerd kan en mag een perspectief vanuit de wereldgeschiedenis niet losstaan van meer gefocust onderzoek, met een beperktere ruimtelijke en chronologische kijk. De 19de- en 20ste-eeuwse nationale geschiedschrijving sloot ongetwijfeld aan bij eigentijdse sociale realiteiten en een nieuwe nood aan kennisopbouw. Net zoals er nu een duidelijke behoefte groeit om economische, sociale, culturele, ecologische en demografische processen op een mondiaal niveau te bekijken en te verstaan. Het loopt pas fout wanneer de historische en sociale analyse zich beperkt tot dat ene niveau, wanneer de inzichten niet geplaatst worden in een context van andere (grotere of kleinere) schalen. Bijgevolg moet elk onderzoek binnen de wereldgeschiedenis keuzes maken, moeten eerst de eigen begrenzing en het eigen thema worden bepaald. Afhankelijk van het thema en de vraagstelling worden het plaats- en tijdsperspectief en de betreffende schalen ingevuld. Studies over de impact van de klimaatsverandering op de mensheid nemen een langere termijn in acht en gebruiken andere schalen dan onderzoek naar de globalisering van de handel of het einde van de Koude Oorlog.

We maken een onderscheid tussen schalen en patronen van ruimte en tijd. De eerste twee delen bevragen deze schalen. In een derde deel incorporeren we de afbakening in ruimte en tijd in een thematisch onderzoeksraamwerk. We leren hoe wereldgeschiedenis inzichten verkrijgt door het gebruik van vergelijkende (casussen), interconnectieve (netwerken) en systemische (systemen) onderzoeksstrategieën. In een vierde deel tonen we aan dat een dynamisch, meergelaagd Ruimte-Tijdmodel ruimte geeft aan zones van verschuiving en contact, aan *frontiers*. Geschiedenis is de uitkomst van een voortdurende interactie in en tussen schalen en contactzones.

Figuur 23. Schalen en contactzones in de wereldgeschiedenis

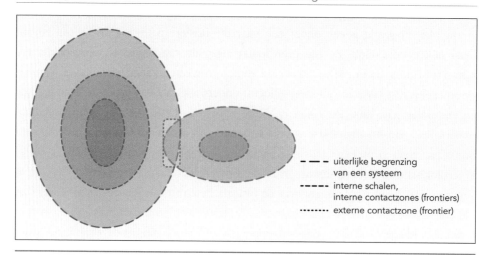

uiterlijke begrenzing
van een systeem

interne schalen,
interne contactzones (frontiers)

externe contactzone (frontier)

1. Schalen en patronen van ruimte

Op het eerste gezicht lijkt deze schaal weinig problematisch te zijn. Wereldgeschiedenis speelt zich immers af in een plaats die we 'aarde' hebben genoemd. Lang niet alle processen bestrijken echter de hele wereldbol en niet alle informatie waarover we beschikken, geeft een beeld dat de aarde omvat. We bekijken de wijze waarop we vroeger en vandaag de ruimtelijke dimensie zichtbaar hebben gemaakt, en stellen enkele vragen bij de afbakening van ruimtes (grenzen).

Menselijke groepen hebben altijd een eigen wereldbeeld gehad, een kennis en interpretatie van de hen bekende wereld, groot of klein. Die globale blik leggen ze vast, in de eerste plaats om de eigen samenleving te kunnen plaatsen in die bredere wereld. De meeste culturen maken gebruik van een ruimtelijke voorstelling om die wereld tastbaar te maken. Dit gebeurt meestal in de vorm van 'wereldkaarten'. Die kaarten zijn nooit neutraal, ze zijn altijd de uitkomst van een aantal keuzes. Die keuzes verraden in de eerste plaats het eigen perspectief. Zo zijn de hedendaagse wereldkaarten nog vaak getekend op basis van de Mercatorprojectie. Vooral bedoeld voor de scheepvaart kan met deze projectie op precieze wijze de richting worden bepaald, maar de grootte van de landen klopt niet. Gebieden die in het noordelijk of het zuidelijk gedeelte van de aardbol liggen, worden veel groter afgebeeld. De Petersprojectie geeft wel de juiste oppervlakteverhoudingen, maar vertekent de richtingen.

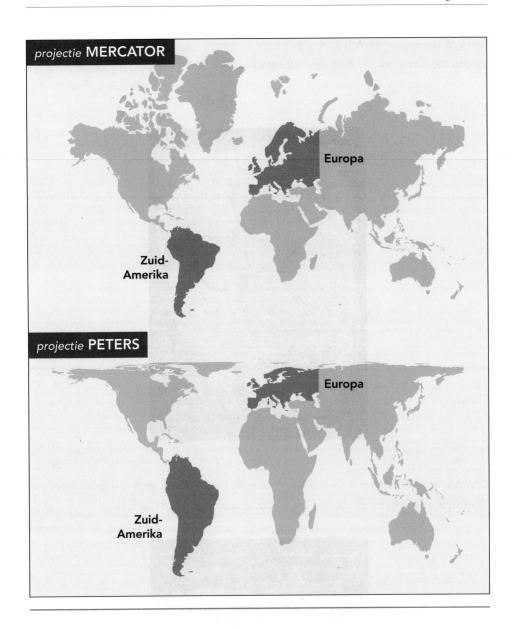

Vroegere wereldkaarten gaan uit van de eigen, bekende wereld. Die kennis blijft tot de 15de-16de eeuw n.t. geografisch beperkt. Wereldkaarten geven goed de cultuurgebonden kijk op ruimte en dikwijls ook tijd weer. De kaarten zijn vaak aangevuld met scenes uit het eigen, meestal mythische verleden en worden zo een echte 'imago mundi', een representatie van de aardse en kosmologische wereld. Het centrum is dat van de eigen politieke, culturele en/of religieuze samenleving. Hoe verder af van dit centrum, hoe 'vreemder' de wereld.

Een van de oudste 'wereldkaarten' komt uit Babylonië (over de datering is er discussie, meestal 6de eeuw v.t.) en geeft heel schematisch de vlakte van Mesopotamië weer. In het centrum ligt Babylon, de ring staat voor water en zeeën, en bij uitbreiding de onbekende wereld.

Deze zeekaart uit Polynesië dateert van voor onze jaartelling en geeft de ligging weer van de eilanden (schelpen) en de richting van de zeeroutes (houten stokjes).

De kaart van Al-Idrisi uit de 12de eeuw n.t. vat de toenmalige geografische kennis samen van de Arabische wereld. In het centrum ligt Bagdad, bovenaan ligt Afrika, onderaan Europa (Germania). Ook de Chinese kusten worden afgebeeld.

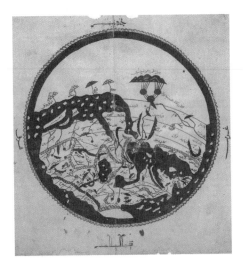

De Christelijke Psalterkaart (13de eeuw n.t.) plaatst Jeruzalem in het midden, met hieronder de drie bekende continenten: Azië (boven, met helemaal bovenaan het Aards Paradijs), Afrika rechtsonder en Europa linksonder.

Deze kaart van de Azteken (13de-14de eeuw n.t.) geeft een ruimtelijke weergave van het rijk, waarbij elke grote stad een eigen teken krijgt.

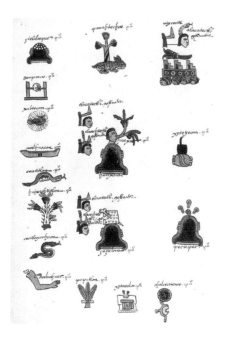

Deze Indische wereldkaart uit de 15de eeuw n.t. verbeeldt een cyclische wereld, zowel wat plaats als tijd betreft. In het centrum bevindt zich de heilige berg Meru (huis van de God Shiva), hierrond cirkelen de continenten en oceanen.

In deze Koreaanse kaart uit de 18de eeuw n.t. ligt China in het midden, met ook een prominente plaats voor Japan en Korea. Verder afgelegen gebieden worden heel schematisch weergegeven, maar krijgen wel een naam.

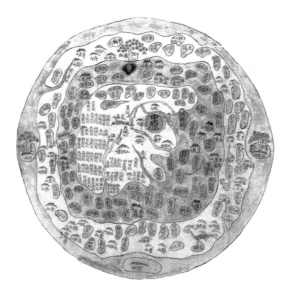

Deze kaart uit 1898 wil in de eerste plaats de grootsheid van het Britse Imperium benadrukken.

Wereldkaarten zijn echter lang niet voldoende om de kenbare wereld begrijpelijk te maken. Mensen hebben altijd gebruikgemaakt van kleinere eenheden (schalen) om de wereld te differentiëren. Een eerste schaal is een geografische opdeling, meestal in continenten. De scheidslijnen van zeeën en (grote) rivieren zijn hier belangrijke bakens. Regio's zijn veel moeilijker geografisch vast te leggen; ze verschuiven door de tijd heen. In oudere kaarten worden dan ook weinig grenzen getekend. Wel wordt vaak verwezen naar menselijke groepen/culturen/beschavingen, met als belangrijkste tweedeling de eigen beschaving en de 'anderen'. Een derde schaal die al vroeg aanwezig is binnen de ruimtelijke interpretatie van de (eigen) wereld is de lokaliteit. De grote wereldsteden worden beschouwd als centra van macht en als ijkpunten in de wereld: van Babylon over Rome, Bagdad, Beijing, Teotihuacan, Timbuktu, Constantinopel tot Londen en New York.

Ruimtelijke benaderingen krijgen vorm door het benoemen van zones en het aanbrengen van grenzen. Deze zones en grenzen hebben meestal een gecombineerd karakter, geografisch, politiek, cultureel enz. Daarom zijn ze lang niet absoluut en verschuiven ze naar gelang van het perspectief en in de tijd. Ze kunnen dan ook in de context van wereldgeschiedenis een studie niet afbakenen, integendeel, ze moeten juist een onderdeel zijn van de analyse. Zo wordt in de 20ste eeuw de opdeling in een eerste, tweede en derde wereld een prominent analysemodel. Geheel volgens een klassiek moderniseringsperspectief staat de eerste wereld voor de ontwikkelde, industrieel-kapitalistische landen, de tweede wereld voor de communistische landen en de derde wereld voor de ontwikkelingslanden ('in ontwikkeling' volgens het model van de eerste of de tweede wereld). Na afloop van de Koude Oorlog omstreeks 1990 verliest deze opdeling zijn betekenis. Tegenwoordig wordt in wereldstudies eerder gesproken van 'Global North' en 'Global South' als mondiaal-regionale begrippen. Dit laatste omvat alle landen die niet tot de westerse kern behoren en zich meestal in de zuidelijke hemisfeer bevinden.

Dat zones en grenzen nooit op een homogene basis kunnen worden vastgelegd, maakt het voorbeeld van Europa duidelijk. Is er een eenduidige afbakening mogelijk en op basis waarvan?
Een eerste keuze is een *geografische* afbakening. Als continent wordt Europa in het noorden, het westen en het zuiden omgeven door water. De oostelijke grens is echter veel moeilijker te trekken. Die is in de geschiedenis verder naar het oosten opgeschoven: van de Zwarte Zee en de Dnjepr over de Wolga, het Oeralgebergte en de Kaukasus, de Ob en de Kaspische Zee tot zelfs de Jenissei (in midden-Rusland). De lijn van het Oeralgebergte, over de Oeralrivier tot de Kaukasus is de meest erkende scheidslijn tus-

sen (geografisch) Europa en Azië. Tussen de Oeral en de Kaukasus bevindt zich een 600 km lange 'toegangspoort' tot Europa, zonder natuurlijke hindernissen. De grote historische landverhuizingen van oost (de steppen) naar west passeren allemaal deze doorgang. Respecteren we deze grens, dan ligt een vierde van Rusland (ten westen van de Oeral, waaronder Moskou) in Europa en drie vierde in Azië.

Hechten we meer belang aan *cultuurhistorische* grenzen, dan wordt het vraagstuk nog moeilijker. Mogelijke criteria zijn: de christelijke traditie (rooms-katholiek, protestants, orthodox); de waarden van de verlichting (scheiding kerk en staat, mensenrechten, ...); de politieke democratie en het statensysteem; de kapitalistische markteconomie. Niet alleen geeft elke invulling veel ruimte tot discussie, ze overlappen elkaar ook niet. De christelijke traditie zet zich door tot in Rusland. De tradities van de Verlichting zijn allang geen privilege meer van Europese landen. Dit geldt eveneens voor de politieke democratie en het systeem van moderne natiestaten. Wat trouwens met de dictaturen die in de vorige eeuw binnen de Europese ruimte tot stand zijn gekomen? De kapitalistische economie is inmiddels een globale economie geworden. Daarbij komt dat delen van Europa lange tijd onderdeel zijn van niet-Europese rijken, zoals het Arabische rijk (tot Poitiers), het Russische rijk (tot Berlijn) en het Ottomaanse rijk (tot Wenen). Tot welke traditie horen deze streken? Het lijkt heel moeilijk, zo niet onmogelijk, Europa te definiëren in termen van geloof, tradities en waarden. Dit wordt ook duidelijk bij de discussies over de Europese Grondwet in 2005. De felste debatten gaan over het al dan niet toevoegen van een verwijzing naar de joods-christelijke erfenis. Uiteindelijk wordt in de laatste versie alleen verwezen naar de ideeën van de 18de-eeuwse Verlichting (zoals mensenrechten, vrijheid, tolerantie) en het 19de-eeuwse liberalisme (zoals de democratische rechtsstaat).

Het is duidelijk dat de echte begrenzing van Europa *politiek* zal worden bepaald. Wie zal toegelaten worden tot de Europese Unie en wie niet? Waar liggen de buitengrenzen van Europa? Het debat spitst zich toe op de positie van Rusland (en Oekraïne) en vooral Turkije. Verwijzend naar de geschiedenis zou Rusland de beste kansen maken. Al vanaf het begin van de 18de eeuw is Rusland voor de politieke elites deel van de Europese ruimte doordat het land onder Peter de Grote (1689-1725) een Europese grootmacht wordt en tezelfdertijd allerlei moderniseringen doorvoert. In de recente geschiedenis (20ste eeuw) kent Turkije dan weer een meer stabiele opbouw als een geseculariseerde, min of meer democratische rechtsstaat.

Als er dan toch iets typerends is voor Europa, dan is het de voortdurende verdeeldheid, de grote variëteit aan nationale, religieuze en culturele identiteiten. Uit deze diversiteit is misschien wel het beste (openheid en tolerantie, mensenrechten en democratie), maar ook het slechtste (slavernij, militarisme, dictatuur) van Europa voortgekomen. Wat er ook van zij, uiteindelijk zal de Europese ruimte afgebakend worden door politieke keuzes, die veel meer zullen steunen op eigentijdse en toekomstige bekommernissen, dan wel op waarden en tradities uit de geschiedenis.

2. Schalen en patronen van tijd

Tijd meet de snelheid van verandering. Dit is vanzelfsprekend eveneens subjectief, als menselijke wezens worden we geconfronteerd met diverse snelheden van verandering, met diverse vormen van tijd. Naast de ruimte probeert elke samenleving ook de tijd te beheersen. Dagen en seizoenen krijgen een plaats in kalenders, dagdelen worden aangegeven met tijdwijzers en klokken. Zo krijgt het verleden betekenis, wordt het heden beheersbaar en is de toekomst, gedeeltelijk, kenbaar. Elke methode van tijdsbeheersing vertelt zo een verhaal, als een vorm van perceptie en wereldbeeld, maar ook als een poging tijd te integreren in het sociale en culturele leven. Historici spreken dan ook vaak van sociale tijd. Verschillende sociale realiteiten, een persoonlijke levensloop versus een economische cyclus bijvoorbeeld, hebben verschillende tijdsregimes. Die sluiten elkaar niet uit, maar zijn complementair. Bovendien zijn tijd en plaats niet los te koppelen. Plaatsen veranderen in de tijd en tijd is ook gebonden aan plaats. Sociale tijd en plaats vormen mee de sociale realiteit, ze vormen een zogenaamde Ruimte-Tijd, een *SpaceTime*.

Elke menselijke samenleving bouwt naast een ruimtelijke situering een eigen tijdsbesef op. Dat tijdsbesef heeft lange tijd een sterk mythische inslag. Eerder dan een juiste reconstructie van de tijdslijn, creëert de mens grote (stichtings)verhalen, waarin tijd een erg ontastbaar, abstract begrip is. Het tijdsbesef in oudere samenlevingen is meestal cyclisch van aard, opgebouwd rond dag en nacht, seizoenen, oogsten, generaties en dynastieën. De tijd als een rechte, meestal opgaande lijn is een relatief recente (westerse) perceptie, gestoeld op een nieuw vooruitgangsgeloof. Lineaire tijd gaat samen met de idee van ontwikkeling en modernisering. Deze visie staat nu weer onder druk. Werd tot nu toe onvoorspelbaarheid vooral als afwijkend gezien, dan lijkt dit in bepaalde visies meer de regel te worden (zoals in de chaostheorie). In deze optiek voltrekt de geschiedenis zich niet lineair, maar schoksgewijs en laat ze zo opeenvolgende dramatische veranderingen zien (zoals de periodes van massa-extinctie).

Geschiedenis gaat over veranderingen door de tijd heen. Meer nog dan plaats is tijd in vele historische werken niet meer dan een achtergrondfactor, iets dat gegeven is. Dit is echter geenszins zo. Elk tijdsperspectief is het gevolg van een keuze. Dit geldt vooral over de wijze waarop de tijdslijn wordt ingedeeld. Periodiseringen zijn in de wereldgeschiedenis onderwerp van veel debat. Terecht, omdat een keuze voor een tijdsafbakening en een periodisering nooit neutraal is. Periodisering is een techniek die historici gebruiken om processen van verandering te vatten en te verstaan. Zij gaat uit van de veronderstelling dat verandering niet willekeurig noch constant is, maar zich voordoet in fasen of golven, met in sommige periodes veel meer verandering dan in andere. Die periodes onderscheiden is een eerste voorwaarde om ze te begrijpen. Periodisering wil dus begrijpen welke patronen er bestaan en wanneer ze veranderen. In een wereldhistorisch perspectief betekent dit dat veranderingen zich voordoen over geografische en maatschappelijke grenzen heen, zoals de agrarische (landbouwsystemen), culturele (wereldreligies), commerciële (handelssystemen) en industriële (industrialisatie) transformaties.

Overzichtswerken over wereldgeschiedenis hanteren een sterk gelijklopende periodisering:
1) tot 8000/5000 v.t.

    Periode van de jagers-verzamelaars, van de minisystemen.
2) 5000/3500 v.t. - 1000/500 v.t.

    Oorsprong van de beschaving(en) / landbouwbeschavingen / vroege complexe maatschappijen.
3) 1000/500 v.t.- 500 n.t.

    De bloei van de 'klassieke' beschavingen/samenlevingen.
4) 500 n.t. - 1450/1500 n.t.

    Postklassieke periode / neergang en herstel / verdeelde regio's / interregionale eenheid.
5) 1500 n.t. - 1750/1800 n.t.

    Nieuwe moderne wereld / opkomst van het Westen / de wereld krimpt / wortels van globale afhankelijkheid.
6) 1800 n.t. - 2000 n.t.

    In één of twee periodes, 19de eeuw: Europese dominantie; 20ste eeuw: de globale wereld.

Drie grote ijkpunten komen altijd terug:
- het ontstaan van landbouwmaatschappijen, 5000/3500 v.t.;
- de breuk met de 'klassieke' beschavingen (en een versnippering van de wereld), 500 n.t.;
- het begin van de *'rise of the West'* en de start van globalisering, 1500 n.t.

De opeenvolging van periodes kan een uiteenlopende invulling krijgen, van eerder rechtlijnige verhalen (cf. de modernisering van de wereld, de technologische ontwikkeling, de demografische groei), tot betogen die wijzen op cycli in de geschiedenis (cf. klimaatscycli, cycli van beschavingen, cycli van economische hegemonie, cycli van oorlogsvoering).

De wereldgeschiedenis bevraagt de tijdsdimensie. Die staat zoals gezegd niet los van het sociale verhaal, zoals deze voorbeelden illustreren.

- Fernand Braudel (*Civilisation Matérielle, Economie et Capitalisme*) is de historicus die de term '*longue durée*' introduceerde. Uiteraard is hij niet de eerste die voor een historische analyse de lange termijn (in casu enkele eeuwen, 15de tot 18de eeuw n.t.) als uitgangspunt neemt. Wel heeft hij de verhouding tussen diverse tijdschalen geproblematiseerd: *histoire structurelle* (verschuivingen op de (heel) lange termijn), *histoire conjoncturelle* (cyclische bewegingen), *histoire événementielle* (feiten). Zo heeft hij het ook over (het schijnbaar immobiele) '*le temps géographique*' en (het schijnbaar snelle) '*le temps individuel*'. Over de plaats van de '*longue durée*' in de geschiedschrijving schrijft Braudel: 'Zij is niet de enige benaderingswijze, maar is wel degene die de grote vragen kan stellen over sociale structuren, in verleden en in heden. Zij is de enige taal die geschiedenis met het heden kan verbinden, om er alzo één onverdeelde wereld van te maken'.

- Jared Diamond (*Guns, Germs, and Steel*) start zijn verhaal 10.000 jaar terug (domesticatie van planten) om de geologische en ecologische factoren te ontleden in het succes of falen van beschavingen. Johan Goudsblom (*Fire and Civilization*) gaat terug tot de domesticatie van het vuur door de homo erectus 400.000 jaren geleden.

- Het meest brede tijdskader vinden we terug in de zogenaamde '*Big History*', geschiedenis vanaf de oerknal tot nu. Deze periode van miljarden jaren is het onderwerp van David Christians *Maps of Time*. Dit extreme voorbeeld van een wereldgeschiedenis op lange termijn combineert een kosmische schaal met de menselijke tijd gemeten in eeuwen. Zo bouwt hij verder op de ontdekking van '*deep time*' door astrofysici als Stephen Hawkin (*A Brief History of Time*, 1988) en paleontologen als Stephen Jay Gould (*The Structure of Evolutionary Theory*, 2002). Zoals in de andere werken over de lange termijn worden de periodiseringen alsmaar korter naarmate we dichter komen bij de dag van vandaag. Interessant is hoe Christian diverse tijdschalen bij elkaar brengt:
  - de schaal van de kosmos: 13 miljard jaar;
  - de schaal van de aarde, de biosfeer: 4,5 miljard jaar;
  - de schaal van de meercellige organismen: 600 miljoen jaar;
  - de schaal van de zoogdieren: 70 miljoen jaar;
  - de schaal van de hominiden: 4 miljoen jaar;

- de schaal van de menselijke geschiedenis: 200.000 jaar;
- de schaal van agrarische en stedelijke beschavingen: 5000 jaar;
- de schaal van de moderniteit: 500/1000 jaar;
- de schaal van de 'nationale geschiedenis': maximaal enkele eeuwen;
- de schaal van de microgeschiedenis: levensloop.

Om die glijdende schalen weer te geven, introduceert hij de metafoor *'maps of time'*. Kaarten comprimeren zo informatie over plaats én tijd, en brengen dit samen in één overzicht.

3. De interactie tussen schalen van ruimte en tijd: welk onderzoeksraamwerk?

Wereldgeschiedenis leert ons dat sociale verandering een meergelaagd proces is dat is verankerd in een meergelaagde tijd en een meergelaagde plaats. De schalen van ruimte, van plaats en regio, veranderen door de tijd heen. Relevante chronologische schalen verschillen op hun beurt volgens plaats: hoe groter de ruimte, hoe 'trager' de tijd. Tijd en plaats zijn dus afhankelijke variabelen. De keuze van de schaal van ruimte en tijd wordt bepaald door de te onderzoeken sociale realiteit, de sociale verandering. Dit is het onderzoeksthema in de wereldgeschiedenis. Deze interactie maakt dat binnen wereldgeschiedenis vele schalen van tijd en plaats denkbaar zijn. Andere schalen laten andere zaken zien. Vergelijk dit met overzichts- of detailkaarten. Een kaart van een buurt vertoont veel meer details dan een landskaart. Die laatste geeft echter macro-informatie die niet op de buurtkaart te vinden is. Wereldgeschiedenis gebruikt altijd meerdere kaarten, een kaartenatlas, met als ultieme referentiekaart een wereldkaart, in letterlijke en figuurlijke zin. Hoe past een bepaald verhaal in het bredere overzicht? Wat leert een specifieke casus over de menselijke samenleving? Het zijn vooral de 'grote vragen' die van een sociale studie wereldgeschiedenis kunnen maken.

Uit het voorgaande is duidelijk geworden dat voor een zinvolle interpretatie van de geschiedenis in een mondiaal perspectief een vooraf samengesteld 'raamwerk' nodig is, een interpretatieve constructie die opgebouwd is uit drie soorten analyse-eenheden: tijd, ruimte en het onderzoeksthema. Dit onderzoeksraamwerk bepaalt de lens waarmee naar de 'wereld' wordt gekeken. Of anders gezegd: het raamwerk is de legende bij de atlas van de wereldgeschiedenis. Zonder die legende krijgen de kaarten geen betekenis. Pas dan kan op een zinvolle manier nagedacht worden over strategieën om informatie in te winnen en over interpretaties om de vragen te beantwoorden. Een binnen de wereldgeschiedenis nog altijd belangrijk raamwerk is het concept 'beschaving'. Zoals we eerder konden vaststellen, blijven er nogal wat vragen bij het gebruik van dit concept. Deze onvrede zette onderzoekers en schrijvers ertoe aan om nieuwe concepten, raamwerken en analyse-eenheden te zoeken en toe te passen. De basisvraag voor allen blijft: wat is de beste manier om de wereld op een brede en samenhangende wijze te begrijpen? Welke concepten hebben we nodig om 'grote' vragen te stellen over vooruitgang/achteruitgang in de geschiedenis, over sociale gelijkheid en ongelijkheid, over demografische veranderingen, over de opkomst en de val van economische centra enz.?

Het raamwerk voor een historische/sociale analyse wordt bepaald door de keuze van de analyse-eenheden tijd, ruimte en thema. Dit bepaalt dan weer de gekozen onderzoeksstrategie. *Analyse-eenheden* kunnen we opdelen in casussen, netwerken en systemen. Met de *onderzoeksstrategie* bedoelen we de wijze waarop we de casussen, netwerken en systemen bestuderen. Basisstrategieën in de wereldgeschiedenis zijn vergelijkingen maken, verbanden zoeken, systemen detecteren, schalen en contactzones analyseren. Casussen, netwerken, systemen, schalen, frontiers, vergelijkingen, verbanden zijn kernwoorden in het onderzoek over de wereldgeschiedenis.

De nog steeds populairste benadering in de menswetenschappen en in de geschiedenis is de *gevalstudie (casusanalyse)*. De basis is de analyse van een eigen 'geval', als een min of meer autonome eenheid. De premisse is dan dat een geval relevant kan zijn/is voor het bredere verhaal, hetzij als voorbeeldstudie, hetzij als uitzondering op de norm. Deze casusbenadering staat heel sterk binnen de zogenaamde 'traditionele' geschiedschrijving, maar ook in bredere contexten vinden we veel casusonderzoek terug (met de focus op individuele menselijke gemeenschappen). De casusanalyse is van groot belang voor onze kennis over de wereld. Ze draagt echter maar bij tot een mondiaal perspectief wanneer ze in een ruimere context wordt geplaatst, door vergelijking, of door te wijzen op verbanden. De aangewezen methode of strategie om gevalstudies in een mondiale context te begrijpen, is de *comparatieve analyse*. Zij brengt op een systematische wijze gelijkenissen en verschillen tussen twee of meer casussen in kaart. Dit betekent dat de vergelijking tweezijdig, wederkerig en geïntegreerd moet zijn (*reciprocal and integrated comparison*). De wederkerige vergelijking gaat niet uit van een standaardmodel, vaak gebaseerd op de Europese geschiedenis. Ze bevraagt uiteenlopende casussen vanuit een gelijke set van vragen die ruimte laat voor de eigenheid van elk geval, maar die ook op een systematische wijze gelijkenissen en verschillen in kaart kan brengen. De vergelijking wordt ook ingebed in bredere vraagstukken. De geïntegreerde vergelijking vermijdt statische momentopnames, de nadruk ligt op verandering en dynamiek. Klassieke vraagstukken zoals staatsvorming of economische verandering worden zo zinvol in een ruimer kader geanalyseerd, zonder vooraf de eigen (Europese) standaard als norm te stellen. Klassieke voorbeelden van dergelijke wederkerige vergelijking in de moderne wereldgeschiedenis zijn de studies van Kenneth Pomeranz (*The Great Divergence*) en Bin Wong (*China Transformed*).

Het concept *netwerk* is een sterke metafoor in de hedendaagse wereldgeschiedenis. In de meest algemene betekenis wijst het naar het weefsel dat de wereld samen houdt. Netwerken zijn evenals casussen ruimtes, zij het met minder zichtbare grenzen (bv. migratienetwerken, financiële netwerken). Trefwoorden zijn stromen, knooppunten, uitwisseling, verbanden, beïnvloeding, maar ook diffusie (bv. van planten, van kennis, van technologie), syncretisme (bv. van geloofssystemen) en verzet (tegen nieuwe invloeden). In *The Human Web* van vader en zoon William en John McNeill is het 'menselijke web' de metafoor voor de mondiale menselijke samenleving, zoals die vanaf de eerste grote beschavingen vorm krijgt. Tot 1000 n.t. is er sprake van diverse webben, weliswaar met steeds meer contacten tussen elkaar. Tussen 1000 en 1500 n.t. 'verdichten' deze webben, om na 1500 n.t. te groeien tot een nieuw wereldwijd web (*spinning the worldwide web*). Het hedendaagse web wordt omschreven als een enorm netwerk van samenwerking en competitie, ondersteund door massieve stromen van informatie en energie. Nieuwe knooppunten of schakels zorgen voor een steeds grotere complexiteit. David Christian gebruikt in *Maps of Time* ook het beeld van de verdichting van menselijke interactie en van het 'collectief leren' om de wereldgeschiedenis samen te vatten. Kleinschalige zones gaan op in grote contactgebieden (Amerika, Afrika-Eurazië, Australië-Polynesië) en later in een mondiaal netwerk.

De idee van netwerken is sterk aanwezig in de studie van economie en handel. Al heel lang bestaan er contacten tussen menselijke groepen over ecologische zones heen. Kustgebieden en hooglanden, steppes en landbouwgebieden, valleien en bergen, woestijnen en wouden, alle brengen ze andere goederen voort die een afzet vinden ver buiten het winningsgebied. Ten gevolge van deze ongelijke verdeling van voorraden speelt interregionale ruil en verhandeling vanaf de vroegste menselijke geschiedenis een belangrijke rol. Deze interactie versnelt in de wereld tussen 500 en 1500 n.t., in de eerste plaats in de Afro-Euraziatische zones, maar ook elders. De zijderoutes door Eurazië zijn een van de meest extensieve en langdurige handelsnetwerken in de wereldgeschiedenis. Ze verbinden China, over centraal-Azië, India en het Midden-Oosten met het Mediterrane gebied. De opening van de zijderoutes maakt ook passage mogelijk van kennis, culturen en religies (boeddhisme) en van ziektekiemen (de pest). Het handelsweb van de Indische Oceaan is tot de opening van de zeeën door de Europeanen in de 16de eeuw het grootste maritiem-commerciële netwerk. Het verbindt de kusten van

China met die van India, Arabië en Oost-Afrika, en wordt beheerst door een 'archipel' van handelssteden. Deze ruimte is een sterke katalysator voor de verspreiding van de islam vanaf de 7de eeuw n.t. (zoals op de Swahilikusten). Dit geldt ook voor het handelsnetwerk door de Sahara, dat door de introductie van de kameel en de bloei van commerciële centra aan de zuidgrens (Ghana, Mali, Songhai) in het eerste millennium tot 1500 n.t. een sterke groei kent. In deze periode bloeien ook handelsnetwerken in precolumbiaans Amerika: langs de Mississippi, in Mesoamerica en in de Andes, waarbij telkens diverse ecologische zones worden omspannen. De expansie van het Incarijk in de vijftiende eeuw stoelt mee op de door de staat gestuurde interregionale handel. Handelssteden werden opgericht en een wegennetwerk van meer dan 20.000 km verbindt de kusten met hoogvlaktes tot 5000 meter, de valleien met hoge bergketens.

Stedelijke netwerken zijn eveneens een goede indicator van economische en politieke groei, aangezien de stedelijke centra aanspraak moeten kunnen maken op een aanzienlijk surplus. Het paradigma van het *wereldstedennetwerk* (Peter Taylor, *World City Network* en Saskia Sassen, *Global Networks, Linked Cities*) legt de focus op een mondiaal netwerk met steden als schakelpunten. Het uitgangspunt is dat de moderne samenleving niet (meer) zozeer vormgegeven wordt door een samenspel van nationale staten, maar eerder door de min of meer autonome machtscentra die wereldsteden geworden zijn, of beter: door het netwerk van die wereldsteden. Wereldsteden (*global cities*) zijn hier centrale schakels in een mondiaal netwerk van productie, handel en diensten, maar meer nog van besluitvorming en monopolisering van informatie. Financiële centra en de zogenaamde '*global firms*' vinden we in alle wereldsteden terug. Aan de onderkant trekken wereldsteden grote stromen (vooral illegale, vaak vreemde) arbeiders aan. Ze verzorgen de flexibele, vaak informele 24 uurseconomie. De vraag is in hoeverre systemen van wereldsteden in een verleden zijn terug te vinden. Historici werken vaak met het concept van stedelijke netwerken, maar dan op een kleinere schaal. Een voorbeeld van het historiseren van het concept van wereldsteden is het werk van George Modelski (*World Cities*). In een eerste fase van urbanisatie (3000-1000 v.t., steden met meer dan 10.000 inwoners) worden steden de basis van een urbane kenniscultuur, met onder meer kennis van het schrift, de tijdsrekening en de wiskunde. In de 'klassieke' fase (1000 v.t. - 1000 n.t.; steden vanaf 100.000 inwoners) krijgen steden een groeiende sociale rol, als centra van wereldreligies die het sociale leven domineren. De derde, moderne fase (vanaf 1000 n.t., steden vanaf 1 miljoen inwoners) wordt bepaald door een groeiende politieke macht van de steden, als centra in een globaliserend systeem. Modelski voorspelt nog een vierde fase (wereldsteden met tientallen miljoenen inwoners), waarin de steden ook de economische macht hebben en de belangrijkste basis worden voor materiële welvaart in de wereld.

Een andere veelgebruikte metafoor in de wereldgeschiedenis is *systeem*. We denken hier aan specifieke systemen (bv. handelssystemen, politieke systemen, migratiesystemen) en algemene systemen (een zogenaamd 'wereldsysteem'). De invalshoek is die van interacties binnen een eenheid. Een essentieel verschil met de casusbenadering is dat de eenheid, het systeem niet wordt bestudeerd in zijn onderdelen, maar in zijn geheel, als een samenspel van diverse subsystemen (het Atlantisch systeem vanaf 1500 n.t. is meer dan de optelling van handelsactiviteiten van de onderscheiden Europese naties). Het verschil met een netwerkanalyse is dat interconnecties onderdeel zijn van systemische verschuivingen (menselijke migratie en slavenhandel in het Atlantische systeem zijn ook een gevolg van veranderende intercontinentale machtsverschuivingen). Zo is ook het huidige politieke systeem meer dan een optelling van nationale systemen. Hier verschuift de centrale focus in het onderzoek van een vergelijkende analyse van nationale casussen naar de verbanden tussen die gevallen, naar een overkoepelend interstatensysteem. Dit verband heeft zijn eigen logica's, die niet kunnen worden begrepen door alleen naar de subsystemen (de staten) te kijken.

Met andere woorden: wereldgeschiedenis gaat niet alleen over connecties, maar ook over systemen van interconnectie, zoals patronen in handelsrelaties, in migratie, in de verspreiding van technologie, cultuur en ziektes. De richting in die patronen wordt mee bepaald door interregionale machtsrelaties, de verspreiding is niet ad random, maar is gepromoot en uitvergroot door de grote verschuivingen tussen maatschappijen door de geschiedenis heen. De systeemtheorie is bijgevolg holistisch in haar opzet. Een geheel kan nooit worden begrepen via zijn onderdelen alleen, er is een metaniveau dat een eigen dynamiek heeft. Systeemtheorie stelt heel nadrukkelijk de vraag naar de 'eenheid van analyse'. Neem je als eenheid nationale staten, dan krijg je een ander beeld dan wanneer je de analyse-eenheid verbreedt tot een interstatensysteem, of een wereldsysteem. Hetzelfde kan worden gezegd van nationale versus globale culturen en economieën. Deze metasystemen zijn geen gesloten, maar open, historische systemen, met een eigen tijdsverloop (ontstaan, groei, neergang). Met een systeembenadering worden niet alleen verbanden tussen menselijke groepen aangegeven, maar wordt eveneens duidelijk welke structurele processen de acties van menselijke groepen overkoepelen. Een systeembenadering brengt zo horizontale (tussen gelijkwaardige subsystemen) en verticale (tussen micro- en macrostructuren en processen) verbindingen in kaart.

Immanuel Wallerstein introduceert in navolging van Fernand Braudel (*économie-monde*) een systeembenadering in de wereldgeschiedenis (*The Modern World-System*). De eenheid van analyse zijn de 'wereld-systemen', sociale systemen die een eigen coherentie en logica hebben, die een 'wereld op zich' vormen (daarom wereld-systeem met een verbindingsstreepje). Tot enkele eeuwen terug bestaan diverse (soorten) wereld-systemen naast elkaar. Wallerstein onderscheidt minisystemen (kleinschalige sociale systemen zoals jager-verzamelaars en kleine landbouwculturen), regionale wereld-systemen (de wereldrijken) en wereld-economieën. In een wereld-economie is de economische organisatie de '*prime-mover*'. Een wereld-economie omvat meerdere politieke en culturele systemen. De belangrijkste wereld-economie tot nu is die welke Wallerstein het 'moderne wereld-systeem' noemt, het historisch kapitalisme. Dat ontstaat op het breukvlak van de Europese Middeleeuwen en de Nieuwe Tijden (lange 16de eeuw) en integreert in diverse stappen de hele wereld. Tot de 19de eeuw bestaan nog diverse wereld-systemen naast elkaar (een kapitalistische wereld-economie naast wereld-rijken zoals het Ottomaanse Rijk en China, en naast de laatst overblijvende minisystemen). Vanaf het einde van de 19de eeuw omspant het 'moderne wereld-systeem' ook in letterlijke zin de wereld en wordt het dus een echt mondiaal systeem. Een globale (kapitalistische) economie overkoepelt een versnipperd politiek systeem (een systeem van natiestaten, een interstatensysteem) en een versnipperd cultureel systeem (bv. wereldreligies). Deze moderne wereld-economie heeft een aantal eigen kenmerken: ongelijkheid in verloop (fasen, crisissen) en ongelijkheid in samenstelling (geografisch: centrum, semiperiferie en periferie; sociaal: sociale groepen). Die ongelijkheid is tegelijk een noodzakelijke voorwaarde voor het bestaan van een wereld-economie. Tevens kenmerkend is dat er zich binnen één economisch systeem opeenvolgende politieke conjuncturen voordoen, in tegenstelling tot een wereldrijk, waar de economische en politieke conjunctuur samenvallen. Die politieke cycli worden gekenmerkt door een intense strijd in de kerngebieden en door opeenvolgende hegemonieën (Noord-Italië, Holland, Groot-Brittannië, de Verenigde Staten, ...). Deze wereld-systeemanalyse is een voorbeeld van een paradigma, een heuristisch model dat systemen als uitgangspunt neemt voor een globale analyse van de wereld. Deze systemen zijn open, historische systemen, wat wil zeggen dat ze opkomen, bloeien en verdwijnen. De studie van wereld-systemen combineert ook diverse methodologische benaderingen: comparatief (vergelijking van diverse systemen, zoals de handelsnetwerken), interconnectief (stromen of 'kettingen' van bijvoorbeeld goederenproductie in wereldsystemen) en globaal (zoals klimaatsveranderingen). Daarnaast heeft systeemanalyse oog voor verbindingen in horizontale (tussen systemen) en in verticale zin (in het systeem zelf).

4. De frontiers van de wereldgeschiedenis

Wereldgeschiedenis incorporeert diverse, overlappende schalen van plaats en van tijd in haar onderzoek. Het is maar zo dat het samenspel tussen klein en groot, tussen lokaal en globaal kan worden onderzocht. Eerder dan een structuralistische macrobenadering geeft dit onderzoeksmodel ruimte voor actie, interactie en *agency*. Wereldgeschiedenis laat zien hoe sociale verandering plaatsvindt, hoe die wordt aangedreven en binnen welke grenzen. Wereldgeschiedenis verbindt de tijd van het *'event'* met die van de 'wereld' en toont zo de complexiteit van de menselijke reis.

We benoemden deze meergelaagdheid in het onderzoek met de term sociale Ruimte-Tijd, *SpaceTime*. Het samenspel tussen plaats en tijd creëert een voortdurende dynamiek, met zones van verschuiving en overgang. Deze grenszones of *frontiers* zijn een centrale focus in de wereldgeschiedenis van vandaag. De frontiers zijn geen afgebakende grenzen (*bounderies, borders*), maar immer verschuivende zones van contact tussen verschillende sociale ruimtes, sociale systemen. Contactzones ontstaan door de interactie tussen sociale systemen met eigen kenmerken. Ze verdwijnen wanneer de interactie afloopt of wanneer een systeem door een ander wordt geïncorporeerd. Frontiers kunnen extern en intern zijn, als onderdeel van een veranderend systeem (cfr. Figuur 23). De afbakeningen tussen sociale groepen en de mate waarin ze in- of uitgesloten zijn, creëren ook overgangszones. In dergelijke ruimtes groeien synergieën, maar ook vaak tegenbewegingen, is er plaats voor samenwerking, maar ook voor reactie en verzet. Frontierzones worden zo permanent gereproduceerd door samenlopende en dialectische processen van homogenisering (de reductie van frontiers) en heterogenisering (de creatie van nieuwe frontiers). Geschiedenis wordt gemaakt door permanente verschuivingen in en tussen de frontierzones. Ze ontstaan, verschuiven, verdwijnen. De studie naar deze contactgebieden in wereldgeschiedenis vestigt de blik op divergerende, interagerende schalen. Ze vermijdt een statische micro-/macrobenadering en gaat in tegen essentialistische, vaste en vooraf afgebakende zones en sociale systemen. Plaats en tijd zijn historisch, dynamisch en veelgelaagd.

De frontierfocus in de wereldgeschiedenis noodzaakt onderzoek naar gelijkenissen en verschillen, naar verbanden en naar systemische veranderingen. In de eerste plaats gaat het over de grenszones van contact, van culturele, sociale en economische interactie. Ze zijn fluïde, ze veranderen, groeien of verdwijnen, samen met de opkomst en neergang van rijken, beschavingen, staten, economieën. Deze zones zijn de periferieën van grotere systemen, met vaak een intens verkeer en interactie van handelaars, veroveraars, pelgrims, missionarissen, settlers, toeristen. Zo verspreiden pelgrimages uit perifere gebieden (christelijke pelgrims in het Romeinse Rijk, islamitische pelgrims uit de Arabische woestijnen) nieuwe religieuze systemen. Dragers van geloof doorkruisen culturele zones, verleggen culturele grenzen en creëren vaak nieuwe, hybride frontiers. De volkeren in frontierzones nemen nieuwe culturen op, creëren bondgenootschappen en samenwerking, gaan in verzet, nemen andere identiteiten aan. Sociale mobiliteit is een product van geografische mobiliteit in en tussen frontiers.

Politieke eenheden bestaan bij gratie van grenzen. Ze proberen deze zones strikter af te bakenen, met klare scheidslijnen: de Chinese muur, de muur van Hadrianus, de Berlijnse muur, de muur tussen Israël en de Palestijnse gebieden, de hekkens tussen de USA en Mexico. Het systeem van nationale staten en het hieraan gekoppelde burgerschap maken politieke grenzen meer absoluut. Die vallen echter meestal niet samen met culturele of economische grenzen. Die ontdekken we het best door de zones van contact en conflict in kaart te brengen. Zo groeit het historisch kapitalisme als economisch systeem door de voortdurende incorporatie van nieuwe grenszones. Door de verdere toe-eigening van nieuwe productiemiddelen (land, arbeid, goederen, kennis) verschuiven sociale en ecologische frontiers. Tevens voedt dit proces nieuwe sociale ruimtes van actie en verzet.

De vele projecten van migratie en kolonisering van rijken en staten vormen zo een permanent proces van een doorbreken van bestaande grenzen en het creëren van nieuwe periferieën en nieuwe geografische, maar ook culturele frontierzones. De expansie van Rusland naar het oosten (de frontier bereikt in de 17de eeuw de Pacific), van China naar het westen en zuiden (de frontier bereikt in de 18de eeuw Mongolië en de Himalaya) en van de Verenigde Staten naar het westen (de frontier bereikt in de 19de eeuw de Pacific) creëren nieuwe grenszones en nieuwe vormen van assimilatie en conflict. Aan de grenzen van het Chinese Manchurijk groeien vele hybride, weinig afgebakende contactzones met Indische, Iraanse, Islamitische, Turkse, Mongoolse en Tibetaanse culturen. Zeeën ontwikkelen zich ook tot grote, makkelijke doordringbare contactzones: de Middellandse Zee, de Indische Oceaan, de Zuid-Chinese Zee, Oceanië. Grenzen zijn er immer betwist, zones nauwelijks te beschermen. Ze zijn ruimtes voor nieuwe expansie, maken handel en migratie mogelijk. Ze vormen tevens actieve zones van verzet tegen territoriale machten, met vele vormen van smokkel en piraterij.

Nieuwe vormen van kolonisatie en imperialisme vanaf de 16de eeuw zorgen voor een gigantische expansie en verschuiving van perifere frontierzones. Deze expansie bindt grote bevolkingsgroepen aan de Europese wereldeconomie en geeft hen zo vaak ook middelen voor nieuwe vormen van identiteit en verzet. Zo incorporeert de economische exploitatie nieuwe regio's in de wereldeconomie, maar ligt ze ook aan de basis van nieuwe vormen van boerenlandbouw en zogenaamde 'informele economieën'. Politieke incorporatieprocessen voeden in de 20ste eeuw mee de strijd voor dekolonisatie en nationale emancipatie. De culturele associatie creëert vele nieuwe mengvormen met de 'creolisering' van taal, identiteit, religie en voeding.

Grenzen en frontiers moduleren op deze wijze wereldhistorische processen, via politieke expansie, menselijke migratie, economische ruil of incorporatie, culturele assimilatie, religieuze verspreiding. Aan de grenzen van sociale en economische systemen ontstaan hybride culturen en groeien vaak processen die bestaande systemen uitdagen. Ook binnen sociale systemen groeien of verdwijnen frontiers. Sociale groepen, sociale zones worden uit- en afgesloten of geïncorporeerd. De strijd om begrenzingen, over in- en exclusie, is een strijd om de macht. Zij die de macht hebben, bakenen het territorium af, tekenen de grenzen uit, definiëren de identiteit en maken het verschil tegenover de 'andere'. Grenzen gaan over geografische plaatsen aan de buitenkant, maar ook over sociale categorieën en ruimtes intern. Het uitsluiten van vrouwen uit de publieke ruimte, zoals tijdens de strijd tegen de religieuze ketterij in het vroegmoderne Europa, of tijdens de propagering van het 20ste-eeuws kostwinner-huisvrouwmodel, trekt nieuwe grenzen. Stedelijke overlevingsnetwerken in de 19de-eeuwse industriële groeicentra of de 21ste-eeuwse *cities of slumps* definiëren nieuwe, gedeeltelijk autonome zones. De nieuwe frontiers geven zo ruimte aan nieuwe vormen van organisatie en reactie.

Externe en interne frontierzones spelen een eersterangsrol in maatschappelijke verandering. Ze bouwen muren, maar ook bruggen. Ze bepalen exclusie, maar ook inclusie. Ze leggen nieuwe regels op, maar geven ook ruimte om ertegen in verzet te gaan. Nieuwe vormen van politieke en sociale emancipatie krijgen vaak vorm in grenszones, zoals met de 18de-eeuwse slavenopstanden in de Caraïben, of met de boerenbewegingen in het zuiden in de 21ste eeuw. De nieuwe frontiers leggen ook de grote paradox bloot in de huidige geglobaliseerde wereld. Grenzen zijn niet verdwenen, maar geherdefinieerd, met mondiale netwerken van geld en communicatie, maar ook met nieuwe regionale identiteiten, nationale muren tegen migratie en immense zones van economische onderontwikkeling. Het is dit wat de wereldgeschiedenis maakt: connectie en interactie, assimilatie, conflict en verzet, in een wereld die groot is, maar niet gelijk.

Door de vele schalen en patronen heen zoekt wereldgeschiedenis naar grotere, meer overkoepelende verhalen. Die geven de menselijke reis betekenis, in het verleden en in het heden. Deze moderne wereldgeschiedenis worstelt echter nog altijd met wat Fernand Braudel de historiografische ongelijkheid tussen het Westen en de rest van de wereld noemde: 'Europa vindt historici uit en maakt er goed gebruik van. Haar eigen geschiedenis is goed gekend en kan worden gebruikt zowel ten laste als ten ontlaste. De geschiedenis buiten Europa moet nog worden geschreven'. In de kennis over de meest uiteenlopende delen van de wereld en periodes van de geschiedenis staan we nu verder dan ooit. De ongelijke mondiale hiërarchie in deze kennisopbouw, nog steeds gecentreerd in Westerse kenniscentra, blijft echter groot. Dit is de belangrijkste frontier in de wereldgeschiedenis van vandaag. Zolang die ongelijkheid er is, moet de historicus terughoudend blijven om 'de gordiaanse knoop van de wereldgeschiedenis', de vraag naar de wortels van de hedendaagse mondiale ongelijkheid, door te hakken.

Herkomst van de figuren

Figuur 1
P.V. Adams e.a., *Experiencing world history*, New York University Press, 2000, p. 33.

Figuur 3 en Figuur 4
World Population Trends [http://www.un.org/popin/wdtrends.htm]

Figuur 7
B.C. Turner II et al. (eds.), *The earth as transformed by human action. Global and regional changes in the biosphere over the past 300 years*, Cambridge University Press, 1990, p. 7.

Figuur 8
J. Diamond, *Guns, germs and steel. The fates of human society*, Norton, 1997, p. 87.

Figuur 9
I.G. Simmons, *Changing the Face of the Earth: Culture, Environment, History*, Blackwell, 1996, p. 27.

Figuur 10
UN World Population Prospects. The 2010 Revision Population Database [http:\\esa.un.org]

Figuur 12
C. Flint en P.J. Taylor, *Political geography. World-economy, nation-state and locality*, Pearson - Prentice Hall, 2011, p. 82.

Figuur 13
C. Flint en P.J. Taylor, *Political geography. World-economy, nation-state and locality*, Pearson - Prentice Hall, 2011, p. 87.

Figuur 14
Angus Maddison Historical Statistics [http://www.ggdc.net/MADDISON/oriindex.htm]

Figuur 15
Angus Maddison Historical Statistics [http://www.ggdc.net/MADDISON/oriindex.htm]

Figuur 16

Google Books Ngram Viewer [http://books.google.com/ngrams]

Figuur 17

P. Dicken, *Global shift. Reshaping the global economic map in the 21st century*, Sage, 2003, p. 22.

Figuur 18

World Bank World Development Indicators [http://data.worldbank.org/data-catalog/world-development-indicators]

Figuur 19

R. Kaplinsky, *Globalization, poverty and inequality. Between a rock and a hard place*, Polity Press, 2005, p. 24.

Figuur 20

World Bank World Development Indicators [http://data.worldbank.org/data-catalog/world-development-indicators]

Figuur 21

Human Development Report 1992 (United Nations Development Program)

Figuur 22

B. Milanovic, *Global inequality and global inequality extraction ratio. The story of the last two centuries*, 2009 [http://ideas.repec.org/p/wbk/wbrwps/5044.html]

Literatuurwijzer

Deze lijst is vanzelfsprekend alleen richtinggevend, met een persoonlijke selectie van werken die een globaal en historisch perspectief bieden.

Prelude

E. Burke III, D. Christian & R.E. Dunn, *World history. The big era's. A compact history of human mankind for teachers and students*, The Regents, University of California, 2009.

D. Christian, *This fleeting world. A short history of humanity*, Berkshire Publishing Group, 2008.

R. Dawkins, *The ancestor's tale. A pilgrimage to the dawn of life*, Weidenfeld and Nicolson, 2004.

S.J. Gould, *Full house. The spread of excellence from Plato to Darwin*, Three Rivers Press, 1996.

1. Wereldgeschiedenis: een geschiedenis van de wereld?

Literatuur als een inleiding op de wereldgeschiedenis

J.H. Bentley, 'Why study world history?', in: *World History Connected*, 2007, 5(1), <http://worldhistoryconnected.press.uiuc.edu/5.1/bentley.html>.

J.H. Bentley, R. Bridenthal & A.A. Yang (eds.), *Interactions. Transregional perspectives on world history*, Routledge, 2001.

J.H. Bentley, *Shapes of world history in twentieth-century scholarship*, American Historical Association, 1995.

S. Conrad, A. Eckert & U. Freitag (eds.), *Globalgeschichte. Theorien, Ansätze, Themen*, Campus, 2007.

P.K. Crossley, *What is global history?*, Polity Press, 2008.

R. Dunn (ed.), *The new world history. A teacher's companion*, St. Martin's Press, 2000.

M. Hughes-Warrington (ed.), *Palgrave advances in world histories*, Palgrave Macmillan, 2005.

P. Manning, *Navigating world history. Historians create a global past*, Palgrave Macmillan/St. Martin's Press, 2003.

B. Mazlish & R. Buultjens (eds.), *Conceptualizing global history*, Westview, 1993.

P. O'Brien, 'Historiographical traditions and modern imperatives for the restoration of global history', in: *Journal of Global History*, 2006, 1, pp. 3-39.

P.N. Stearns, *Western civilization in world history*, Routledge, 2003.

P.N. Stearns, *World history. The basics*, Routledge, 2011.

B. Stuchtey & E. Fuchs (eds.), *Writing world history 1800-2000*, Oxford University Press, 2003.

P. Vries (ed.), *Global History*, themanummer *Österreichische Zeitschrift für Geschichtswissenschaften*, 2009, 2 (met bijdragen van P. Vries, E. Vanhaute, J. Osterhammel, J. Darwin, J.A. Goldstone, D. Christian & H. Floris Cohen).

Tekstboeken

Het aanbod aan leerboeken wereldgeschiedenis is overvloedig. Een selectie, samen met een aantal besprekingen, kan gevonden worden in: *World History Connected*, 2006, 3(2), <http://worldhistoryconnected.press.uiuc.edu/3.2>.

Goede leerboeken zijn:

J.H. Bentley & H.F. Ziegler, *Traditions and encounters. A global perspective on the past*, McGraw-Hill, 2011 (5th edition).

F. Caestecker, *Hoe de mens de wereld vorm gaf*, Academia Press, 2010.

K. Davids & M. 'T Hart (eds.), *De wereld en Nederland. Een sociale en economische geschiedenis van de laatste duizend jaar*, Boom, 2011.

C. Goucher & L. Walton, *World history. Journeys from past to present*, Routledge, 2008.

F. Fernandez-Armesto, *World. A brief history*, Pearson-Prentice Hall, 2007 (combined volume, paperback in 2008).

H. Spodek, *The world's history*, Pearson-Prentice Hall, 2006 (combined volume, 3rd edition).

Robert W. Strayer, *Ways of the world. A brief global history*, Bedford/St.Martin's, 2009 (2 volumes).

Encyclopedia:

Berkshire encyclopedia of world history, Berkshire Publishing Group, 2010 (6 volumes, 2nd edition).

The Oxford Handbook of world history, Oxford University Press, 2011.

Routledge handbook of world-systems analysis. Theory and research, Routledge, 2012.

World history encyclopedia, ABC Clio, 2011 (21 volumes).

Lexicon:

P. Vandepitte & C. Devos, *Lexicon. Een verklaring van historische en actuele maatschappelijke concepten*, Academia Press, 2010 (3de uitgebreide editie).

Verenigingen

The World History Association <www.thewha.org>
In 1982 wordt de *World History Association* opgericht ter promotie van de studie naar en

het onderwijzen van wereldgeschiedenis. De associatie telt nog steeds voornamelijk Noord-Amerikaanse leden maar is ook internationaal sterk vertegenwoordigd. De vereniging organiseert internationale congressen en publiceert de nieuwsbrief *World History Bulletin. Newsletter of the World History Association* met daarin boekbesprekingen, korte artikels en bijdragen over de ontwikkeling van de discipline.

European Network in Universal and Global History <www.eniugh.org>

De Europese zusterorganisatie van de *World History Association* is het *European Network in Universal and Global History* dat in 2002 werd opgericht met zetel in Leipzig. Samen met andere internationale verenigingen vormen WHA en ENIUGH het overkoepelende *Network of Global and World History Organizations (NOGWHISTO)*. ENIUGH organiseert tweejaarlijkse internationale conferenties en publiceert het tijdschrift *Comparativ* (zie verder). Daarnaast worden boekbesprekingen en aankondigingen allerhande door ENIUGH verspreid via het online-forum *history.transnational* <http://geschichte-transnational.clio-online.net>.

The New Global History <www.newglobalhistory.com>

New Global History legt de nadruk op de globaliseringsthematiek in de wereldgeschiedenis, en bouwt aan een historisch analysekader om processen van groeiende, wereldwijde interconnecties te onderzoeken. *New Global History* is veeleer een onderzoeksgroep dan een netwerk zoals WHA of ENIUGH, en een productieve poot binnen de wereldgeschiedenis.

Tijdschriften

Comparativ. Zeitschrift für Globalgeschichte und vergleichende Gesellschaftsforschung,

European Network in Universal and Global History, vanaf 1991 <www.comparativ.net>.

ENIUGH patroneert *Comparativ*, een tweemaandelijks tijdschrift in het Engels en Duits dat de nadruk legt op de thematische invalshoek *comparisons*.

Global History Review, China Social Science Press, vanaf 2006 <www.global-history.org>.

Global History Review is een Chinees tijdschrift, verbonden aan het historische departement binnen de Capital Normal University.

Global Networks, a journal of transnational affairs, Blackwell Publishing, vanaf 2001.
Dit tijdschrift bekijkt hoe transnationale netwerken van individuen of groepen processen van globalisering aansturen. De invalshoek en vooral hedendaags.

Globality Studies Journal, Global History, Society, Civilization, The Stony Brook Institute for Global Studies, vanaf 2006 <globality.cc.stonybrook.edu>.
Globality Studies Journal is een open access-tijdschrift, gericht op interdisciplinaire analyses van de wereldgeschiedenis, de mondiale samenleving en cultuur en van de interactie met lokale culturen.

Globalizations, Routledge, vanaf 2004.
Het tijdschrift *Globalizations* bestudeert net zoals *Global Networks* de groeiende interconnecties op wereldschaal. De bijdragen in het tijdschrift benadrukken de verschillende interpretaties van en processen achter globalisering.

Itinerario, International Journal on the History of European Expansion and Global Interaction, Institute for the History of European Expansion, vanaf 1977 <www.let.leidenuniv.nl/history/itinerario>.
De studie van de Europese expansie is ouder dan wereldgeschiedenis. Een belangrijk tijdschrift die deze expansie als invalshoek heeft, is *Itinerario*, verbonden aan het Leidense *Institute for the History of European Expansion*.

Journal of Global History, Cambridge University Press, vanaf 2006.
Journal of Global History focust op globale verandering, met speciale aandacht voor de debatten over *the great divergence*, globalisering, regionale schalen en transdisciplinariteit in de wereldgeschiedenis.

Journal of World History, University of Hawaii Press, vanaf 1990.
Journal of World History is sinds 1990 het officiële tijdschrift van de *World History Association* en de oudste periodiek die wereldgeschiedenis in de titel heeft. Van meet af aan ligt de nadruk op *communities, comparisons* en *connections*, met extra aandacht voor brede processen (zoals religie, handel, (kennis)migratie of klimaat) die inwerken op regionale omschrijvingen zoals culturen, staten en beschavingen.

The New Global Studies, Berkeley Electronic Press, vanaf 2007 <www.bepress.com/ngs>.
The New Global Studies stelt globalisering centraal, met een sterk interdisciplinaire focus. Het tijdschrift is het publicatiekanaal van het New Global History initiatief van onder andere Bruce Mazlish.

World History Connected, vanaf 2003 <worldhistoryconnected.press.illinois.edu>.
World History Connected is een open access-tijdschrift en biedt een ruim platform voor de beoefening van wereldgeschiedenis, met nadruk op Noord-Amerika. Er is een grote aandacht voor wereldgeschiedenis als pedagogisch project.

World-Systems Archives <wsarch.ucr.edu>.
Het ruime spatiale perspectief van de wereldgeschiedenis is ouder dan de discipline wereldgeschiedenis. Dit elektronische archief bundelt documenten, bibliografische informatie, nieuwsbrieven, handboeken en reeksen met betrekking tot het analytische paradigma van de wereld-systeemanalyse. Met links naar twee essentiële tijdschriften voor deze discipline:
Review. A Journal of the Fernand Braudel Center (Binghamton University, sinds 1977; opgericht door Immanuel Wallerstein) <www2.binghamton.edu/fbc/review-journal/index.html>.
Journal of World-Systems Research (open access tijdschrift, sinds 1995) <jwsr.ucr.edu>.

Zeitschrift für Weltgeschichte, Wissenschafts-Verlages Martin Meidenbauer, vanaf 2000.
Dit tijdschrift, opgericht door Hans-Heinrich Nolte van de *Verein für Geschichte des Weltsystems* biedt een Duitstalig forum voor wereldgeschiedenis.

Interessante internetsites

H-World <www.h-net.org/~world>.
Een van de vele discussielijsten op <www.h-net.org>. Met een zeer actief discussieforum en boekbesprekingen. *H-World* functioneert zo als een belangrijk communicatienetwerk, met oog voor zowel onderzoek als onderwijs in de wereldgeschiedenis.

World History For Us All <www.worldhistoryforusall.sdsu.edu>.
Didactische webstek die een lessenpakket aanbiedt over wereldgeschiedenis. De lessen richten zich ook tot leerlingen uit het middelbaar onderwijs.

Bridging World History <www.learner.org/courses/worldhistory>.
Didactische webstek, thematisch opgebouwd rond 26 thematische units.

World History Sources
<chnm.gmu.edu/worldhistorysources> en <www.worldhistorymatters.org>.
Handleiding voor bronnen voor de wereldgeschiedenis.

The World History Network <www.worldhistorynetwork.org>.
Deze website is ontworpen als een inleiding in de studie van wereldgeschiedenis. Via de zoekfunctie krijg je toegang tot een brede waaier aan informatie en elektronische bronnen.

Communities/Comparisons/Connections <www.ccc.ugent.be>.
Website van de Onderzoeksgroep wereldgeschiedenis aan de Universiteit Gent.

Een overzicht van wereldgeschiedenis op het wereldwijde web:
K. Lehrer, K. Schrum & T.M.Kelly, *World history matters. A student guide to world history online*, Bedford -St. Martin's, 2009 <www.worldhistorymatters.org>.
A portal to world history websites <www.besthistorysites.net>.

Sites met kaarten en atlassen:
<www.timemaps.com>.
<www.worldhistorymaps.info>.
<www.lib.utexas.edu/maps/historical>.
<www.atlas-historique.net>.
<www.worldmapper.org>.
<mondediplo.com/maps>.
<www.indianoceanhistory.org>.

2. Een menselijke wereld

P.V. Adams, E.D. Langer, L. Hwa, P.N. Stearns & M.E. Wiesner-Hanks, *Experiencing world history*, New York University Press, 2000.

C.M. Cipolla, *The economic history of world population,* Penguin Books, 1978.

A. Commire & D. Klezmer (eds.), *Women in world history. A biographical encyclopedia,* Yorkin, 1999.

B. Fagan, *The journey from Eden. The peopling of our world*, Thames and Hudson, 1990.

D. Hoerder, *Cultures in contact. World migrations in the second millennium*, Duke University Press, 2002.

S.S. Hughes & B. Hughes, *Women in world history*, M.E. Sharpe, 1997.

K. Kiple (ed.), *The Cambridge world history of human disease*, Cambridge University Press, 1993.

M. Livi-Bacci, *A concise history of world population*, Blackwell, 2001.

J. Lucassen, L. Lucassen & P. Manning (eds.), *Migration history in world history. Multidisciplinary approaches*, Brill, 2010.

J. Lucassen, L. Lucassen, e.a., 'Discussion: global migration', in: *Journal of Global History,* 2011, 2, pp. 299-344.

P. Manning, *Migration in world history*, Routledge, 2005.

A. McKeown, *Melancholy order. Asian migration and the globalization of borders*, Columbia University Press, 2008.

W.H. McNeill, *Plagues and peoples*, Anchor Books, 1976.

S.J. Mithen, *After the ice. A global human history, 20.000-5000 BC*, Harvard University Press, 2004.

E.A. Wrigley, *Population and history*, Weidenfeld and Nicholson, 1969.

Women in world history, <http://chnm.gmu.edu/wwh> (George Mason University).

3. Een natuurlijke wereld

J. Aberth, *The first horsemen. Disease in human history*, Pearson-Prentice Hall, 2006.

E.B. Barbier, *Scarcity and frontiers. How economies have developed through natural resource exploitation*, Cambridge University Press, 2011.

E. Burke III , 'The big story. Human history, energy regimes and the environment', in: E. Burke & K. Pomeranz, *The environment and world history*, University of California Press, 2009, pp. 33-53.

L.L. Cavalli-Sforza, *Genes, peoples and languages*, University of California Press, 2001.

S.C. Chew, *World ecological degradation. Accumulation, urbanization and deforestation, 3000 BC – AD 2000*, Altamira, 2001.

D.H. Crawford, *Deadly companions. How microbes shaped our history*, Oxford University Press, 2007.

A. Crosby, *Ecological imperialism. The biological expansion of Europe, 900-1900*, Cambridge University Press, 1986.

A. Crosby, *Children of the sun. A history of humanity's unappeasable appetite for energy*, Norton, 2006.

M. Davis, *Late Victorian holocausts. El Nino famines and the making of the Third World*, Verso, 2001.

J. Diamond, *Guns, germs and steel. The fates of human society*, Norton, 1997.

B.M. Fagan, *The little ice age. How climate made history, 1300-1850*, Basic Books, 2000.

J. Goldstone, *Why Europe? The rise of the West in world history 1500-1850*, McGraw-hill, 2008.

J. Goudsblom, *Fire and civilization*, Penguin, 1992.

D.R. Headrick, *Technology. A world history*, Oxford University Press, 2009.

J.D. Hughes, *An environmental history of the world. Humankind's changing role in the community of life*, Routledge, 2009.

P.T. Jones & R. Jacobs, *Terra Incognita. Globalisering, ecologie en rechtvaardige duurzaamheid*, Academia Press-Ginkgo, 2007.

R.B. Marks, *The origins of the modern world. A global and ecological narrative from the fifteenth to the twenty-first century*, Rowman and Littlefield, 2007.

J. McClellan III & H. Dorn, *Science and technology in world history. An introduction*, John Hopkins University Press, 2006 (second edition).

J. McNeill, *Something new under the sun. An environmental history of the twentieth-century world*, Norton, 2000.

W.H. McNeill, *Plagues and peoples*, Anchor, 1976.

I. Morris, *Why the West rules – for now. The patterns of history, and what they reveal about the future*, Farrar, Straus and Giroux, 2010.

S. Mosley, *The environment in world history*, Routledge, 2009.

A.N. Penna, *The human footprint. A global environmental history*, Wiley-Blackwell, 2010.

C. Ponting, *A new green history of the world. The environment and the collapse of great civilizations*, Vintage, 2007.

J. Radhau, *Nature and power. A global history of the environment,* Cambridge University Press, 2008.

J.F. Richards, *The unending frontier. An environmental history of the early modern world*, University of California Press, 2003.

W.F. Ruddiman, *Plows, plagues, and petroleum. How humans took control of climate*, Princeton University Press, 2005.

I.G. Simmons, *Global environmental history,* University of Chicago Press, 2008.

V. Smil, *Energy in world history*, Westview Press, 1994.

Global Environment Outlook Verenigde Naties, <http://www.unep.org/geo>.

Klimaatrapport 2007 Verenigde Naties (Intergovernmental Panel on Climate Change - IPCC), <http://www.ipcc.ch>.

4. Een agrarische wereld

D. Barrez, *Koe 80 heeft een probleem. Boer, consument, agro-industrie en grootdistributie*, EPO, 2007.

W. Belasco, *Meals to come. A history of the future of food*, University of California Press, 2006.

P. Bellwood, *First farmers. The origins of agricultural societies*, Wiley-Blackwell, 2004.

A. Crosby, *The Columbian exchange. Biological and cultural consequences of 1492*, Greenwood Press, 1972.

J. Diamond, *Guns, germs and steels. The fates of human societies*, Norton, 1999.

J. Donald-Hughes, *An environmental history of the world. Humankind's changing role in the community of life*, Taylor and Francis, 2001.

B.M. Fagan, *Floods, famines and emperors. El Nino and the fate of civilizations*, Basic Books, 1999.

F. Fernandez-Armesto, *Near a thousand tables. A history of food*, Free Press, 2002.

L.O. Fresco, *Nieuwe spijswetten. Over voedsel en verantwoordelijkheid*, Bert Bakker, 2006.

J.B. Foster, *The vulnerable planet. A short economic history of the environment*, Monthly Review Press, 1994.

D. Goodman & M. Watts (eds.), *Globalising food. Agrarian questions and global restructuring*, Routledge, 1997.

J. Goody, *Cooking, cuisine and class. A study in comparative sociology*, Cambridge University Press, 1982.

R.H. Grove, *Ecology, climate and empire. Colonialism and global environmental history, 1400-1940*, White Horse Press, 1997.

H. Hobhouse, *Seeds of change. Six plants that transformed mankind,* Papermac, 1999.

K.F. Kiple, *Movable Feast. Ten Millennia of Food Globalization,* Cambridge University Press, 2007.

R. Manning, *Against the grain. How agriculture has hijacked civilization,* North Point Press, 2004.

S. Mintz, *Sweetness and power: the place of sugar in modern history,* Viking Penguin, 1985.

S. Mintz, *Tasting food, tasting freedom. Excursions into eating, culture, and the past,* Beacon Press, 1996.

J.M. Pilcher, *Food in world history,* Routledge, 2006.

M. Pollan, *The omnivore's dilemma. A natural history of four meals,* Penguin Books, 2006.

K. Pomeranz & S. Topik, *The world that trade created. Society, culture, and the world economy, 1400 to the present,* M.E. Sharpe, 1999.

F.J. Simmons, *Eat not this flesh. Food avoidances from prehistory to the present,* University of Wisconsin Press, 1994.

Sing Chew, *World ecological degradation. Accumulation, urbanization and deforestation 3000 BC - AD 2000,* Altamira Press, 2001.

R. Tannahill, *Food in history,* Three Rivers Press, 1988.

M.B. Tauger, *Agriculture in world history,* Routledge, 2011.

T. Weis, *The global food economy. The battle for the future of farming,* Zed Books, 2007.

R. Wright, *Kleine geschiedenis van de vooruitgang,* Cossee, 2005.

5. Een politieke wereld

J. Burbank & F. Cooper, *Empires in world history. Power and the politics of difference*, Princeton University Press, 2010.

J. Black, *War and the world. Military power and the fate of continents 1450-2000*, Yale University Press, 1998.

C. Chase-Dunn & T.D. Hall, *Rise and demise. Comparing world-systems*, Westview Press, 1997.

C. Chase-Dunn (ed.), *Premodern historical systems. The rise and fall of states and empires*, Journal of World-Systems Research, 2004, 3.

J. Darwin, *After Tamerlane. The global history of empire*, Allen Lane, 2007.

C. Flint & P.J. Taylor, *Political geography. World-economy, nation-state and locality*, Pearson-Prentice Hall, 2011 (6th edition).

J.S. Goldstein, *Long cycles, prosperity and war in the modern age*, Yale University Press, 1988.

W.H. McNeill, *The pursuit of power. Technology, armed force and society since A.D. 1000*, University of Chicago press, 1984.

D.C. North, J.J. Wallis & B.R. Weingast, *Violence and social orders. A conceptual framework for interpreting recorded human history*, Cambridge University Press, 2009.

G. Modelski & W.R. Thompson, *Leading sectors and world powers. The coevolution of global economics and politics*, University of South Carolina Press, 1996.

G. Parker, *The military revolution. Military innovation and the rise of the West, 1500-1800*, Cambridge University Press, 1996.

C. Tilly, *Coercion, capital, and European states, A.D. 990-1990*, Basil Blackwell, 1990.

P. Turchin, 'A theory for formation of large empires', in: *Journal of Global History*, 2009, 2, pp. 191-217.

I. Wallerstein, *The politics of the world-economy*, Cambridge University Press, 1984.

6. Een goddelijke wereld

K. Armstrong, *De grote transformatie. Het begin van onze religieuze tradities*, De Bezige Bij, 2005.

F. Braudel, *Grammaire des civilizations*, Flammarion, 1999 (oorspronkelijke uitgave 1963).

D.C. Denneth, *De betovering van het geloof. Religie als natuurlijk fenomeen*, Contact, 2006.

D. Gress, *From Plato to NATO. The idea of the West and its opponents*, Free Press, 1998.

S. Huntington, *The clash of civilizations and the remaking of world order*, Simon and Schuster, 1996.

D. Johnson & J.E. Elliot Johnson, *Universal religions in world history. The spread of Buddhism, Christianity, and Islam to 1500*, McGraw-Hill, 2007.

B. Mazlish, *Civilization and its contents*, Stanford University Press, 2004.

D.S. Noss, *A history of the world's religions,* Prentice Hall, 2003.

A. Sen, *Identity and violence, the illusion of destiny*, Norton, 2007.

R. Stark, *One true God. Historical consequences of monotheism*, Princeton University Press, 2001.

J. Tishken (ed.), *Religion and world history*, in: *World History Bulletin*, 23(1), spring 2007.

7. Een gescheiden wereld

R.C. Allen, *The British industrial revolution in global perspective*, Cambridge University Press, 2009.

G. Arrighi, *The long twentieth century. Money, power and the origins of our times*, Verso, 1994 (updated edition 2010).

G. Arrighi, *Adam Smith in Beijing. Lineages of the twenty-first century*, Verso, 2007.

A. Amsden, *The Rise of 'The Rest'. Challenges to the West from late-industrializing economies*, Oxford University Press, 2001.

R.A. Austen, *Trans-Saharan Africa in world history*, Oxford University Press, 2010.

C.A. Bayly, *The birth of the modern world, 1780-1914*, Basil Blackwell, 2004.

R. Bin Wong, *China transformed. Historical change and the limits of European experience*, Cornell University Press, 1998.

R. Bin Wong & J.-L. Rosenthal, *Before and beyond divergence: the politics of economic change in China and Europe*, Harvard University Press, 2011.

K.N. Chaudhuri, *Asia before Europe. Economy and civilisation of the Indian Ocean from the Rise of Islam to 1750*, Cambridge University Press, 1990.

Ph.D. Curtin, *The world and the West. The European challenge and the overseas response in the Age of Empire*, Cambridge University Press, 2000.

A.G. Frank, *ReOrient. Global economy in the Asian age*, University of California Press, 1998.

J. Goldstone, *Why Europe? The Rise of the West in world history 1500-1850*, McGraw-hill, 2008.

J. Goody, *Capitalism and modernity. The great debate*, Cambridge University Press, 2004.

P. Gran, *The rise of the rich. A new view of modern world history*, Syracuse University Press, 2008.

J.M. Hobson, *The Eastern origins of Western civilization*, Cambridge University Press, 2004.

D. Landes, *The wealth and poverty of nations. Why some are so rich and some so poor*, Norton, 1998.

J. Inikori, *Africans and the industrial revolution in England: a study in international trade and economic development*, Cambridge University Press, 2002.

X. Liu & L. Schaffer, *Connections across Eurasia. Transportation, communication and cultural exchange on the Silk Roads*, McGraw-Hill, 2007.

A. Madisson, *Contours of the world economy, 1-2030. Essays in macro-economic history*, Oxford University Press, 2007.

R.B. Marks, *The origins of the modern world. A global and ecological narrative from the fifteenth to the twenty-first century*, Rowman and Littlefield, 2007.

D. Northrup, *Africa's discovery of Europe, 1450-1850*, Oxford University Press, 2002.

R. Palat, 'Convergence before divergence? Eurocentrism and alternate patterns of historical change', in: *Summerhill. Indian Institute of Advanced Study Review*, 2010, 1, pp. 42-58.

P. Parthasarathi, *Why Europe grew rich and Asia did not. Global economic divergence, 1600-1850*, Cambridge University Press, 2011.

K. Pomeranz, *The great divergence. China, Europe and the making of the modern world economy*, Princeton University Press, 2000.

J. Thornton, *Africa and Africans in the making of the Atlantic world, 1400-1800*, Cambridge University Press, 1998.

P. Vries, 'Global economic history: a survey', in: P. Vries (ed.), *Global History, Österreichische Zeitschrift für Geschichtswissenschaften*, 2009, 2, pp. 133-169.

P. Vries, *Via Peking back to Manchester. Britain, the Industrial Revolution, and China*, Leiden Studies in Oversees History, 2003.

P. Vries, *A world of surprising differences. State and economy in early-modern Western Europe and China* (ter perse).

I. Wallerstein, *The modern world-system, 4 volumes*, Academic Press/University of California Press, 1974, 1980, 1989, 2011.

8. Een globale wereld

G. Arrighi, *The social and political economy of global turbulance*, New Left Review, 2003.

G. Arrighi & B. Silver (ed.), *Chaos and governance in the modern world system*, University of Minnesota Press, 1999.

A.K. Bagchi, *Mankind and the global ascendancy of capital*, Rowman and Littlefield, 2005.

C.A. Bayly, *The birth of the modern world, 1780-1914. Global connections and comparisons*, Wiley-Blackwell, 2004.

M.D. Bordo, A.M. Taylor & J.G. Williamson (eds.), *Globalization in historical perspective*, University of Chicago Press, 2003.

F. Cooper, *What is the concept of globalization good for? An African historian's perspective.* African Affairs, 2001.

P. Dicken, *Global shift. Reshaping the global economic map in the 21st century*, Sage, 2003.

T. Friedman, *The lexus and the olive tree: understanding globalization*, Anchor Books, 2000.

G.C. Gunn, *First globalization. The Eurasian exchange, 1500-1800*, Rowman and Littlefield, 2003.

D. Held, A. McGrew, D. Goldblatt & J. Perraton, *Global transformations. Politics, economics and culture*, Polity Press, 1999.

P. Hirst & G. Thompson. *Globalization in question: the international economy and the possibilities of governance*, Polity Press, 1996.

E. Hobsbawm, *The age of extremes. A history of the world, 1914-1991*, Vintage, 1996.

A.G. Hopkins (ed.), *Globalization in World History*, Norton, 2002.

A. Maddison, *Monitoring the world economy, 1820-1992*, OECD, 1995.

A. Maddison, *Contours of the world economy 1-2030 AD. Essays in macro-economic history*, Oxford University Press, 2007.

K. O'Rourke & J. Williamson, *globalization and history. The evolution of a nineteenth century atlantic economy*, MIT Press, 2001.

J. Osterhammel & N.P. Petersson, *Globalization. A Short History*, Princeton University Press, 2009.

J.T. Roberts & A. Hite (eds.), *From modernization to globalization. Perspectives on development en social change,* Blackwell, 2000.

R. Robertson, *The three waves of globalization. A history of a developing global consciousness*, Zed Books, 2003.

J. Rosenberg, *The follies of globalisation theory*. Verso, 2002.

P.N. Stearns, *Globalization in world history*, Routledge, 2010.

9. *Een gepolariseerde wereld*

A. Atkinson & T. Piketty (eds.), *Top incomes. A global perspective*, Oxford University Press, 2009.

M. Davis, *Planet of slums*, Verso, 2006.

G.M. Frederickson, *A short history of race*, Princeton University Press, 2002.

R. Kaplinsky, *Globalization, poverty and inequality. Between a rock and a hard place*, Polity Press, 2005.

H. Kerbo, *Social stratification and inequality. Class conflict in historical, comparative, and global perspective*, McGraw-Hill, 2006 (6th edition).

M. Kohonen & F. Mestrum, *Tax justice. Putting global inequality on the agenda*, Pluto Press, 2009.

R.P. Korzeniewicz & T.M. Moran, *Unveiling inequality. A world-historical perspective*, Russel Sage, 2009.

P.H. Lindert & J.G. Williamson, 'Does globalization make the world more unequal?' in: M.D. Bordo, A.M. Taylor & J.G. Williamson (eds.), *Globalization in historical perspective*, University of Chicago Press, 2003, pp. 227-270.

A. Maddison, *Angus Maddison 1926-2010*, Universiteit Groningen, <http://www.ggdc.net/maddison>.

B. Milanovic, *Worlds apart. Measuring international and global inequality*, Princeton University Press, 2005.

J. Sachs, *The end of poverty. How we can make it happen in our lifetime*, Penguin, 2005.

United Nations, *Human Development Report 2005*, <http://hdr.undp.org/reports/global/2005>.

World Bank, *Equity and development, World Development Report 2006* <http://web.worldbank.org>.

10. Een wereld in stukken

A.F. Aveni, *Empires of time. Calendars, clocks, and cultures*, University Press of Colorado, 2002.

J.E. Barnett, *Time's pendulum. From sundials to atomic clocks, the fascinating history of timekeeping and how our discoveries changed the world*, Harcourt Brace, 1999.

J.H. Bentley, *Old World encounters. Cross-cultural contacts and exchanges in pre-modern times*, Oxford University Press, 1993.

J.H. Bentley, *Seascapes. Maritime histories, littoral cultures and transoceanic exchanges*, University of Hawaii Press, 2007.

F. Braudel, *Civilisation materielle, economie et capitalisme, XV-XVIII siècle*, A. Colin, 1967-1979 (3 volumes).

C. Chase-Dunn & E.N. Anderson (eds), *The historical evolution of world-systems*, Palgrave Macmillan, 2005.

D. Christian, *Maps of time. An introduction to big history*, University of California Press, 2004.

J. Diamond, *Guns, germs, and steel. The fates of human societies*, Norton, 1997.

A. Gell, *The anthropology of time. Cultural constructions of temporal maps and images*, Berg, 1992.

J. Goudsblom, *Fire and civilization*, Penguin, 1992.

S.J. Gould, *The Structure of evolutionary theory*, Harvard University Press, 2002.

C. Goucher & L. Walton, *World history. Journeys from past to present*, Routledge, 2008.

M. Kearny, *The Indian Ocean in world history*, Routledge, 2004.

A.M. McKeown, *Melancholy order. Asian migration and the globalization of borders*, Columbia University Press, 2008.

J.R. McNeill & W.H. McNeill, *The human web. A bird's-eye view of world history*, Norton, 2003.

G. Modelski, *World cities, -3000 to 2000*, Faro, 2000.

H.-H. Nolte, *Weltgeschichte, Imperien, Religionen und Systeme 15.-19. Jahrhundert*, Böhlau, 2005.

D.M. Sachsenmaier, *Global perspectives on global history. Theories and approaches in a connected world*, Cambridge University Press, 2011.
S. Sassen, *Global networks, Linked cities*, Routledge, 2002.

S. Sassen, *Territory, authority, rights. From medieval to global assemblages*, Princeton University Press, 2006.

P.N. Stearns, *World history. The basics*, Routledge, 2011.

P. Taylor, *Globalization and world cities. Study group and network*, <http://www.lboro.ac.uk/gawc>.

I. Wallerstein, *Historisch kapitalisme*, Heureka, 1994 (vertaling *Historical capitalism*, 1983).

I. Wallerstein, *The modern world-system, 4 volumes*, Academic Press/University of California Press, 1974, 1980, 1989, 2011.